D0504675

Een hoopvolle toekomst

Voor Donald, mijn droomprins
Voor Kelsey, mijn dierbare dochter
Voor Tyler, mijn altoos durende lied
Voor Sean, mijn vrolijke zonnestraal
Voor Josh, mijn gevoelvolle perfectionist
Voor EJ, mijn uitverkorene
Voor Austin, mijn wonderjongen

En voor God, de Almachtige, Schepper van het leven,
Die mij hier op aarde met hen zegende

Karen Kingsbury

Een hoopvolle toekomst

Roman

Vertaald door Roelof Posthuma

 *Voorhoeve*

... *voor Alyssa*

Mijn plan met jullie staat vast – spreekt de HEER. *Ik heb jullie geluk voor ogen, niet jullie ongeluk: ik zal je een hoopvolle toekomst geven.*

Jeremia 29:11

© Uitgeverij Voorhoeve – Kampen, 2010
Postbus 5018, 8260 GA Kampen
www.kok.nl

Oorspronkelijk verschenen onder de titel *This Side of Heaven* bij Center Street, Hachette Book Group, 237 Park Avenue, New York, NY 10017, USA.
© Karen Kingsbury, 2009

Vertaling Roelof Posthuma
Omslagillustratie iStockphoto
Omslagontwerp Leonard Boekee
ISBN 978 90 297 9595 1
NUR 302

1

De pijn was een levend, ademend monster dat zijn klauwen diep in zijn vlees sloeg en nooit meer leek te zullen loslaten totdat de dood het laatste woord had. Maar ondanks de brandende pijn in elke wervel en pees in zijn rug; ondanks het feit dat hij zich de gevangene van zijn eigen lichaam voelde en ongeacht de eeuwige verlichting die met zijn laatste ademtocht zou aanbreken, wist Josh Warren die koele herfstnacht één ding heel zeker.

Hij wilde niet sterven.

Hij zocht krampachtig steun tegen het aanrecht in de keuken van zijn kleine appartement en keek op de klok. Iets na middernacht, nog vroeg naar zijn tegenwoordige maatstaven. Zijn blik werd wazig en hij moest vechten voor een helder ogenblik. Het ging om de medicijnen, en de vraag of hij om tien uur of om zes uur een dubbele dosis had genomen. Leunend op zijn handen boog hij voorover en probeerde adem te halen, maar de drie korte en snelle teugen vulden slechts een fractie van zijn longen. Hij was achtentwintig, maar zijn lichaam gaf hem het gevoel dat hij tweemaal zo oud was.

'God.' Hij perste zijn kaken op elkaar en het gefluisterde woord vulde zijn kleine keuken. 'Ik kan dit niet aan. Ik kan het niet.'

Drie jaar. Zo lang was het geleden. Ze hadden hem een held genoemd. Hij had de levens van twee tienermeisjes gered. Maar waar waren de verslaggevers, nieuwsploegen, en camera's nu? Waar waren ze, nu ieder uur een gevecht was om te overleven?

Zijn greep op het aanrechtblad werd krampachtiger, zijn armen trilden en zijn longen weigerden lucht naar binnen te zuigen, in een zinloze poging het monster van de pijn op afstand te houden. Weer een snelle hap adem en hij liet zijn hoofd hangen. Even bleef hij zo staan en probeerde de pijn met zijn wilskracht te onderdrukken. Maar voordat hij enige verlichting voelde, viel er een druppel lauwwarm water op zijn hand. Hij fronste en even vroeg hij zich af of er boven weer een leiding lekte, net als de vorige maand, toen de nevel van de pijn en de pijnstillers zo dicht was geweest dat hij het probleem niet had opgemerkt totdat er een klein straaltje water uit het gestucte plafond begon te druipen.

Weer een druppel. Hij veegde hem weg terwijl er alweer een derde viel. Op dat moment begreep hij het. Hij bracht zijn vingers naar zijn voorhoofd en voelde het vocht. Geen wonder. Hij zweette, zijn lichaam bezweek aan de pijn en bestreed de brand op de enige manier die het kende. Met de rug van zijn hand veegde hij het zweet weg en keek om zich heen.

Het maakte niet uit wanneer hij de laatste dosis had genomen. Hij had meer nodig. Nu direct. Josh probeerde overeind te komen, maar het monster woog zwaar op zijn schouders en duwde hem voorover terwijl hij naar het keukenkastje schuifelde. Hij greep het flesje, draaide het deksel met trillende handen los en liet een enkel pilletje in zijn handpalm glijden. Eén pil zou niet te veel zijn. Hij slikte het tabletje door met een slok water direct uit de kraan.

De slaap zou komen, zoals uiteindelijk altijd het geval was.

Maar eerst moest hij Cara Truman opzoeken. Josh schuifelde naar de computer die op een bureautje tegen de muur van de eetkamer stond. Hij trok zijn stoel naar achteren en liet zich erop vallen. Ook dat gaf geen verlichting. Het zitten maakte de pijn in zijn onderrug alleen maar erger. Hij kneep zijn ogen half dicht, logde in op Facebook en opende het online boodschappenvenster – de wereld waarin Cara leefde. Hij was er vrijwel zeker van dat hij haar nooit persoonlijk zou ontmoeten.

Als hij ooit weer vrij zou zijn van pijn, zou hij Becky Wheaton als eerste bellen – Becky, op wie hij sinds zijn vijftiende verliefd was geweest. Van een paar oude schoolvrienden had hij gehoord dat haar relatie op de klippen was gelopen en dat ze weer alleen was. Hij dacht voortdurend aan haar, maar kon haar niet opbellen. Niet voordat hij weer gezond was en succesvol zou zijn, de soort man die zij verdiende.

Becky zou moeten wachten, maar Cara was er altijd op momenten dat de medicijnen of de slaap niet tegen de hevigste aanvallen van zijn chronische pijn opgewassen waren en ook de ongeruste telefoontjes van zijn ouders en zuster geen verlichting brachten.

Ze kende hem beter dan wie ook, omdat ze zijn levensverhaal kende. Het hele verhaal. Zelfs het hoofdstuk over zijn kleine dochter aan de andere kant van het land, het meisje van wie niemand anders dacht dat ze werkelijk van hem was. Via de onzichtbare lijnen van cyberspace kon hij op late avonden zoals deze met Cara alle bizarre details van de andere hoofdstukken delen, de verhalen die zijn leven vormden. En terwijl hij dat deed, gaf Cara hem het zeldzame en onbetaalbare geschenk dat hem de kracht gaf door te gaan en het monster te blijven bestrijden.

Zij geloofde hem.

Hij bekeek de lijst van vrienden die online waren, en ze stond ertussen. Josh legde zijn handen op het toetsenbord en probeerde ze stil te houden terwijl hij de woorden typte. <*Hallo, ik ben het. Ben jij er?*>

Er ging een halve minuut voorbij en hij zag dat zijn buurman Carl Joseph Gunner een paar nieuwe foto's van hem online had gezet. Hij klikte op het album en voor het eerst die avond moest hij glimlachen. Carl Joseph en zijn vriendin Daisy hadden beiden het syndroom van Down. Ze woonden met kamergenoten in afzonderlijke appartementen in het complex naast hem. Beiden waren heel zelfstandig, hadden werk en konden gebruikmaken van het openbaar vervoer om boodschappen te doen.

De foto's waren gemaakt tijdens het laatste bezoek van de twee in het appartement van Josh. Carl Joseph had geleerd met de zelfontspanner te werken en dus stonden ze alle drie op de foto's, met zijn televisie, koelkast en schuifdeur naar het balkon op de achtergrond – alle drie met dezelfde brede grijns. Josh stuurde gauw een bedankje naar Carl Joseph, en op hetzelfde moment kwam het antwoord van Cara binnen.

<*Ik was even van mijn plek, maar nu ben ik terug.*>

Josh ging verzitten en probeerde een iets comfortabeler hoek te vinden. <*Ik kan niet slapen. Ik hoopte dat jij op was.*> Cara woonde in Phoenix en werkte in de late avondploeg van een centrum voor gegevensverwerking. Ze ging meestal niet voor twee uur 's nachts naar bed.

Haar volgende boodschap verscheen onder in zijn computerscherm. <*Ik dacht er laatst aan hoe we elkaar bijna waren misgelopen. Wat had ik zonder jou moeten doen?*>

Josh glimlachte en liet zijn vingers over het toetsenbord gaan. <*Ik ben blij dat we daar nooit een antwoord op hoeven te geven. Het laat in elk geval zien dat online-poker toch iets kan opleveren. Zelfs wanneer je verliest.*>

Het gesprek kwam op gang. <*Er zitten heel wat louche figuren op online-poker. Maar met jou was het of ik alle winnende kaarten in handen kreeg, begrijp je?*>

Josh voelde het compliment tot in de diepste hoeken van zijn hart. Hij zakte achterover tegen de rugleuning van zijn bureaustoel en voelde zijn lichaam een beetje ontspannen. <*Dank je, lieverd. Ik ben alleen maar blij dat we het online-poker achter ons hebben gelaten en hierin verzeild zijn geraakt.*>

<*Wat het ook is.*>

<*Juist.*> Josh grinnikte. <*Wat het ook is. Moet je horen, ik heb

8

gisteren met Keith gepraat. Hij is terug bij zijn vrouw en alles ziet er positief uit.>

<Echt waar? Ik ben zo blij voor hem! Zie je wel, Josh? Waar zou hij zijn zonder jou?>

Josh voelde de warmte van haar woorden diep van binnen. Keith was vanaf de basisschool zijn beste vriend geweest, maar tien jaar geleden was hij naar Ohio verhuisd. Ze hadden nog steeds contact en Keith deed soms mee op de pokersite. Zo had Cara hem ook leren kennen.

Na een korte pauze verscheen haar volgende boodschap op het scherm.

<Hoe gaat het met je rug?>

<Afschuwelijk veel pijn. Laten we het ergens anders over hebben. Ik ga volgende week weer naar de rechtbank.>

<Om weer een verklaring af te leggen?>

<Ja. Mijn advocaat zegt dat het de laatste keer zal zijn.>

<Oké! Dat betekent dat de schadevergoeding eraan zit te komen! Dan kun je je dochter gaan opzoeken.>

Josh las de laatste regel wel drie keer voordat zijn handen weer over het toetsenbord bewogen. *<Daarom wilde ik vannacht met jou praten.>*

<Wat bedoel je?>

<Omdat ze door jouw woorden zo echt lijkt te worden. Mijn kleine meisje.>

<Ze is ook echt.> Josh kon Cara's verontwaardigde toon door haar geschreven woorden heen horen. *<Je zult een dezer dagen de voogdij over haar krijgen, dat weet ik gewoon.>*

De opwinding over die mogelijkheid gaf Josh kippenvel op zijn armen. *<Gedeeltelijke voogdij. Maar alles is beter dan dit.>*

<Ze mag van geluk spreken, Josh. Ik wilde dat mijn kinderen een vader hadden zoals jij.>

Josh staarde naar de woorden. Elke keer dat ze een gesprek hadden als dit, vroeg hij zich hetzelfde af. Misschien was het toch verkeerd om een persoonlijke ontmoeting uit de weg te gaan. Becky was waarschijnlijk toch verdergegaan met haar leven. Als hij en Cara het zo goed met elkaar konden vinden, waarom zouden ze hun relatie dan niet van cyberspace naar Phoenix verhuizen? Of naar Colorado Springs? Cara was een alleenstaande moeder van twee kinderen, een jongen en een meisje. Haar eerste man had haar mishandeld en drie jaar eerder was hij er met een ander vandoor gegaan. Cara had soelaas gezocht bij het online-pokeren, bij mensen die haar niet konden slaan, mensen die zich konden voordoen als wie ze ook maar wilden zijn.

Het was nu twee jaar geleden dat Josh in een online-game met Cara – alias Miss Independent – verwikkeld was toen ze iets zei wat hem steeds was bijgebleven. In de commentaarbox van het spel schreef ze: <*Ik speel online-poker omdat mijn echte leven in de wacht staat.*>

Het was precies zoals Josh zich ook voelde. Sinds het ongeluk zat hij gevangen in een web van verklaringen en verhoren, gesprekken met advocaten en wachten op zijn uitkeringscheques in de brievenbus. Sindsdien was zijn hele leven één grote wachttijd geworden.

Wachten tot de pijn in zijn rug zou zijn verdwenen.

Wachten op het vonnis in de rechtszaak tegen de verzekeringsmaatschappij van de dronken chauffeur.

Wachten op een kans om succesvol te worden, zodat hij Becky Wheaton zou kunnen opbellen om haar te vertellen dat hij nog steeds van haar hield.

Wachten op het geld van de schadevergoeding zodat hij zijn ouders kon terugbetalen, een huis kon kopen en een ouderschapstest kon laten doen, om de hele wereld te bewijzen wat hij al wist: dat Savannah zijn dochter was.

Er verscheen weer een boodschap. <*Je bent stil. Waar denk je aan?*>

Josh voelde een tinteling in zijn hartstreek. *<Waarom zit jij daar en ik hier?>*

<Ja… dat vraag ik me soms ook af.>

Meestal als ze met de gedachte speelden om hun relatie op een ander niveau te brengen, veranderde een van hen van onderwerp voordat het gesprek te serieus werd. Maar hier en nu, alleen in zijn propvolle appartementje, om één uur 's nachts, terwijl de rechtszaak en de schadevergoeding steeds dichterbij kwamen, kon Josh zich plotseling niet meer inhouden. Zijn vingers vlogen over het toetsenbord. *<Goed, en nu serieus, Miss Independent. Laten we ophouden met al dit getik en een manier verzinnen om elkaar persoonlijk te ontmoeten.>*

Er was een aarzeling en Josh' hartslag versnelde. Misschien had hij het niet moeten zeggen. Misschien was dit alles waartoe ze in staat was, en als dat zo was, dan moest het maar zo blijven. Bovendien zou hij altijd van Becky houden en hij was het aan hen beiden verplicht om te peilen of zij ook nog gevoelens voor hem koesterde – zodra hij het had gemaakt. Zo niet, als zij verder was gegaan met haar leven, dan was Cara misschien iemand van wie hij kon houden. *<Kom op, Cara.>* Hij sloot zijn ogen en herinnerde zich de woorden van het lied dat hij onlangs had gehoord. *'I can only imagine what it will be like…' God, alstublieft, spreek tot haar hart. Als zij iemand is die in mijn leven zou kunnen passen, dan alstublieft…*

Hij deed zijn ogen weer open op het moment dat de volgende boodschap verscheen. *<Jij bent te goed voor mij, J. Dat weet je.>*

<Je maakt een grapje zeker? Ik mag van geluk spreken om jouw vriend te zijn.>

Weer een pauze, korter deze keer. *<Vertel me nog eens over God, over jou en Hem.>*

Hij voelde een steek van teleurstelling omdat hij eigenlijk alleen maar over hun tweeën wilde praten. Josh slikte. Ze veranderde van onderwerp, maar wilde in elk geval over zijn pas gevonden geloof praten. Hij had nog altijd pijn, zat nog altijd alleen in een goedkoop appartementje, maar zijn leven was de laatste zes weken veranderd en hij vond het ondanks alles fijn dat Cara het daarover wilde hebben.

Hij haalde diep adem en begon te typen. <*Ik weet niet, het is vreemd. Mijn familie heeft het altijd al met mij over God gehad, maar kennelijk moest ik het zelf uitvinden.*>

<*Hoe voelde dat? Ik bedoel, toen je dat lied hoorde en kon merken dat God met je sprak?*>

Josh glimlachte weer. Hij had dezelfde vraag de laatste zes weken al minstens vijf keer beantwoord, maar Cara leek er echt behoefte aan te hebben om het te begrijpen.

Zijn handen schoten nu sneller over het toetsenbord. <*Ik weet niet, ik bedoel… het was alsof God rechtstreeks in mijn hart sprak. Hij zei me dat ik niet echt wachtte op de schadevergoeding of een kans om Savannah te zien of op de volgende fase in mijn leven. In werkelijkheid wachtte ik op Hem. Het was alsof Hij mij riep, en als ik werkelijk wilde leven, moest ik eindelijk antwoord geven. Begrijp je? Ik moest ophouden van Hem weg te rennen en 'ja' tegen Hem zeggen.*>

<*Dat vind ik prachtig.*> Ze aarzelde. <*Mag ik je een geheim verklappen?*>

<*Altijd.*> Hij verlangde ernaar haar te omhelzen, zijn handen op haar schouders te leggen en diep in haar blauwe ogen te kijken. In plaats daarvan klikte hij op haar naam in het boodschappenvenster en was onmiddellijk op haar Facebookpagina. Ze had kort bruin haar en een smal gezicht. Ze was niet heel lang, sportief of opvallend knap. De paar overbodige pondjes op haar lichaam dreven haar tot wanhoop, maar wat Josh het mooist vond, was haar glimlach. Cara's glimlach bleef hem op een of andere manier steeds bij.

Haar boodschap kwam in beeld. <*Ik heb met God gepraat.*>

<*Online?*> Hij grinnikte om zijn eigen grapje.

<Nee, dwaas. In mijn hart. Op momenten dat ik uit het raam naar de zomerlucht kijk of wanneer er zware onweersbuien over Phoenix trekken en de bliksem door de straat voor mijn appartement danst.>

Hij las haar boodschap langzaam. *<Je zou schrijfster moeten worden.>*

<Ik meen het serieus, J. Jij hebt me veranderd met je verhaal over God. Ik denk dat Hij mij ook roept. Ik ga zondag met de kinderen naar de kerk.>

Josh trok zijn wenkbrauwen op. *<Serieus?>* Zolang hij haar kende, was Cara fel gekant geweest tegen het geloof, God en alles wat met de Bijbel te maken had. Ze had nooit echt ronduit gezegd waarom, maar op haar Facebookpagina beschreef ze zichzelf als agnosticus. *Niet geïnteresseerd in geloof*, had ze geschreven. Dat was de laatste paar weken veranderd, en het verhaal van Josh over Wynonna, over het horen van Gods stem en zijn besef dat hij al die tijd aan het vluchten was geweest, moest wel de reden voor die verandering zijn geweest.

<Heel serieus. Dus misschien ga ik deze zondag naar de kerk en misschien vallen alle antwoorden plotseling op hun plaats. En jij krijgt het geld van de schadevergoeding, koopt een huis in Scottsdale en we worden beste vrienden… en dan? Nou ja, wie weet? Inderdaad, J. Dat allemaal misschien.>

Zijn hart sloeg over. *<Juist.>* Hij wist niet zeker of hij nog door moest gaan over het onderwerp, maar hij kon zich niet inhouden. *<Dat allemaal misschien, en meer.>*

<En… voel je je beter?> Ze zette er een smiley achter.

Hij liet zijn handen op zijn dijen vallen en keek verbluft naar het scherm. Hij had het zich niet gerealiseerd totdat ze het vroeg, maar hij voelde zich inderdaad beter. *<Zal ik je eens wat zeggen?>* Hij typte de woorden snel. *<Mijn rug doet nu minder pijn dan net.>*

<Zie je wel, ik wist het.>

<Wat wist je?>

<Dat ik goed ben voor jou.>
<Dat ben je ook. Heel goed.>
<En zal ik je nog eens wat zeggen, J?>
Hij had bijna het gevoel dat ze tegenover hem zat. *<Ja?>*
<Jij bent ook heel goed voor mij. En dat is voor nu genoeg.>
Alles wat ze een paar tellen geleden had gezegd, leek plotseling niets meer dan wilde fantasie en wensdromen. Hij verlangde zo hevig naar een sigaret dat hij er vijf kilometer voor zou willen lopen. *<Ja>*, typte hij. *<Dat is genoeg voor nu.>*

Ze beëindigden hun gesprek en Josh liep nog een paar profielen van online-vrienden na voordat hij zijn computer afsloot. De inspanning van het opstaan deed pijn, maar sneed niet zo door zijn lichaam als het een uur geleden zou hebben gedaan. Hij liep door de woonkamer naar de smalle, houten schoorsteenmantel boven de elektrische open haard. Daar stonden de foto's die belangrijk voor hem waren. Zoals die van hem en zijn gezin – uit de tijd dat hij nog op de middelbare school zat en heel het leven zich voor hem uitstrekte als een rivier van onbeperkte mogelijkheden. Ernaast stond een foto van de twee meisjes – het plaatje dat na het ongeluk in de krant had gestaan. En de laatste was een foto van Savannah, drie jaar geleden genomen, toen ze vier was. Maria had hem de foto gestuurd toen ze dacht dat hij over de brug zou komen met duizenden dollars per maand aan alimentatie.

Maar zoveel geld had hij niet, nog niet, en een paar maanden nadat ze de foto had gestuurd, verhuisde ze. Sindsdien nam ze zijn telefoontjes niet aan en stuurde ze nooit meer foto's.

Josh keek naar het plaatje. *Laat haar alstublieft veilig opgroeien. Ik wil zo graag haar vader zijn.*

Hij hoorde geen luide stem die hem antwoordde, geen stil gefluister in het herwonnen domein van zijn ziel. Maar wel speelde er een Bijbelvers door zijn hoofd, een gedeelte waarover de dominee afgelopen zondag had gepreekt. Hij ging met

Carl Joseph en Daisy naar de kerk, dezelfde kerk waar Carl Josephs broer Cody met zijn vrouw Elle naartoe ging. De preek ging over volharden, zelfs als er geen hoop meer leek te zijn. De tekst was Psalm 119:50.

Dit is de troost in mijn ellende: dat Uw belofte mij doet leven.

Josh raakte het lijstje met Savannahs foto aan. De laatste paar weken had geen enkel woord duidelijker tot hem gesproken dan dit Bijbelvers. Hij hield een dagboek bij voor zijn dochter en in zijn laatste aantekeningen vertelde hij haar over de Bijbel. De permanente pijn in zijn rug deed niet ter zake, evenmin als het feit dat de doktoren er niet zeker van waren of een operatie hem ooit zou kunnen genezen. En ook de verklaringen die hij de komende week zou moeten afleggen, en die de advocaten van de verzekeringsmaatschappij zouden proberen onderuit te halen, waren niet van belang.

Gods Woord gaf hem nieuw leven.

Josh wierp nog een laatste blik op de foto's op de schoorsteenmantel, draaide zich om en liep langzaam door de korte gang naar zijn slaapkamer. Hij kon iets beter rechtop lopen dan tevoren. Het was verbazingwekkend hoeveel kracht er van een ware vriendschap uitging. Er waren geen pijnstillers die de verkrampingen in zijn rug volledig konden bestrijden of het brandende gevoel langs zijn ruggengraat konden wegnemen. Maar na een uurtje praten met Cara voelde hij zich alsof het leven weer mogelijk was. Alsof hij weer een nieuwe dag aankon.

In het begin raakten ze beiden uitgeput van hun gesprekken – door hun eerlijkheid tegenover elkaar realiseerden ze zich dat ze het geen van beiden makkelijk hadden gehad. Maar nu, nu was ze vol hoop en leven en bemoediging, en hij besefte dat daar maar één reden voor kon zijn: zijn nieuwe hoop werkte aanstekelijk. Het was iets waardoor hij zich nuttig ging voelen, iets wat zin gaf aan zijn bestaan.

Nadat hij zijn tanden had gepoetst, glimlachte Josh toen

hij aan hun gesprek terugdacht. Deze nacht waren ze op hun tenen buiten de veilige grenzen van de kant-en-klare boodschappen gestapt en hadden ze een kort moment op het balkon gestaan van waar ze een veel weidser uitzicht hadden. Josh ging liggen, zocht met pijn en moeite een comfortabele houding en smeekte God om het monster van de intense, martelende pijn op afstand te houden. Toen hij ten slotte door de slaap werd overmand, dacht hij aan Cara en realiseerde zich nog iets anders. Gods Woord gaf niet alleen hem nieuw leven.

Het liet hen beiden herleven.

2

Annie Warren haalde de opgesteven frambozenkwarktaart uit haar inbouwkoelkast, zette hem op het granieten aanrecht en verdeelde hem over twaalf porseleinen bordjes. Het was dezelfde kwarktaart die ze bij de ontvangst twee weken eerder had gemaakt, en hij was een enorm succes. Deze keer had ze voor de zekerheid een tweede in haar koelkast liggen. Binnen een mum van tijd had ze de bordjes op twee dienbladen gezet die ze nu in de hand hield.

'Hulp nodig?' Haar man, Nate, kwam met twee koffiekopjes in zijn handen om de hoek. Hij zette ze dicht bij de gootsteen neer. 'Ze hebben trek daarbinnen.'

'Nee, dank je.' Ze voelde de vermoeidheid in haar glimlach toen ze langs hem heen liep, in de richting van de eetkamer. Snel keek ze even over haar schouder. 'Kijk even naar de koffie. Deze groep kan elke Starbucks in Colorado Springs draaiend houden.'

Nate lachte zacht en discreet, bijna onhoorbaar door het geluid van het koffiezetapparaat en de metalen taartvorm die hij opzij schoof. Annie duwde met haar schouder de dubbele klapdeuren open en zette de gemaakte glimlach op die ze altijd gebruikte als ze een ontvangst hadden – en aangezien Nate lid was van de Onderwijsraad van Colorado gaven de Warrens ten minste één keer per maand een ontvangst.

Deze avond waren het de medewerkers van de openbare bibliotheken. Nate had zich weer kandidaat gesteld voor de verkiezingen van het jaar daarop en hij wilde de bibliothecarissen hoe dan ook op zijn hand hebben. De raad nam in de maandelijkse vergaderingen beslissingen die hun direct aangingen en Nate wilde benadrukken dat hij een vriend was van de openbare bibliotheken. Vandaar de kwarktaart.

Annie zette de bladen naast twee bijna lege zilveren kannen met hete koffie.

'Ik zei het je toch.' Babette, een bibliothecaresse uit het noorden van Springs loodste haar collega dichter naar de desserttafel. Ze glimlachte naar Annie. 'Dat is de kwarktaart van Marigolds, nietwaar?'

'Inderdaad.' Annie deed een stap terug van de tafel. Maar goed dat ze er twee had gekocht. 'Het was Nates idee. "Het beste van het beste voor de bibliothecarissen".' Op het moment dat ze de woorden zei, hoorde ze de echo van de week daarvoor, bij de lerarenvakbond. '*Het beste van het beste voor...*'

Babette was graatmager, maar Annie had haar nog nooit op een ontvangst gezien waar ze minder dan drie stukken gebak at. Ze veroverde haar eerste punt. 'De beste kwarktaart van de stad, als je het mij vraagt.' Haar collega's kwamen naar de tafel gelopen en Babette deed een paar stappen in de richting van Annie. 'Zo...' Ze draaide de anderen haar rug toe. 'Ik zat laatst aan Josh te denken. Hoe oud is hij nu? Achter in de twintig? Want ik was aan het rekenen en het was afgelopen juni tien jaar geleden dat hij en Blake hun diploma haalden.'

'Inderdaad.' Annies maag kromp ineen en ze ging wat stijver rechtop staan. 'Tien jaar, net als Blake.'

Babette nam snel drie happen en leek de brokken in hun geheel door te slikken. 'Blake loopt deze herfst een coassistentschap, heb ik dat al verteld? Laatst kwam hij in het ziekenhuis Becky Wheaton tegen. Ze is nu therapeute – knappe meid. Zij was heel vroeger toch de vriendin van Josh, nietwaar?'

'Dat was ze, ja.' Annie deed moeite om haar glimlach te behouden. 'Ze hebben elkaar al een poos niet meer gesproken.'

'Blake zegt dat hij haar misschien voor een kopje koffie uitnodigt. Gewoon, om het contact te hernieuwen.' Ze wuifde met haar hand in de lucht, alsof ze haar belangrijkste punt vergeten was. 'Hoe dan ook, Blake heeft het zwaarste coassistentschap in het programma. Ik heb je toch gezegd waar hij zit, geloof ik?'

'St. Anthony ziekenhuis in Denver.'

'Precies.' Ze prikte met haar vork in de lucht. 'Die jongen is zo gedreven dat ik me er haast voor schaam. Hij maakt nauwelijks tijd voor iets anders vrij. Zijn mentoren denken dat hij nog voor zijn tweeëndertigste chirurg zal zijn. Is dat niet fantastisch?'

'Fantastisch.'

'Dat vond Becky Wheaton ook. Blake zei dat ze erg onder de indruk was van zijn prestaties.'

Becky Wheaton zal nooit van iemand houden zoals ze van Josh heeft gehouden, hield Annie zichzelf voor. Ze schonk een kop koffie in. Ze zou het nodig hebben om deze avond door te komen. Toen ze de kop eenmaal goed op het schoteltje had staan, keek ze Babette weer aan. 'Je zult wel trots zijn.'

'Dat ben ik ook. Ik bedoel, mijn zoon had altijd die gedrevenheid, begrijp je? Op school, bij de sport, in de debatclub. Bij alles.'

'Absoluut. Zo is Blake.'

Er viel een ongemakkelijke stilte. De gebruikelijke pauze, en Annie wist exact wat erop zou volgen. Babette verorberde de rest van haar kwarktaart. 'Zoals ik al zei, ik dacht aan Josh... hoe gaat het eigenlijk met hem? Ik bedoel, met het herstel van dat ongeluk en zo?'

'Het gaat eigenlijk heel goed.' Annie aarzelde niet en gaf de vrouw niet meer dan haar standaardantwoord. 'Hij zit in de revalidatie voor zijn rug en gaat goed vooruit. Hij heeft het erover dat hij zijn eigen zaak wil beginnen zodra hij de schadevergoeding van het ongeluk binnen heeft.'

De glimlach van de vrouw was op het randje van neerbuigend. 'Dat is de Josh die ik me herinner. Altijd even vindingrijk. En die Lindsay van jou, dat was een slimme. Ik zag laatst een van haar artikelen in de krant en ik zei tegen mezelf: "Van die Lindsay krijgen we nog eens boeken in de bibliotheek." Ze schrijft uitstekend.' Ze pauzeerde net lang genoeg om bij te tanken. 'Maar soms zijn meisjes nu eenmaal ambitieuzer dan hun broers. Dat las ik in een artikel in de *Cosmopolitan*. Ik hield onmiddellijk op met lezen en dacht aan alle gevallen waarin dat waar was. Meisjes die succesvoller waren dan hun broers en broers die nooit echt...'

'Babette, het spijt me.' Annie stak haar hand op. Ze kon er geen minuut meer tegen. 'Ik moet de tweede kwarktaart gaan aansnijden. Nate wil niet dat de bibliothecarissen hier met honger weggaan.' Ze draaide zich om naar de keuken en nam een flinke slok van haar koffie. 'Excuseer me, alsjeblieft.'

'Natuurlijk. Ga je gang.' Babette richtte zich weer op het dienblad. 'Wie deze kwarktaart nog niet heeft geprobeerd, kan maar beter nu een punt pakken. De beste kwarktaart in Springs.'

Annie liet de dubbele klapdeur achter zich dichtslaan en zocht steun tegen het keukeneiland. Waarom moesten ze er altijd naar vragen? *Is het niet genoeg dat iedereen op de hoogte is van Josh' mislukkingen? Moeten ze me ook nog over de details uithoren?*

Gesprekken zoals ze nu met Babette had gehad, gaven haar het gevoel dat Josh als een soort kop van jut tussen de gasten stond. Iedereen kon hem naar believen een dreun verkopen. Zelfs zijzelf. Want de waarheid was dat ze zich niet bijzonder inspande om hem te verdedigen. Annie wenste dat ze één keer, op een van die ontvangsten met mensen die ze hun hele leven al kenden, de moed zou hebben om iemand als Babette recht in de ogen te kijken en te zeggen: 'Josh heeft het moeilijk. Hij is vanuit Denver hierheen gekomen en woont drie hoog achter met maar één slaapkamer. Hij is verslaafd aan pijnstillers en hij probeert de laatste twintig kilo van een aanzienlijke gewichtstoename kwijt te raken. Zijn dagen bestaan uit het wachten op een belletje van zijn advocaat dat de cheque voor zijn schadevergoeding eindelijk in de brievenbus zit. Maar zelfs daarna zal hij waarschijnlijk de rest van zijn leven chronische pijn hebben.'

Haar hart kromp ineen en ze liet haar hoofd hangen. Ze verdrong het feestelijke geroezemoes uit de kamer naast haar. Er zat zoveel potentieel in hem, hij had op zoveel manieren succes kunnen hebben. Haar dierbare jongste kind, haar enige zoon. De diepere waarheden wilde Annie niet voor zichzelf toegeven, laat staan een brede kennissenkring aan de neus hangen. Josh had welbewust zijn eigen weg gekozen. Hij had afstand genomen van het geloof waarmee hij was opgegroeid en hij had de ene slechte keuze na de andere gemaakt. En nu betaalde hij daarvoor de prijs met een bestaan dat Annie elk uur van de dag zorgen baarde.

Ze merkte dat er iemand achter haar stond. Haar schouder werd aangeraakt. 'Annie?'

Voor Nate hoefde ze haar glimlach van de blijmoedige gastvrouw niet op te zetten. Ze draaide zich om en putte kracht uit zijn blik. 'Babette Long drijft me tot waanzin.'

'Jou?' Hij kuste haar voorhoofd. 'Ik krijg elke dag e-mails van haar, waarmee ze me op de hoogte houdt van de behoeften van de openbare bibliotheken.'

De uitputting eiste een zware tol van Annies zelfbeheersing. 'Ik benijd je niet.'

'Wat heeft ze gedaan?'

Haar blik werd zachter. 'Ze vroeg naar Josh.'

Nate keek haar een paar seconden aan en liep naar de koelkast om de tweede kwarktaart te pakken. 'Niet iedereen die naar Josh vraagt, probeert je overstuur te maken.' Hij zette de taart naast het mes op het aanrecht. 'Dat weet je toch wel, hè?'

'Hoe denk je dat ik me voel?' Ze praatte zacht. 'Eerst vertelt ze me over Blake. En dan komt het: "Zaten Blake en Josh niet in dezelfde eindexamenklas?" En vervolgens het verhaal hoe Blake zijn opleiding tot medisch specialist fluitend doet.'

Nates gezicht vertrok even van een diepere pijn, en een fractie van een seconde was alle hartzeer van de laatste tien jaar in de rimpeltjes om zijn ogen en de diepe groeven in zijn voorhoofd te zien. 'Het was verstandig van je om weg te lopen.' Hij sneed de kwarktaart aan en pakte twaalf nieuwe bordjes. 'We brengen dit snel naar binnen. Ze vertrekken zodra de taart op is.'

Nate had gelijk, en niet alleen wat de taart betrof. Annie bleef de rest van de avond bij Babette uit de buurt en maakte haar ronde langs de gasten, zoals ze gewend was te doen. Dit was hun leven en Nate had de steun van elke bibliothecaris in Springs nodig. Dat was het doel deze avond en de reden dat ze op een zomerse namiddag naar Marigolds was gereden voor twee frambozenkwarktaarten. Zelf had ze liever een wandeling door de buurt gemaakt, met Nate getennist of vanaf hun grote veranda naar de reeën tussen de bomen van hun achtertuin gekeken.

'De herverkiezing is geen vanzelfsprekendheid,' zei Nate vaak tegen haar. 'Een invloedrijke positie brengt verantwoordelijkheid mee.'

Annie kende het klappen van de zweep. Ze ging de hele kamer door en vertelde elk groepje bibliothecarissen hetzelfde. 'Nate maakt er werk van om jullie wensen bij de Onderwijsraad aan te kaarten,' of 'Nate heeft de openbare bibliotheken altijd een warm hart toegedragen.'

Haar man genoot van zijn positie in de Onderwijsraad en als Annie heel diep in haar hart keek, genoot ze er zelf ook van. Misschien niet zozeer van de maandelijkse gang naar Denver die haar man maakte, maar wel van het gevoel van prestige dat een verkozen positie met zich meebracht.

Als de mensen in de eerste plaats naar Nate en haar keken, naar hun inspanningen om de volgende verkiezingen te winnen en naar hun positie binnen de sociale elite van Colorado Springs, dan zouden ze minder snel opmerken dat Josh weinig van zijn leven maakte. Dat was althans wat Annie zichzelf voorhield.

De ontvangst liep ten einde en ze trok zich terug in de keuken. Boven het geluid van de waterkraan uit hoorde ze Nate afscheid nemen van de laatste bibliothecarissen. 'Een groter budget voor nieuwe boeken,' zei hij, 'dat zal ik in de volgende vergadering inbrengen.'

Annie rolde met haar ogen, maar voelde zich onmiddellijk schuldig. Nate maakte geen loze beloften. Haar man kwam werkelijk op voor de belangen van de openbare bibliotheek en het ging hem zeer ter harte of Springs op landelijk niveau kon concurreren met andere progressieve steden als het op de kwaliteit van het onderwijs aankwam.

Het was alleen dat op een avond als deze, als ze alleen maar aan Josh kon denken, al die woorden zo gemaakt en geforceerd aanvoelden en iets weghadden van de plastic kwarktaarten in de etalage van Marigolds.

Eindelijk hoorde ze de deur dichtslaan. Het werd stil. Een heerlijke, kostbare stilte. Nate liep de keuken in, pakte een theedoek en kwam links naast haar staan. Ze voelde hoe hij ontspande, tot rust kwam en het restje lucht dat hij de hele avond had ingehouden, uit zijn longen liet ontsnappen. 'Dat ging heel goed.'

'Ja.' Ze keek hem niet aan. Ze wilde geen seconde meer aan de bibliothecarissen denken. 'Heel goed, lieverd.'

Zonder iets te zeggen, droogde hij een handvol gebaksvorkjes af. Daarna draaide hij zich naar haar toe zoals hij altijd deed wanneer hij iets belangrijks te zeggen had. 'Niet ieder kind wordt dokter, advocaat of schrijver.' Zijn stem had een merkwaardige bijklank. 'Niet iedereen speelt in het sterrenteam, Annie. Niet in het honkbal en niet in het leven. Maar dat betekent niet dat Josh een mislukkeling is.'

'Wat wil je eigenlijk zeggen?' Ze wilde niet kwaad op hem worden. Ze zouden nergens komen als hun frustraties over Josh tussen hen in kwamen te staan.

'Ik weet niet, ik voel me schuldig.' Hij stak zijn handen hulpeloos in de lucht en leunde tegen het aanrecht. 'Stel dat hij ons over hem zou kunnen horen praten? Hoe zou hij zich voelen als hij wist dat we teleurgesteld waren?'

'Ik ben niet teleurgesteld.' Ze had een hekel aan dat woord, aan het definitieve ervan. Ze richtte haar aandacht weer op de gootsteen vol afwas. 'Ik maak me zorgen om hem en ik heb medelijden met hem omdat hij er nooit om gevraagd heeft door die auto te worden aangereden.' Haar stem trilde licht. 'Lindsay is bezig naam te maken bij de krant, en waar zit Josh? In zijn appartement, verslaafd aan de pijnstillers.' Ze perste haar kaken op elkaar. 'Wie weet wat die jongen nu zou doen als hij niet gewond was geraakt. Dat doet me pijn.' Ze voelde de zinloosheid ervan als een verstikkende deken om zich heen. Ze gooide de afwasspons in de gootsteen en hield zich aan de rand van het aanrecht vast. 'Dat is geen *teleurstelling*, Nate. Het is alleen… Waarom moest die vrouw over Josh praten alsof hij mislukt was, terwijl hij nog maar achtentwintig jaar is?'

'Annie.' Nate legde een hand op haar schouder. Zijn stem was rustiger dan daarvoor. 'Het is niet erg om teleurgesteld te zijn.' Voordat ze antwoord kon geven, keek hij haar nog een keer aan, pakte een van de afgewassen koffiekannen en begon hem af te drogen. Het gesprek was voorbij.

Ze keek lang naar hem. Vroeger zou ze op een moment als dit hebben doorgepraat, om haar punt duidelijk te maken of

24

om het laatste woord te hebben. Maar al lang geleden had ze geleerd dat het geen zin had een dialoog voort te zetten die al geëindigd was. Het was een van die stilzwijgende afspraken binnen hun huwelijk – zoals het ook een vanzelfsprekendheid was dat ze uit eten gingen wanneer hij haar bij thuiskomst van zijn werk lui op de bank aantrof met een nieuwe roman. Of zoals een grote zak bij de voordeur betekende dat er kleding naar de stomerij moest worden gebracht.

Ze maakten de afwas in stilte af. Voordat Nate doorliep naar hun slaapkamer, boog hij naar haar toe en kuste haar op de wang. 'Ik hou van jou,' fluisterde hij bij haar oor. 'En met Josh komt alles in orde.'

'Dat hoop ik.' Ze verwelkomde zijn aanraking en was niet boos op hem. In deze fase van hun leven hadden ze elkaar meer nodig dan ooit.

Nate liet zijn schouders hangen, het uiterlijke bewijs van zijn innerlijke strijd met verslagenheid. 'Josh is een goede jongen.' Zijn glimlach was minimaal. 'Sommige kinderen hebben langer de tijd nodig, dat is alles.'

Annie knikte en staarde naar de lege gootsteen. 'We blijven voor hem bidden.'

'Ja.' Hij legde zijn hand nog even op haar schouder en liep weg.

Ze wachtte en luisterde hoe zijn voetstappen van de tegelvloer op het tapijt overgingen en de traptreden beklommen naar hun slaapkamer. Ze droogde haar handen af en ging naar de woonkamer, naar de boekenkast naast de piano – de kast met een tiental ingelijste foto's. Ze bekeek ze en pakte de grootste foto van de middelste plank: Lindsay en Josh op de middelbare school. Lindsay was toen al kleiner dan haar broer, maar ze zat in het examenjaar en straalde zelfverzekerdheid uit door haar gelaatsuitdrukking en houding.

Annie keek intensief naar Josh, naar zijn ogen. Hij had die

ondeugende, dwaze grijns op zijn gezicht, zoals hij die vaak had in zijn eerste jaren op Black Forest High School. Alsof niets ter wereld hem interesseerde, behalve zijn vriendschap met Lindsay. Vanaf het moment dat hij kon kruipen, had hij tegen haar opgezien en achter haar aan gelopen en hij straalde wanneer ze aandacht aan hem besteedde.

Met een glimlach keek Annie hoe de twee op de foto hun armen om elkaars nek hadden geslagen. Hun vriendschap was van meet af aan wederzijds geweest. Lindsay was altijd dol geweest op Josh, zag hem als haar persoonlijke bron van vermaak. Terwijl zij hard werkte om het ene schooljaar na het andere te veroveren, was Josh minder serieus. Hij kon zijn zus altijd aan het lachen maken, ongeacht welke examens of projecten er op stapel stonden. En tot in het laatste jaar op de middelbare school volgde Josh in Lindsays voetstappen. Hij schreef voor het jaarboek en de schoolkrant en haalde vrijwel uitsluitend hoge cijfers.

Maar dat was ook het jaar waarin Lindsay verliefd werd op Larry, waardoor ze minder tijd had voor haar broer. Hij had natuurlijk Becky Wheaton, een levendig, intelligent en knap meisje dat alleen het beste in hem zag. De twee waren onafscheidelijk geweest sinds ze elkaar aan het begin van hun tweede jaar hadden ontmoet. Josh hield van haar zoals hij van niemand ooit in zijn leven had gehouden. Hij had het er zelfs over dat hij na hun studie met haar wilde trouwen. Maar terwijl zij het ene na het andere succes behaalde, begon hij er met de pet naar te gooien. Hij dronk met de maten van zijn honkbalploeg en werd in het laatste jaar uit het team gegooid. Het raakte uit tussen hen en hoewel hij het nog een paar jaar op de universiteit probeerde, verloor hij tenslotte alle interesse voor de studie. Toen hij besloot om auto's weg te gaan slepen in Denver in plaats van verder te studeren aan een universiteit, dachten Annie en Nate dat het baantje niet meer zou zijn dan een tussenfase. Geef hem een jaar, en hij zou weer serieus over zijn toekomst gaan nadenken.

Maar dat gebeurde niet.

Annie keek met half dichtgeknepen ogen intens naar de foto. Alles was zo eenvoudig, zo zeker. Lindsay en Josh als beste vrienden, met de hele wereld die voor hen open lag. Becky voor altijd een deel van Josh' leven. Ze zuchtte. Ze had de loop van de geschiedenis al precies uitgestippeld, maar op een of andere manier was de verhaallijn veranderd.

Lindsay had nu een druk leven als getrouwde vrouw met twee kinderen en een volledige betrekking als journaliste bij de plaatselijke *Gazette*. Maar niettemin had ze een intensere band met Josh dan zij of Nate. Annie zette de foto terug, maar ze bleef ernaar kijken. Vreemd hoe een heel leven samengevat kon worden in een enkele, ingelijste foto, dacht ze.

Ze liet haar blik over de andere foto's gaan: Lindsay en Josh op een groot vlot op het wilde water van de rivier de Truckee; de driejarige Josh dansend met zijn zes jaar oude zus Lindsay; een foto van hun hele gezin in het zeeaquarium in het jaar voordat Lindsay naar de middelbare school ging; Josh en Becky op hun eindexamenbal, een maand voordat ze uit elkaar gingen. De herinneringen waren als een balsem voor haar ziel en namen haar mee terug naar een tijd toen er weinig vragen waren en alleen eenvoudige antwoorden.

Ze keek op haar horloge nadat ze plotseling moest geeuwen. Het was over elven, tijd om naar bed te gaan. Maar ze kon zich niet losmaken van de beelden. Haar ogen vielen op een foto van Josh naast zijn sleepwagen, een week nadat hij in Denver was aangenomen. Met een gebroken hart vanwege het verlies van Becky Wheaton maakte hij een reis naar Las Vegas. Bij terugkomst had hij iets op te biechten. Hij had een jonge vrouw ontmoet die hij onbedoeld een luxeleven had voorgespiegeld, en hij was intiem met haar geweest. Elf maanden later kwam hij weer naar Springs, vroeg haar en Nate te gaan zitten en bekende nog iets anders.

De vrouw was getrouwd – hoewel Josh dat op dat moment niet had geweten – en ze had een dochtertje gekregen.

'Ze zegt dat het mijn kind is. Ze wil alimentatie.' Josh was volkomen van de kaart. 'Ik weet niet wat ik moet doen.'

Annie was te verbijsterd geweest om iets te zeggen, maar Nate had hem rustig geholpen alle mogelijkheden op een rij te zetten. 'Je moet eerst een ouderschapstest laten uitvoeren.' Hij deed zijn best om de pijn uit zijn stem te weren, maar die klonk niettemin door in zijn woorden. 'Daarna kun je over de volgende stappen praten.'

De ouderschapstest werd nooit uitgevoerd. De vrouw ontdekte dat Josh nog geen honderd dollar op de spaarbank had staan, laat staan dat hij geld had voor alimentatie. Daarna was ze niet bereid om haar dochter aan de test te onderwerpen en Josh kon zich geen advocaat veroorloven. In de loop van de jaren praatte Josh echter over het meisje alsof ze een heel wezenlijk deel van zijn leven uitmaakte. Zijn dochter. Hij hield haar verjaardagen bij en stuurde cadeautjes naar de vrouw, zonder ooit te weten of ze werkelijk bij het kind terechtkwamen. En hij had het erover om haar op een dag naar huis te halen, zodat ze goede maatjes kon worden met Lindsays kinderen, haar neef en nicht.

Alleen Lindsay luisterde naar hem. Ze liet hem over het meisje praten en vond ook dat Josh, zodra hij zijn schadevergoeding binnen had, een advocaat in de arm moest nemen en een ouderschapstest moest afdwingen. 'Stel dat ze echt van hem is?' Lindsay had de vraag maar een paar keer gesteld in al die jaren sinds de familie van het bestaan van het kind afwist.

'Onmogelijk.' Annie had de mogelijkheid altijd van de hand gewezen. 'De data kloppen niet. Die vrouw vertelde Josh pas een klein jaar na zijn reis naar Las Vegas over de baby.' Ze had er een hekel aan om zelfs maar over de kwestie te praten. Dat een van haar kinderen in een dergelijke akelige situatie was verzeild geraakt, brak haar hart. Die vrouw was tenslotte getrouwd. Het kind was vrijwel zeker van haar man.

'Ze wilden gewoon makkelijk geld,' zei Annie ooit tegen Josh toen het onderwerp ter sprake kwam. 'Laat het los. Bovendien, hoe zit het met Becky?'

'Becky is verdergegaan met haar leven.' Een intense pijn vulde Josh' blik. 'Ik was niet genoeg voor haar.'

'Ik hoorde dat ze het heeft uitgemaakt met die laatste jongen.' Annie dacht altijd dat Becky en Josh weer bij elkaar zouden komen. 'Bel haar in elk geval eens op.'

'Het gaat niet om Becky. Het gaat om een klein meisje dat bij mij hoort. Ik ben nu vader. Ik heb hulp nodig om op een of andere manier contact met haar te krijgen.'

'Doe niet zo dwaas, Josh. Je kunt helemaal niet weten of dat kind van jou is of niet.'

Hetzelfde gesprek kwam nog een paar keer aan de orde, maar steeds wees Annie het idee af en uiteindelijk begon Josh steeds minder over het meisje. Het kind was nu zeven en soms gaf hij uiting aan wat hij zijn grootste vrees noemde: dat zijn schadevergoeding niet snel genoeg zou komen en hij haar hele kindertijd zou missen.

Met een zucht verliet Annie de stille woonkamer en deed het licht uit. Josh had zijn geloof bezoedeld, had de regelmatige kerkgang eraan gegeven en had zich in financieel opzicht geruïneerd met de ene slechte lening na de andere. Hij reed rond in een gedeukte pick-up en kon de maandelijkse huur nauwelijks opbrengen. Hij dronk niet meer, maar hij had geen echte vrienden en geen vriendin in het verschiet. Alsof zijn hele leven was samengebald in zijn rugpijn en in de wacht stond totdat zijn schadevergoeding op de mat zou liggen.

En wat dan? Een kostbare strijd over het ouderschap? Het

verdriet om uiteindelijk de waarheid onder ogen te moeten zien en te moeten erkennen dat het meisje niet van hem was? Wat zou het uitmaken als hij uiteindelijk een bescheiden huisje ergens in Springs kon kopen? Het geld zou zijn rugpijn niet wegnemen en het ook niet makkelijker voor hem maken om een baan te vinden.

Ze liep langzamer toen ze de slaapkamer naderde en plotseling drong de waarheid tot haar door. Ze had geen recht om boos te worden op Nate om wat hij had gezegd. Wat ze zichzelf ook wilde voorhouden, Nate had gelijk. Er kwam een beeld in haar op. Een maand geleden had ze vastgestaan in de file op de I-25 vanwege een ongeluk met een kleine vrachtwagen. De overkapping van de wagen was extreem hoog geweest – te hoog om onder een loopbrug door te komen. Daar stond de wagen nu, met de kap verkreukeld onder de ingestorte brug.

Zo voelde Annie zich ook, alsof er een complete brug op en rond haar schouders was ingestort. Want hoe graag ze ook iets anders wilde geloven, de waarheid bleef onontkoombaar op haar schouders wegen. Ja, ze was bezorgd over Josh, gefrustreerd en verdrietig over zijn leven. Maar ze kon ook de andere, overduidelijke waarheid niet ontkennen.

Ze was teleurgesteld in hem.

3

Zaterdagen waren moeilijk omdat advocaten, die toch al genoeg verdienen, niet in het weekend werkten. Dat begreep Josh. Zijn eigen advocaat, Thomas Flynn, was een van de goeden. Als de rechtbanken in het weekend open waren, zou Flynn er zijn om voor hem te vechten, daar twijfelde Josh niet aan.

Maar het zou nog dagen duren voordat hij de volgende verklaring moest afleggen om zijn zaak weer een kleine stap dichter bij een definitieve regeling te brengen. Josh had voor de zaterdag dan ook andere dingen op stapel staan, die ook aangepakt moesten worden. Hij sliep uit en nam de gebruikelijke tien minuten om in bed te blijven liggen, genietend van die half wakkere fase waarin de pijn nog aan de zijlijn stond. Zijn rug deed altijd pijn, of hij wakker was of sliep, of hij stond of lag. Maar tijdens de zegenrijke slaap was hij er zich in elk geval niet bewust van. Niet tot tien minuten nadat hij wakker was geworden.

Josh deed zijn ogen open en terwijl hij een snelle blik uit het raam wierp en de blauwe lucht van een nieuwe, prachtige septemberdag zag, schoten de eerste felle pijnen door het midden van zijn rug. Hij verdraaide en huiverde vanwege de wirwar van scherpe, verscheurende pijnscheuten die langs zijn ruggengraat tussen de schouderbladen en heupen heen en weer schoten.

Je kunt het, hield hij zichzelf voor. *Alstublieft God, help me uit bed te komen.* Het opstaan was het ergst, soms erger dan alle andere pijn van de hele dag. Op een of andere manier liet beweging de pijn altijd afnemen. Hij hield zijn adem in en zwaaide zijn voeten over de rand van de matras. De pijn verdubbelde en nadat hij een schreeuw had gegeven, probeerde hij hijgend de lucht te vinden om zijn longen te vullen.

Hij dacht aan de pijnstillers die naast zijn bed lagen. Vreemd dat hij meestal eerst probeerde te bewegen voordat hij aan de pillen dacht. Misschien zag hij zichzelf nog steeds als dezelfde Josh Warren die hij de eerste vijfentwintig jaar van zijn leven was geweest: lenig en sportief, in staat te bewegen zonder een seconde over zijn lichaam na te denken. Maar de beperkingen waarmee hij nu worstelde, herinnerden hem er elke ochtend al snel aan dat hij geen uur zonder de hulp van zijn medicatie kon. Niet totdat er iets aan zijn rug gedaan kon worden.

Met inzet van al zijn krachten zwaaide hij zijn benen terug op het bed en werkte zich omhoog naar het hoofdeinde. Het flesje was open en hij probeerde zich te herinneren of hij nog een pil had genomen, midden in de nacht. Tachtig milligram per twaalf uur, dat was het voorschrift van de dokter. Maar soms moest hij de pillen voor het ontbijt tellen om er zeker van te zijn dat hij er niet te veel nam. En als hij dat wel deed, moest hij soms accepteren dat hij alleen maar zijn best kon doen. Te veel pillen of niet.

Hij pakte het plastic flesje en zijn vingers voelden stijf aan toen hij een enkel pilletje in de palm van zijn andere hand schudde. Het glas water naast zijn bed zag er niet fris uit. Het kon Josh niet schelen. Hij nam de pijnstiller in en zette het glas terug op zijn nachtkastje. *Doe je werk*, beval hij het kleine, ronde pilletje. *Doe het nu.*

Sinds hij de muziekvideo van Wynonna Judd meer dan een maand geleden had gezien, had hij dit moment van de dag gebruikt om te bidden. Met God praten verzachtte de scherpste pijn waardoor zijn hele lichaam om verlichting schreeuwde, en bovendien kon hij toch niets anders doen. Hij liet zijn hoofd terugzakken op het kussen en deed zijn ogen dicht.

God, wees met mijn ouders. Ik weet dat ze teleurgesteld zijn in mij. Hij ademde uit en probeerde terug te zakken in de matras. Daarna hapte hij snel naar adem en hield die vast. *Het probleem is dat ze de pijn niet begrijpen. Ik kan geen werk zoeken voordat ik me beter voel, dus help hen zich geen zorgen over mij te maken en niet teleurgesteld te zijn.* Hij greep in zijn dekbed en zijn hand verkrampte tot een vuist. 'Doe alsjeblieft je werk. Ga alsjeblieft werken.' Zijn gedachten keerden terug naar het gebed. *En, God, ik bid U voor Cara en Carl Joseph, voor Daisy en Cody, voor Ethel hierboven en Keith in Ohio. Voor Becky, dat ze het geluk mag vinden dat ze zocht. En dat ze misschien weer van me kan houden als ik de persoon ben die ik wil zijn. Ik bid U voor al mijn vrienden, God, wees met hen en breng hen dichter bij U –* hij gaf weer een schreeuw en rolde deels op zijn zij – *zoals U mij met die muziekvideo naar U toe hebt getrokken.*

Ik bid U voor Lindsay en Larry, en voor hun kinderen Ben en Bella. Bescherm hen, God. Hij voelde de eerste golf van verlichting door zijn lijf gaan en veegde het zweet van zijn voorhoofd. *En alstublieft, God, wees met Savannah. Op een dag wil ik gezond en sterk zijn en haar hier thuisbrengen, waar ze hoort. Laat haar alstublieft thuiskomen. Ik wil dat ze haar grootouders leert kennen, haar tante Lindsay en haar neef en nicht. Ik wil dat ze mij leert kennen.* Hij voelde zich ontspannen. *Dat is het, God. Dank U.*

Hij deed zijn ogen open en zwaaide zijn voeten opnieuw over de rand van het bed. Deze keer was de pijn draaglijk en hoefde hij niet te schreeuwen. De pijnstiller werkte. Met zijn kaken stevig op elkaar geklemd, werkte hij zich omhoog in een zittende positie en zette zijn voeten op de vloer. De duizeligheid die hij voelde, hoorde er elke ochtend bij, althans de eerste paar minuten dat hij rechtop zat. Het was een bijwerking van de medicatie, had zijn dokter hem verteld.

Hij keek naar het geelbruine flesje met pijnstillers. Binnenkort zou hij geopereerd worden en zou de dokter zijn rug herstellen, waarna hij met veel revalidatie en zweet weer zijn oude ik zou worden. Hij had de chirurg afgelopen woensdag weer gesproken en het zag er goed uit.

'Nog twintig kilo,' had de medicus hem gezegd. 'Als je dat gewicht naar beneden krijgt, gaan we opereren.'

Hij keek naar zijn buik die over de rand van zijn trainingsbroek puilde. Zijn gewicht was nooit een probleem geweest, maar op zeker moment na de middelbare school begonnen de pondjes erbij te komen. Hij was dertig kilo te zwaar toen het ongeluk gebeurde, en daarna at hij uit frustratie en verveling, waardoor hij nog eens vijftien kilo aankwam. Hij was nu alles kwijt, op de laatste twintig kilo na, maar de arts wilde nog steeds wachten.

'Een deel van je blessure probeert zichzelf nog steeds te herstellen,' had hij meer dan eens uitgelegd. 'Als je gewicht verliest, gaat je rug ongetwijfeld beter werken en beter aanvoelen. We kunnen de operatie waarschijnlijk ergens volgende maand inplannen.'

Josh wreef in zijn nek. Hij pakte een wit T-shirt uit de tweede la van zijn dressoir en trok het over zijn hoofd. In elk geval kon hij zijn oude hemden weer aan. Cara had hem gecomplimenteerd met de recente foto die hij haar had gezonden. 'Je ziet er lekker uit,' had ze gezegd. 'Nu nog zorgen dat je herstelt.'

Hij trok zich aan een bedstijl overeind. Dat was het doel. Herstellen. Langzaam liep hij de keuken in, erop lettend dat hij zijn knieën licht gebogen hield, om geen verkrampingen uit te lokken. Na één verkramping lag hij een uur lang plat op bed, pijnmedicatie of niet.

Josh maakte net een bord van zijn favoriete havermoutpap met bruine suiker klaar toen er op de deur werd geklopt. In een oogopslag zag hij dat het appartement minder netjes was dan hij zou willen. Er lagen tijdschriften verspreid op de bank en de salontafel, terwijl de deken die hij over de rugleuning van zijn bank had liggen, op de vloer was gevallen. Twee halfvolle glazen water stonden op een van de bijzettafeltjes, met een stapel ongeopende post er tussenin. Als hij zijn schadevergoeding kreeg, zou hij zijn eigen zaak opzetten en het eerste contact met Becky Wheaton leggen. En hij zou er een gewoonte van moeten maken om alles netjes te houden. Becky hield van een beetje orde in het leven, en Josh eigenlijk ook. Hij moest alleen tijd maken voor die orde. Maar wie er ook voor de deur stond, ze kwamen hem niet bezoeken vanwege zijn opgeruimde appartement.

Hij liep zo snel mogelijk en deed open. Achter de deur wachtten de felle zon en zijn buren, Carl Joseph Gunner en Daisy Dalton. 'Hallo, buurman!' Carl Joseph grijnsde en duwde zijn dikke, donkere bril wat hoger op zijn neus.

'Hallo.' Josh gebruikte de deurknop als steun. 'Een mooie dag buiten, zo te zien.'

'Weer een mooie dag in Springs.' Daisy stak haar arm door die van Carl Joseph. 'Vandaag gaan we met de bus naar de bioscoop. Zaterdag uitgaansdag, hè, CJ?'

'Precies.' Carl Joseph stak zijn borst naar voren. 'Daisy en ik hebben een afspraakje na het late ontbijt.'

Josh begon zich af te vragen of de twee een reden hadden om langs te komen of dat ze alleen maar gedag kwamen zeggen. Ze kwamen vaak langs, bijna elke dag, om wat voor reden dan ook. 'Een laat ontbijt?' Hij glimlachte en de pijn in zijn rug werd minder dankzij de afleiding. 'Wat staat er op het menu?'

Carl Joseph fronste naar Daisy. 'Dat is het probleem.' Hij haalde zijn schouders op en keek Josh troosteloos aan. 'Gisteren was het inkoopdag voor de markt en we zijn het vergeten.'

'We vergaten de eieren.' Daisy knikte. Ze wees achter Josh. 'Kunnen we zes eieren lenen, Josh? Zes eieren is genoeg.'

Hij grinnikte in stilte en genoot van het gevoel. Daarop deed hij een stap opzij en liet de twee binnenkomen. 'Natuurlijk. Ik kan wel zes eieren opscharrelen.'

'Want, zie je…' Carl Joseph fronste alsof hij diep over de kwestie nadacht, '… we zouden het met vijf kunnen redden, maar dan zouden we misschien honger krijgen tijdens de film.'

'En honger tijdens de film betekent te veel popcorn.' Daisy keek veelbetekenend naar Carl Joseph. 'Dat is ongezond.'

'Ja.' Josh klopte op zijn buik. 'Daar weet ik alles van.'

Carl Joseph aarzelde, maar lachte daarna zo hard alsof Josh net de beste grap van het jaar had verteld. Josh lachte zelf weer in stilte. De twee waren onschuldiger en opener dan al zijn andere vrienden. Hij liep voor hen uit naar de koelkast in de keuken. 'Even kijken. We hebben iets nodig waarin je ze mee naar huis kunt nemen.'

'Geen mand.' Daisy zwaaide met haar wijsvinger, in oprechte bezorgdheid. 'Mama zegt altijd dat je niet al je eieren in één mand moet leggen.'

Carl Josephs ogen klaarden op. 'Maar misschien twee manden.'

'Alsjeblieft.' Josh trok een vierkant eierdoosje van plastic uit een van de keukenkastjes. Zijn rug ontspande en stelde hem in staat om bijna normaal te bewegen in zijn keuken. 'Hier kunnen ze alle zes in.'

'Dat is mooi.' Carl Joseph duwde zijn bril weer omhoog en glimlachte naar Daisy. 'Plastic is goed voor eieren.'

Josh zette de zes eieren voorzichtig in het doosje en gaf het aan zijn buurman. 'Naar welke film gaan jullie?'

'Het is al een oudere.' Hij grijnsde komisch. 'Maar Cody zegt: wat wil je ook voor drie dollar op een zaterdag.'

'Je wilt gewoon plezier hebben.' Daisy keek trots naar Carl Joseph. 'Want dan gebruik je je geld goed, CJ. Heel goed.'

Ze gingen naar een oude bioscoop in het centrum van de stad, die al gesloten zou zijn als er niet besloten was om in het weekend oude films tegen verlaagd tarief te vertonen. Lindsay had een stuk over de bioscoop geschreven in de *Gazette*. De lage prijzen zorgden ervoor dat de zaal vol zat en de verkoop van popcorn en snoep zorgde voor de winst. Carl Joseph en Daisy waren regelmatige bezoekers.

'We gaan naar *Flicka*. Een film over een ruiter op een paard.' Daisy realiseerde zich kennelijk dat geen van beiden antwoord had gegeven op de vraag van Josh.

'Een ruiter, net als mijn broer,' zei Carl Joseph vol trots. Hij keek torenhoog op tegen Cody en Josh begreep waarom. Hij kwam vaak langs en Josh mocht hem graag. Toen ze elkaar voor het eerst ontmoetten, had Cody hem zijn eigen verhaal over pijn en verdriet verteld. Zijn verhaal had Josh een beetje hoop gegeven dat hij er uiteindelijk misschien ook overheen zou komen, net als Cody.

'Je kunt met ons meegaan, als je wilt.' Daisy nam het eierdoosje aan en hield het tegen haar borst. Ze trok haar wenkbrauwen op naar Carl Joseph en haar schouders gingen een paar keer op en neer. 'Dat is toch goed, CJ?'

'Natuurlijk.' Hij stak zijn handen op. 'Drie mensen kunnen samen een afspraakje in de bioscoop hebben. Twee of drie, dat maakt niet uit.'

Josh overwoog even om op het aanbod in te gaan. Hij was al twee of drie keer eerder meegegaan. Het bespaarde zijn buren een bustocht en betekende een middag afleiding voor hemzelf. Maar hij moest zijn appartement opruimen. 'Vandaag niet, jongens. Ik heb andere plannen.'

Carl Joseph knikte. 'Plannen zijn goed. Mijn broer zegt dat een dag met plannen geen verloren dag is.'

'Tja.' Josh glimlachte. Hij dacht aan Cara en de plannen waarover ze het gisternacht hadden gehad. 'Volgens mij heeft je broer gelijk. Het is altijd goed om plannen te maken.'

Josh liep met zijn buren terug naar de deur toen Carl Joseph bleef staan en een omweg maakte langs de schoorsteenmantel.

Hij keek naar de foto's die er stonden en wees naar de foto van de twee meisjes. 'Vertel ons dat verhaal nog eens, ja?'

'Ja, ja, vertel het.' Daisy klapte in haar handen. 'Het is een heel mooi verhaal.'

Josh vond het niet erg om het nog eens te vertellen. Behalve zijn buren wist niemand wat er echt was gebeurd bij het ongeluk. Het verhaal was zelfs niet eens genoemd in de krant van Springs. Hij hield zich vast aan de schoorsteenmantel en leunde er tegenaan, waardoor zijn rug nog iets meer ontspande. 'Waar moet ik beginnen?'

'Bij het begin.' Carl Joseph pakte de foto en hield hem dicht voor zijn ogen zodat hij en Daisy het plaatje beter konden zien. 'Ik vind het begin altijd leuk.'

'Goed.' Josh kon het verhaal in een paar minuten samenvatten. 'Het gebeurde op oudejaarsavond, bijna drie jaar geleden.'

'In Denver, toch?' Daisy keek hem met grote ogen vol verwachting aan.

'Precies. Ik sleepte auto's weg uit een drukke straat waar je niet mocht parkeren.'

'Dat is gevaarlijk.' Carl Joseph knikte om zijn zorg kracht bij te zetten.

'Heel gevaarlijk.' Josh aarzelde en groef in zijn herinnering. 'Ik maakte net de zesde auto van die avond aan het sleeptouw vast toen die twee meisjes op mij af liepen en me een vraag stelden.'

'Ze waren beste vriendinnen.' Daisy vertelde het detail aan Carl Joseph alsof het haar deel van het verhaal was. 'De allerbeste.'

'Inderdaad, en omdat er op dat moment geen auto's aankwamen, stonden de meisjes op de straat. Ze vroegen me de weg naar State Street.'

'En jij vertelde het hun.' Carl Joseph keek naar de ingelijste foto. 'Het lijken heel aardige meisjes.'

'Dat waren ze ook. Ze hadden niets gedronken en ze wilden niet te laat thuiskomen. Er rijden te veel gevaarlijke chauffeurs rond op oudejaarsavond.' Josh haalde zijn hand door zijn donkere haar. Hij voelde zich sterker dan daarvoor, liet de schoorsteenmantel los en sloeg zijn armen over elkaar. 'Ik vertelde hun net hoe ze moesten gaan toen ik de dronken chauffeur zag aankomen.'

Carl Joseph kreeg diepe rimpels van bezorgdheid in zijn voorhoofd. 'Je mag niet dronken rijden van de wet.'

'Nee.' Josh lachte zacht en sceptisch. 'Maar ik denk niet dat de chauffeur zich erg om de wet bekommerde.'

'Omdat hij buiten westen was.' Daisy knikte meelevend.

'Dat klopt.' Josh kon zich de man nog steeds voor de geest halen, met zijn hoofd voorovergezakt op het stuur terwijl zijn auto van de weg denderde. 'En hij reed recht op de meisjes af.'

'Dit is het engste deel.' Daisy deed haar ogen half dicht, zoals iemand zou doen die een enge scène in een spannende film verwacht. 'Ik heb een hekel aan dit deel.'

'Ik ook.' In gedachten beleefde Josh het ongeluk weer helemaal opnieuw. 'Het ging allemaal zo snel. De meisjes konden de dronken chauffeur niet zien, maar hij reed recht op hen af. Ik trok een van de twee opzij, in veiligheid, en toen ik het andere meisje wilde wegtrekken, reed de auto op ons in.'

Carl Joseph en Daisy waren stil, onder de indruk van het verhaal.

'Ik had nog net de tijd om het tweede meisje op het gras te duwen, weg van de auto, maar op hetzelfde moment raakte de wagen mijn linkerschouder en beukte me tegen de grond.'

Daisy sloeg een hand voor haar mond. 'Dat is heel erg.'

'Hij overtrad de wet.' Carl Joseph fluisterde het gespannen. 'Dat was heel slecht, wat hij deed.'

'Heel slecht.' Josh voelde de klap weer zoals hij die in de bewuste nacht had gevoeld, toen de gril van de Mercedes hem omver dreunde, alle lucht uit zijn longen sloeg en hem als een ledenpop op de grond achterliet. De eerste paar minuten dacht hij dat hij dood was. Hij kon niet ademhalen, kon zich niet bewegen. Terwijl er mensen om hem heen kwamen staan en sirenes in de verte loeiden, wilde hij alleen nog maar een laatste kans om zijn ouders, Lindsay en Becky te zeggen dat hij van hen hield. Een kans om Savannah op een of andere manier te vertellen dat hij geprobeerd had haar vader te zijn – dat hij het steeds had geprobeerd.

Daisy glimlachte een beetje. 'Maar het verhaal loopt goed af, toch?'

'Inderdaad.' Josh had Carl Joseph en Daisy nooit over de pijn in zijn rug verteld. Ze zouden het niet begrijpen en het zou hun bezoekjes alleen maar met onnodige bezorgdheid bezwaren. Zij konden niets doen om zijn pijn te verminderen of zijn rug te genezen, dus waarom zou hij tegen hen klagen over de pijn die hij voelde? Ze konden zich beter op de meisjes concentreren. Hij haalde diep adem en maakte het verhaal af. 'De auto maakte me niet dood en de twee meisjes waren niet eens gewond.' Hij grijnsde naar zijn vrienden.

'Een goed einde dus.' Carl Joseph stak zijn vuist hoog in de lucht. 'Ik vind dat een prachtig verhaal.' Hij glimlachte naar de twee meisjes op de foto en daarna naar Josh. 'En daarom ben jij een held.'

Een held. De woorden waren als een sprankje zonneschijn in zijn donkere hart. Alle pijn was toch iets waard geweest, ook al dachten maar weinig mensen dat hij een held was. De meisjes wel, natuurlijk. En de mensen die het artikel hadden gelezen, en zijn buren. Maar hij had het verhaal niet aan zijn ouders verteld, nog niet. Hij wist nog hoe zijn moeder op het nieuws over zijn ongeluk had gereageerd toen hij haar laat op die avond opbelde.

'Ik ben aangereden door een auto,' vertelde hij haar op vlakke toon. 'Ik lig in het ziekenhuis, maar het gaat goed met me.' Hij wilde verder vertellen en uitleggen hoe hij de twee meisjes opzij had getrokken voordat de auto hem raakte, maar zijn moeder begon al te praten.

'Josh, wat is er gebeurd? Ben je gewond?' Daarna riep ze zijn vader. 'We komen eraan, jongen. We zijn er met een uurtje.'

'Mam, wacht.' Josh had toen al medicijnen tegen de pijn gekregen en de ernst van zijn verwondingen moest nog blijken. 'Niets aan de hand. Ik ga vannacht naar huis en ik kom morgen naar jullie toe.'

'O, Josh.' Hij hoorde de opluchting in de korte snikken van zijn moeder. 'Je hebt me zo vreselijk laten schrikken.' Ze was niet kwaad, alleen bezorgd over hem. Bang omdat hij had kunnen omkomen. Maar wat ze daarna zei, was hem altijd bijgebleven. 'Misschien dat je nu begrijpt waarom ik wil dat je je bul haalt en iets met je hersens doet, voor de verandering. Auto's wegslepen, Josh? Ik maak me elke dag zorgen om jou, en nu krijgen we dit. Denk er alsjeblieft eens over na om weer te gaan studeren. Er komt niets goeds voort uit jouw werk als sleper, jongen. Helemaal niets.'

En dus had hij het haar, zijn vader en Lindsay niet verteld. Niet omdat hij er niet trots op was dat hij die meisjes het leven had gered, maar omdat het niet genoeg was. Hij hield van zijn familie, en zijn familie hield van hem – hun gevoelens voor hem waren soms het enige wat hem de kracht gaf om door te gaan. Maar ze hadden nooit veel meer dan een paar minuten in zijn appartement doorgebracht, en geen van hen had ooit de kleine foto's op de schoorsteenmantel opgemerkt. Op een dag zou hij het allemaal uitleggen. Hij zou zijn schadevergoeding krijgen – een half miljoen dollar of meer – en zijn eigen garage openen. En dan, als zijn rug hersteld was en het leven weer goed liep, zou hij hun de waarheid vertellen over hoe hij gewond was geraakt.

Daisy nam de foto van Carl Joseph aan en zette hem terug op de schoorsteenmantel. 'Ik hou van heldenverhalen.' De bewondering fonkelde in haar ogen toen ze naar Josh opkeek. 'Jij en CJ en Cody zijn de enige helden die ik ken.' Ze keek naar haar vriend. 'CJ omdat hij me tegen de regen beschermt, en Cody omdat hij mijn zus, Elle, weer verliefd maakte. En jij, Josh, omdat je die twee meisjes hebt gered.'

Josh vond het fijn om voor deze twee een held te zijn. Het leek hun hoop te geven voor het leven, en als dat zo was, dan was dat nog iets goeds wat uit het ongeluk was voortgekomen. Ongeacht wat zijn moeder vond van zijn baan als sleepwagenchauffeur.

'En deze foto?' Carl Joseph pakte het portret van Savannah op en keek ernaar. Hij duwde zijn bril weer op zijn plaats. 'Kun je ons dit verhaal ook vertellen, Josh?'

'Niet vandaag.' Hij zei het op ontspannen toon, met een glimlach op zijn gezicht. 'Dat is geen mooi verhaal.'

'O.' Daisy fronste. 'Laten we het er dan maar niet over hebben. Ik hou alleen van mooie verhalen.'

'Ik ook.' Josh voelde hoe de pijnstiller de pijn op afstand hield en het voor hem draaglijk maakten om zo lang overeind te staan. 'Jullie kunnen beter naar huis gaan voor je late ontbijt.'

Daisy's adem stokte en ze keek naar de eieren, die ze nog steeds met een hand tegen haar borst gedrukt hield. 'Dat was ik bijna vergeten.'

'Ja, we kunnen beter gaan.' Carl Joseph nam de leiding en pakte Daisy's vrije hand beet. 'We hebben ons afspraakje in de bioscoop.' Hij zwaaide naar Josh en liep naar de deur. 'Bedankt dat je ons het mooie verhaal hebt verteld.'

'Geen dank.' Josh liep achter hen aan en wachtte tot ze op het trottoir waren. 'Veel plezier vandaag.'

Ze draaiden zich beiden om en zwaaiden een laatste keer.

Nadat hij de deur had dichtgedaan en naar zijn woonkamer was teruggelopen, ging Josh even zitten om op adem te komen. Het was zeker een week geleden dat hij zo lang achter elkaar rechtop had gestaan. Vanaf de bank keek hij naar de foto's op de schoorsteenmantel en zijn oog viel op Savannah. Misschien dat hun verhaal ooit op een dag ook een mooi verhaal zou zijn – op de dag dat hij eindelijk kon bewijzen dat haar ogen op de zijne leken omdat ze zijn dochter was. Hij rechtte zijn rug en probeerde een comfortabele houding te vinden. Hij was het met Daisy eens. Verhalen die goed afliepen, waren de beste.

Ook al was hij de enige die wist hoe hoog de prijs was voor een mooi einde.

4

Maria Cameron hield de hand van haar dochter stevig vast terwijl ze samen de stenen treden naar de metro onder de straten van Manhattan afliepen. Ze had zich weer door een zondagmiddag heen gebedeld en moest nu de rode lijn parallel aan Broadway nemen, naar 145th Street in Harlem. Zij en Savannah huurden een kamer van een man die ze drie maanden eerder in het park had ontmoet. Hij noemde zich Freddy B.

Ze betaalde haar huur op de een of andere manier – hetzij met gebedeld geld van de toeristen in Central Park of door de nacht in zijn bed door te brengen, als hij haar wilde. Hij woonde in een appartement met één slaapkamer in een woonkazerne in dat deel van Harlem dat nog moest kennismaken met het fenomeen stadsvernieuwing. Maar het was een onderdak, en voor het ogenblik was dat voldoende.

'Ik heb honger, mama.' Savannahs rossig-blonde haar was in een paardenstaart naar achteren getrokken en op haar wangen zaten de vuile vlekken nog net zoals Maria ze die ochtend had aangebracht.

'We eten als we thuis zijn.' Ze keek het meisje aan met een blik die haar het zwijgen moest opleggen. Ze kon het niet gebruiken dat ze al te zeer zou opvallen in de metro. 'En nu stil.'

Savannah knikte en beet op haar lip. Ze duwde de mouwen van haar trui omhoog, maar onthulde op die manier een reeks kleine, blauwe plekken. Snel trok Maria haar mouwen weer naar beneden en waarschuwde het meisje met haar ogen voorzichtig te zijn. Vreemdelingen begrepen het niet als een meisje van zeven jaar blauwe plekken had. Maar soms liep Savannah te langzaam en moest ze vooruit worden getrokken. Het was niet Maria's schuld dat de huid van het meisje zo bleek was en dat ze zo makkelijk blauwe plekken kreeg.

Ze betaalde haar kaartje en loodste haar dochter naar de eerste twee vrije plaatsen. De metro rook altijd hetzelfde, een vage mengeling van zure melk en oude urine. Maria keek rond in de wagon. Een oude vrouw aan de andere kant, half in slaap, verder niemand. Ze trok een stapel bankbiljetten uit haar zak en telde ze. September was een goede maand. Veel toeristen bij de ingang van de dierentuin, minder hitte en vochtigheid. Iedereen was in een goede stemming. Ze telde de biljetten na en kwam tot een som die haar zelfs voor september verbaasde. 142 dollar. Niet slecht voor een dag werk.

'Hoeveel?' Savannah sloeg haar enkels over elkaar en legde haar handen op haar knokige knieën. 'Genoeg voor de huur?'

'Meer dan genoeg.' Ze keek naar haar dochter. 'Je moet niet zoveel vragen stellen.'

Maria stopte het geld in de achterzak van haar slobberige spijkerbroek, liet haar hoofd tegen het raam achteroverzakken en deed haar ogen dicht. Goede dag of niet, dit was niet het leven zoals het had moeten zijn. Die dagen lagen zo ver achter haar dat ze zichzelf soms tijdens de lange metroritten naar huis dwong om ze in gedachten terug te halen. Anders zou ze vergeten hoe ze ooit óók had geleefd, en dat zou niet goed zijn. Als ze zich het verleden niet meer kon herinneren, hoe zou ze dan ooit de weg terug moeten vinden?

Zij en Raul waren tien jaar geleden getrouwd en droomden ervan hun eigen pizzeria in de Lower East Side te openen. Raul had vage zakenrelaties, maar Maria stelde niet veel vragen. Het was niet haar zaak waar Raul zijn geld vandaan haalde of hoe hij zijn tijd doorbracht voordat hij 's avonds laat thuiskwam.

Het reisje naar Las Vegas was zijn idee. 'Sla een kerel met geld aan de haak. Zorg dat je zwanger raakt en we zitten gebeiteld.

Elke eerste van de maand een vaste betaling totdat het kind achttien is.'

De gedachte had Maria niet aangestaan, maar het feit dat Raul het voorstelde, maakte haar kwaad genoeg om het te doen. Dit kon leuk worden: een week weg van Raul, in het bed van een vreemdeling, een rijke en mysterieuze kerel. Ze liet Raul haar vliegtuig en hotel boeken en vertrok twee weken later. Josh Warren was de eerste man die ze tegenkwam, aan de bar van het Mandalay Bay casino. Hij had donker haar, een blanke huid en blauwe ogen die haar aandacht onmiddellijk trokken. Ze had vijftig dollar in haar zak en kreeg de opdracht om de rijkste gokker van het hotel te vinden. Het dichtstbijzijnde toilet gaf haar de kans om haar rode lippenstift bij te werken en haar blouse zo te schikken dat haar decolleté beter tot zijn recht kwam. Daarna wandelde ze nonchalant op de man af en ging op de barkruk naast hem zitten.

'Hallo daar.' Ze speelde met een lok van haar roodblonde haar. 'Wat doet een mooie jongen als jij hier helemaal alleen?'

Hij leek eerst niet geïnteresseerd. Hij haalde een sigaret uit zijn pakje en bood haar er ook een aan. Ze nam hem aan en stak hem naar voren zodat hij beide kon aansteken. 'Ik ben hier alleen naartoe gekomen.' Hij nam een lange trek van de sigaret. 'Ik heb al een jaar lang geen dag vrij gehad.'

'Ik ook niet.' Ze wist niet zeker of hij wel geld had, maar wilde er wel een paar minuten in steken om dat uit te vinden. 'Krijg ik een drankje van je?'

Josh keek haar aan en blies een mondvol rook met een reeks verbaasde lachjes uit. 'Jij bent behoorlijk recht door zee.'

'Ja, kapitein.' Ze sloeg haar benen over elkaar en trok haar korte jurkje met een quasi zedig gebaar naar beneden. 'Mijn moeder heeft me geleerd dat je niets in deze wereld krijgt als je er niet om vraagt.'

'Rake opmerking.' Josh stak zijn sigaret omhoog alsof hij op haar vrijpostigheid proostte. 'Ik heet Josh Warren.'

'Hallo, Josh.' De sigaret hielp om haar stem een fluwelen klank te geven. Ze leunde voorover zodat hij een beter uitzicht had. 'Ik ben Maria Cameron. Alleen hier, net als jij.'

'Op vakantie?'

'Zoiets.' Ze speelde het slachtoffer met overgave. 'Mijn ouwe heer sloeg me.' Ze haalde een bevallige schouder op. 'Ben eindelijk bij hem weggegaan en hier naartoe gekomen, op zoek naar nieuwe kansen.'

Josh leek niet echt geïnteresseerd, maar het glas whisky dat voor hem stond, was halfleeg en hij leek aangenaam ontspannen. 'Ben jij een gokker, Maria Cameron?'

'Soms.' Ze liet haar ogen langzaam over zijn lichaam gaan. 'Dat hangt van de prijs af.'

Hij lachte en nadat ze hun sigaretten hadden uitgedrukt, bleven ze flirten en praten. Haar interesse werd echt gewekt toen hij voor haar langs boog om zijn sigaret in de asbak te deponeren. Hun schouders raakten elkaar en hij fluisterde bij haar oor: 'Ik heb een miljoen redenen waarom jij vanavond met mij zou moeten uitgaan.'

'Een miljoen?' Maria's hart begon sneller te slaan. Wat bedoelde hij? Dat hij miljonair was? Ze boog naar hem toe. 'Vertel eens.'

'Ik heb plannen.' Hij bestelde een nieuwe whisky voor hemzelf en een voor haar. Toen de drankjes kwamen, glimlachte hij op een manier die rillingen over haar armen joeg.

'Vertel.' Misschien zou ze verliefd worden op deze Josh Warren. Dat zou Rauls verdiende loon zijn. Hij had haar immers zelf hierheen gestuurd, op zoek naar een korte, maar lucratieve affaire?

'Ik werk vanuit een garage in Denver, maar over een jaar ben ik eigenaar van de zaak. Dan open ik een keten van garages door de hele staat Colorado. Binnen de kortste keren ben ik miljonair, schatje.' Hij klonk met zijn glas tegen het hare. 'Dat is het idee.'

Maria wist niet zeker hoeveel geld Josh op dat moment had, maar met dergelijke plannen moest ze wel geloven dat ze de juiste man had gevonden. 'Ik heb ook plannen.' Ze keek over haar schouder en dempte haar stem. 'Maar ik praat er niet zo graag over in het openbaar.' Ze voelde haar mondhoeken omhoogkrullen. 'Begrijp je wat ik bedoel?'

Josh betaalde de rekening en nam haar zonder te vragen wat ze bedoelde mee in de lift naar de zestiende verdieping, waar hij zijn kamer had. Het grootste deel van de volgende vier dagen brachten ze in bed door, en Maria nam zelfs de moeite niet om onder haar eigen naam in te checken. Het kostte haar geen stuiver. Als Josh geen steenrijke gokker was, dan speelde hij zijn rol die week overtuigend. Hij vertelde haar dat hij christen was, dat hij nog nooit zoiets had gedaan en hij probeerde alles om haar naar Denver te laten verkassen.

'We kunnen trouwen en samen een huis betrekken.' Hij had sterretjes in zijn ogen vanaf het moment dat hij haar had meegenomen naar zijn kamer. 'We zoeken een kerk, stichten een gezin en ik zorg de rest van je leven voor jou.' Als een soort bijkomstigheid vroeg hij naar haar leeftijd.

Maria was een jong uitziende vrouw van tweeëndertig, maar dat hoefde hij niet te weten. 'Ik ben zevenentwintig.' Op een morgen keek ze hem over de ontbijttafel aan. 'En hoe oud ben jij eigenlijk?'

'Net eenentwintig geworden.' Hij rookte weer. 'Maar dat is in de mode. Jongens met oudere meisjes.'

Josh leek elke dag verliefder op haar te worden. Hij vertelde over zijn familie, over zijn zus Lindsay en over zijn ouders die wilden dat hij verder studeerde. 'Maar voor mijn plannen heb ik geen universitaire graad nodig,' zei hij. 'Alles valt precies op zijn plaats, precies zoals ik gehoopt had.'

Josh maakte dingen in haar los die Raul haar nooit had laten voelen en na drie dagen dacht ze erover met hem mee te gaan naar Denver en niet meer om te kijken. Pas op de laatste dag begreep Maria wat de plannen die Josh had opgedist eigenlijk inhielden. Natuurlijk, hij wilde aan het eind van het jaar de garage bezitten, maar op dat moment moest hij leven van het salaris van een sleepwagenchauffeur.

Ze lagen in bed, maar toen de puzzelstukjes op hun plaats vielen, stond ze op en kleedde zich gehaast aan. 'Bedoel je dat je geen miljonair bent?'

Hij leunde op zijn elleboog en lachte nerveus. 'Nog niet. Dit jaar nog niet, in elk geval.'

Ze raapte haar spullen bij elkaar. 'Dit gaat niet werken, Josh.' Ze rilde inmiddels, enerzijds aangetrokken door hem, maar bang voor Raul. Hij had bij de receptie een boodschap voor haar achtergelaten waarin hij vroeg hem te bellen. Als ze er nu met Josh vandoor zou gaan, zou Raul achter haar aan komen. Hij had vrienden die haar angst aanjoegen, vrienden die haar konden vinden. En als Josh niet de rijke gokker was die ze in opdracht van Raul aan de haak moest slaan, waarom zou ze dan met hem meegaan? Sterker nog, als ze thuiskwam, zou hij woedend op haar zijn. Ze schudde haar hoofd. 'Nog niet, niet nu.' Ze had zijn telefoonnummer en adres en ze had hem het hare gegeven. Ze liep achteruit tot ze de kamerdeur raakte. 'Bovendien, ik ben getrouwd, Josh. Ik… ik had het je moeten zeggen.' Ze pakte de deurknop vast. 'Ik bel je nog. Misschien dat je dan je plannen hebt uitgewerkt en dat ik weer alleen ben en dat…'

Josh schoot overeind. 'Ben je getrouwd?' Hij werd lijkbleek. 'Hoe kon je dat doen?'

Maria vertrok zonder antwoord te geven, kwaad en in tranen. Hij had niet zo moeten overdrijven. Als hij geen miljoen in het verschiet had, waarom zei hij dat dan? Van mooie jongens die het salaris van een chauffeur verdienden had je er dertien in een dozijn. Dan was Raul altijd nog beter. Josh liep achter haar aan naar de hal, maar ze keek niet om. Toen ze uit de lift was gestapt, liep ze regelrecht naar de receptie en belde Raul op.

'Ik heb de rijke gokker gevonden.' Ze slikte de leugen weg en zette door. 'Ik ben klaar om naar huis te komen.'

Raul prees haar en gaf instructies om de volgende dag een vlucht terug naar New York te nemen. Ze bracht de nacht door bij een vreemdeling uit Australië en vloog een paar uur later naar huis.

'Denk je dat je zwanger bent?' vroeg Raul toen hij haar van vliegveld LaGuardia ophaalde.

Maria wilde hem in zijn gezicht spugen, maar in plaats daarvan keek ze hem indringend aan. 'Ik heb een leuke tijd gehad, laten we het daar maar op houden.'

Haar antwoord maakte hem woedend. Die avond sloeg hij haar hard als straf voor de leuke tijd die zij had gehad tijdens de reis die hij haar had opgedrongen. De blauwe plekken en het geschreeuw waren het begin van het einde en tegen de tijd dat ze ontdekte dat ze zwanger was, lag haar huwelijk in duigen. Ze trok in bij een vriendin en begon een reeks slechte relaties, terwijl ze wachtte totdat de baby geboren zou worden.

Na de eerste blik op Savannah was ze er tamelijk zeker van wie de vader was. Het kind had niet de donkere huid van Raul of het lichtblonde haar van de Australiër. En bovendien was Josh nog de enige persoon die ze kende, die haar financieel zou kunnen helpen. Rauls woorden speelden weer door haar hoofd.

Zorg dat je zwanger raakt en we zitten gebeiteld. Elke eerste van de maand een vaste betaling totdat het kind achttien is.

Ze belde Josh op toen Savannah twee maanden oud was. 'Hoe gaat het met die plannen van jou?' Zo begon ze het gesprek, en aan haar kant duimde ze voor het antwoord. 'Ben je al miljonair, Josh Warren?'

'Je maakt zeker een geintje.' Hij klonk gekwetst, alsof hij nog steeds kwaad op haar was omdat ze die dag uit zijn hotelkamer was weggelopen. 'Luister, dame, als ik miljonair was, zou jij wel de laatste op aarde zijn die ik het zou vertellen.'

'Behalve wanneer ik misschien nieuws heb dat je zou kunnen interesseren.' Op de deken naast haar begon de kleine Savannah te huilen. 'Je bent vader geworden, Josh. Ik heb een dochtertje gekregen en ze lijkt als twee druppels water op jou.'

Het bleef zeker een halve minuut stil aan de andere kant van de lijn. 'Meen je dat? Heb je een dochter gekregen?'

'Ja. Ik wil de voogdij met je delen, Josh.' Ze pauzeerde lang voordat ze verder ging. 'Maar ik heb geen geld en ik heb maandelijkse ondersteuning nodig.'

Welke emoties Josh ook had gevoeld bij het nieuws, hij onderdrukte ze snel. 'Hoe weet ik dat ze van mij is? Je bent getrouwd.'

'Niet meer. Het kind is van jou. Ik weet het zeker.'

De stem van Josh werd zachter. 'Hoe kan ik nog iets geloven van wat jij zegt?'

Savannah begon harder te huilen en Maria was er vrijwel zeker van dat Josh haar aan de andere kant van de lijn kon horen. 'Dat is je dochter, Josh. Stuur ons een beetje geld en je kunt haar komen opzoeken.'

'Zit je nog steeds in New York City?'

'Ja. Ik meen het. Als je me helpt, kun je haar jouw kind noemen.'

Josh zweeg even. 'Waar hebben we het dan over?'

'Drieduizend, misschien vier. Genoeg voor mij en Savannah om het te kunnen redden.'

Josh ademde zo hard in dat ze het kon horen. 'Drie- of vierduizend?' Hij lachte woedend. 'Ik ben nog steeds chauffeur op een sleepwagen, Maria. Mijn plannen zijn nog niet gerealiseerd.' Hij ging in het tegenoffensief. 'Als ik nu eens naar je toe kwam.

Voor een weekend of zo, iets in die geest. Als ik haar zelf kan zien, dan weet ik of ze...'

'Nee.' Maria was ziedend. 'Wat zeg je? Heb je geen geld?'

'Niet op dit moment, maar...' Hij klonk kwaad en geschokt, alsof hij niet wist wat hij moest zeggen of geloven. 'Ik koop een ticket. Ik kom over een paar weken en dan kunnen we er onder vier ogen over praten.'

'Vergeet het maar.' Maria begon te schreeuwen. Ze had een baby die eten moest hebben en een leven dat ze op de rit moest zien te krijgen. Het laatste waar ze op zat te wachten, was een kerel zonder geld. 'Bel me maar als jij je plannen voor elkaar hebt. Anders heb ik geen interesse.' Ze hing op en hoorde een jaar lang niets meer van hem. Toen hij belde, had hij maar één vraag. Of zij nog steeds dacht dat hij de vader van de baby was.

'Natuurlijk.' Ze was niets toeschietelijker dan de vorige keer. 'Heb je inmiddels geld?'

'Dat geld komt wel. Ik wil een ouderschapstest laten uitvoeren, goed?'

'Niet zonder geld.' En weer gooide ze de haak erop.

Er gingen drie zomers voorbij voordat hij weer opbelde. Deze keer vertelde hij dat alles er beter uitzag. 'Mijn plannen beginnen vorm te krijgen. Zeg maar wat je nodig hebt.'

Maria was nog steeds alleen en probeerde nog steeds te overleven in de stad. Maar meer dan ooit had ze geld nodig. 'Vierduizend. Geen cent minder.'

'Goed.' Hij klonk nerveus. 'Dat kan ik regelen. Maar ik wil eerst iets anders.'

'Wat dan?'

'Een foto. Ik geef je een adres en jij stuurt me een foto van het meisje. Ik schrijf geen cheque uit voordat ik die heb.'

Maria stemde ermee in en ze hield woord. De volgende dag stuurde ze een foto van Savannah op via de post. Een week later belde ze Josh weer op. 'Ik heb het je gezegd. Het is jouw dochter.'

'Zij... ze heeft mijn ogen.'

'Ja. Wanneer komt de cheque?'

'Zodra ik het geld bij elkaar heb.' Zijn stem kreeg een wanhopige ondertoon. 'Ik stuur je geld, Maria, dat beloof ik. Misschien geen vierduizend dollar, maar wel iets. Ik wil mijn verantwoordelijkheid nemen. Ik wil haar zien.'

'Wat zeg je daar?' Maria wilde het liefst het telefoonsnoer uit de muur rukken en het toestel door de kamer smijten. 'Heb je het geld niet? Heb je alweer tegen me gelogen?'

'Alsjeblieft.' Hij smeekte haar. 'Ik moest het weten. Nu hoef ik alleen maar...'

Maria knalde de hoorn op het toestel en schold op de mislukkeling die hij was. Een paar weken later vond ze een pakketje van hem bij de post. Er zat een plastic lijstje met een foto van Josh in, en een biljet van honderd dollar. In de envelop zat een briefje waarin Josh beloofde meer geld te zullen geven als zij hem liet overkomen voor een bezoek. Het geld was handig voor een paar dagen, maar Maria stopte het pakketje onder in een la en toen ze een paar maanden later verhuisde, gaf ze Josh haar nieuwe adres niet door. Sindsdien had ze niet meer met hem gepraat en zijn telefoontjes niet opgenomen. Ooit dacht ze hem in Central Park te hebben gezien, maar ze vertrok voordat ze kon uitvinden of hij het werkelijk was.

De metro kwam knarsend tot stilstand en Maria deed haar ogen open. Savannah zat naast haar en keek haar nog steeds aan met die grote, blauwe ogen. De ogen van Josh. 'We zijn bijna thuis.'

'Weet ik.' Ze geeuwde en ging wat meer rechtop zitten. Savannahs vader had nooit plannen gehad. Hij was net als alle anderen. De metro stopte onder 145th Street en ze pakte Savannahs hand stevig vast. Ze waren thuis en met zoveel geld kon ze misschien voor de verandering een goede nacht in haar eigen bed doorbrengen en proberen het verleden, Savannah en de dromer Josh Warren met zijn blauwe ogen te vergeten. Een vent die evenmin een rijke gokker was als welke andere vent ook.

Gewoon de zoveelste mislukkeling.

Savannah had niet echt een eigen kamer, alleen een hoek half onder een bureau in de kamer waar haar moeder soms sliep. Ze mocht niet op het bed als haar moeder daar lag. Maar zelfs als dat niet zo was, moest Savannah op de vloer blijven, met haar hoofd onder het bureau en haar benen eronder uit. Ze had een zachte slaapzak en een fijn kussen. Op de een of andere manier vond ze het prettig om onder het bureau te slapen omdat de kleine ruimte donker en afgeschermd was, als een tent of een fort.

Ze bewaarde al haar schatten onder het bureau, zoals een boek dat *Heidi* heette. Ze had het van een vrouw in Central Park gekregen toen ze zes jaar was. Ook het kleine, plastic kruis dat ze van haar opa Ted had gekregen voordat hij stierf, bewaarde ze onder het bureau. Haar opa vertelde haar over Jezus, maar verder praatte nooit iemand over Hem. Het gaf haar een veilig gevoel te bedenken dat iemand als Jezus genoeg om haar gaf om te luisteren.

Maar haar lievelingsvoorwerp was het portret van haar vader. Het was niet erg groot en het zwarte lijstje was op twee plaatsen gebarsten. Savannah had het op een ochtend in een doos met spullen onder haar moeders bed gevonden. 'Wie is dat?' Ze had de foto dicht voor haar moeders gezicht gehouden.

Haar moeder rook naar bier en haar ogen gingen niet erg ver open. 'Dat?' Ze lachte, maar het klonk niet erg vrolijk. 'Dat is jouw papa. Een echte droomprins.'

Toen haar moeder haar later die dag naar de foto zag kijken, pakte ze hem af en gooide hem in de vuilnisbak. Maar diezelfde avond zette Maria het weer op een drinken en Savannah sloop naar buiten om de foto veilig te stellen. Haar moeder wist niet dat ze hem nog steeds had. Het was zelfs haar mooiste bezit omdat ze haar papa op een dag zou opzoeken en dat zou iedereen gelukkig maken. Haar moeder zei keer op keer dat haar leven beter zou zijn geweest als ze Savannah niet had gehad.

'Ik ben geen erg goede moeder,' zei ze dan.

Op sommige avonden moest ze toegeven dat haar moeder gelijk had, hoewel Savannah dat aan niemand anders zou vertellen dan aan Jezus. Soms pakte haar moeder haar beet en schoof haar eerder dan gebruikelijk onder het bureau, en soms was er geen avondeten omdat er geen geld was van de mensen in Central Park. Maar haar papa op de foto gaf haar een reden om te geloven dat haar opa gelijk had. Jezus had goede plannen met haar.

Haar vader was tenslotte een echte droomprins – ze moest hem alleen nog opzoeken.

Wat kon er beter zijn dan een droomprins?

5

Lindsay Warren Farrell bladerde in een hoek van haar keuken oude tijdschriften door toen de telefoon ging. De kinderen zaten op school en Larry was op zijn werk, dus verwachtte ze niet dat zij haar belden. Ze keek naar het scherm op de telefoon en glimlachte toen ze de naam van de beller zag. Josh. Ze had hem al een week niet meer gesproken en moest echt bijpraten.

'Hallo?'

Op de achtergrond van waar haar broer ook vandaan belde, klonk een vertrouwd lied. Het werd zo luid gespeeld dat Lindsay het duidelijk kon horen. 'Josh?' Ze kon de woorden nu horen en ze ging op de dichtstbijzijnde barkruk in de keuken zitten. Wat gebeurde hier? Voordat ze kon vragen of hij het echt was of niet, begon hij te praten.

'Hoor je dat?'

'Ja.' Ze lachte onzeker. 'Het staat heel hard.'

'Ik weet het.' Josh klonk vrolijker dan hij in jaren had gedaan. 'Je gelooft nooit wat er gebeurd is, Lind. Zes weken geleden ontdekte ik een geweldig lied. Wynonna Judd zong het live op een countryvideo.'

'Wynonna Judd?'

'Ja! Ze zong dit nummer, *I can only imagine*. Dus ik dacht dat het een nummer van haar was en ik heb het gezocht in het warenhuis – je weet wel, op de muziekafdeling achterin. Maar toen bedacht ik ineens dat ik ook online kon zoeken, en…'

'En je vond het bij de groep MercyMe.' Haar glimlach verspreidde zich tot in haar hart en ziel.

'Nu net!' Hij klonk verbaasd, bijna ademloos. 'Vandaag kan

ik eerlijk zeggen dat mijn rugpijn niet het eerste is waar ik aan denk. Weet je waarom?'

'Je hebt het te druk met zingen?'

'Zoiets. Ik bedoel, ik heb dat lied de hele dag opstaan.' Hij was even stil en toen hij weer begon te praten, klonk zijn stem minder gejaagd. 'Toen ik naar die video keek, nam ik een beslissing. Op dat moment gaf ik mijn leven terug aan Jezus en zei ik Hem dat ik spijt had van alle verkeerde beslissingen die ik zonder Hem had genomen. Ik heb sindsdien veel gebeden en over mijn leven nagedacht, je weet wel, hoe anders het had kunnen zijn op dit moment.'

Lindsay voelde de tranen in haar ogen branden. Soms als Larry de naam van Josh op het telefoonschermpje zag, liep hij bij het toestel weg. 'Hij vraagt altijd om geld of spullen,' zei hij ooit tegen haar. 'Het is *jouw* broer, handel jij het maar af.'

Maar nu was Josh het levende bewijs waarom mensen hun dierbaren nooit, maar dan ook nooit mochten loslaten. Ze had haar hele leven voor hem gebeden, vooral in de tien jaar na de middelbare school. Zijn keuzes en de omstandigheden waarin hij daardoor kwam te verkeren, hadden hem nooit dichter bij God gebracht, maar nu was hij misschien eindelijk zover dat hij zijn leven niet meer helemaal zelf wilde sturen. 'Josh, ik ben zo blij.'

'Ik ook. Het is alsof ik eindelijk begrijp hoe het zit met God en met Jezus – waarom Hij aan het kruis hing en hoe Hij de poorten van de hemel voor mensen zoals jij en ik heeft geopend. Als we Hem de kans geven, geeft Hij ons eeuwig leven. Dit is nu dus mijn lijflied, begrijp je? *I can only imagine.*'

Lindsay was er zo vol van dat ze geen woord kon uitbrengen.

'Maar ik bel je met een reden. Mag ik komende zaterdag met jou, Larry en de kinderen mee naar de kerk? Jullie gaan toch op zaterdagavond?'

'Om zes uur.' Lindsay voelde zich als een van de stadsbewoners die Ebeneezer Scrooge uit de kerstvertelling van Charles Dickens op kerstmorgen cadeautjes zagen uitdelen. 'Meen je dat echt? Wil je met ons mee?'

'Absoluut.' Hij lachte en het was de lach van een groot kind, niet van een jongeman in moeilijkheden en met chronische pijn. 'Wil je weten waarom? Ik ben de laatste vijf zondagen met een paar van mijn buren naar de kerk geweest, en ik vind het heerlijk. Het doet me ook minder aan de pijn denken, begrijp je?'

'Ja.' Ze voelde de tranen over haar wangen lopen en veegde ze weg. In gedachten zag ze het beeld al voor zich: zijzelf, Larry, Ben, Bella en Josh die op zaterdagavond op een van de voorste banken in hun kerk zaten. 'Ik zal een plaatsje voor je vrijhouden.'

'Kom op, Lindsay.' Hij klonk als de oude Josh die hij voor het ongeluk was geweest. 'Ik ken jou.' Weer een lach. 'Mijn zuster Lindsay en op tijd komen? Ik hou wel een plek voor *jou* vrij!'

Op de achtergrond klonk nog steeds het lied en Lindsay deed moeite om haar stem terug te vinden. 'Je weet wat dit is, hè?' Ze kon nauwelijks wachten om haar moeder over dit telefoontje te vertellen. Haar ouders gingen naar de meer traditionele zondagochtenddienst, maar dit was een zaterdagavond die ze niet mochten missen.

'Het is een wonder.' Josh aarzelde niet. 'Ik kon voelen hoe God iets met mijn hart deed en me veranderde. En nu ik dit lied vandaag gevonden heb, is het alsof de hele wereld er anders uitziet.'

Lindsay produceerde een geluid, maar ze wist zelf niet zeker of het een lach of een snik was. Ze hield haar vingers tegen haar lippen. 'Ik heb zolang voor dit moment gebeden.' Ze liep naar het keukenraam en keek naar de berg Pikes Peak in de verte. 'Met al jouw pijn, het ongeluk en de strijd die je hebt gehad, wist ik dat alleen God je verlichting zou kunnen brengen. En nu – kijk jou nu eens.'

'Je hebt gelijk. Nog een week met dagen zoals deze, en misschien dat mijn rug uit zichzelf geneest.' Hij klonk meer dan opgetogen, alsof hij werkelijk geloofde dat het mogelijk zou zijn. 'Zo niet, dan wacht ik de operatie af, maar in elk geval heb ik die sombere last niet meer op mijn schouders. Niet meer. Ik herinnerde me vanmiddag wat pa en ma altijd tegen ons zeiden: "God heeft grote plannen met Zijn volk."' Hij lachte weer. 'Is dat niet geweldig, Lindsay? En weet je, ik geloof het eindelijk.'

Lindsay zei nogmaals hoe blij ze voor hem was, hoe vaak ze voor hem gebeden had en hoe anders hij klonk nu hij zijn geloof had hervonden. 'De kinderen hebben nog een heel programma de rest van de week: piano, dansen, rugbytraining. Dan is er de ouderavond op de basisschool. Daar mag ik van Bella absoluut niet wegblijven. Maar vrijdag hebben we niets.' Lindsay liep naar de gezinscomputer en opende haar elektronische agenda. 'Kom je eten?'

'Ik moet die dag naar de rechtbank.' Hij klonk niet bezorgd of verslagen, zoals anders wanneer hij vertelde over de verhoren en verklaringen in verband met zijn ongeluk. 'Daarna kom ik graag bij jullie eten.'

'En zaterdag ga je mee naar Bens rugbywedstrijd. Pa en ma zijn er dan ook, en na die tijd gaan we naar de kerk.'

'Dan kom jij zelfs misschien op tijd.'

'Ja.' Ze lachte. 'Dat zou pas echt een wonder zijn.' Ze wilde net ophangen toen haar een idee te binnen schoot. 'Luister, ik moet nog een paar boodschappen doen en ik moet een ovenschaal bij ma langsbrengen. Vind je het goed dat ik langskom? Ik weet niet of ik wel tot vrijdag kan wachten om je te omhelzen.'

'Ik ga nergens heen.'

Lindsay haalde een borstel door haar haar en keek in de spiegel. Zij en Larry trainden bijna elke ochtend en renden soms door de heuvels rond hun buurt. Haar uren bij de krant waren flexibel, van acht tot vier, en de zondagen en dinsdagen had ze vrij. Als ze meer thuis wilde zijn, was dat geen probleem voor de redacteuren, zolang haar verhalen maar op zaterdag om vijf uur binnen waren. Ze leidde een gezond en goed leven dat op rolletjes liep.

Alleen Josh bezorgde Lindsay slapeloze nachten, waarin ze zich afvroeg hoe ze haar broer kon helpen en of hij ooit de weg terug zou vinden naar het geloof dat zij als kinderen hadden gedeeld. En nu... ze greep de ovenschaal, een zak met kleding voor de stomerij en de pakketten die naar het postkantoor moesten en haastte zich naar haar auto in de garage. Josh maakte eindelijk de ommekeer mee die iedereen hem toewenste.

Haar eerste stop was bij zijn appartement. Ze kon niet afwachten om hem te zien. Zijn ogen zouden haar verraden hoe diep hij geraakt was door de openbaring dat God nog steeds plannen met hem had, ook al waren die tijdelijk op een zijspoor geraakt.

Het appartementencomplex waar hij woonde, was niet het beste, en de enkele keer dat Lindsay er was geweest, had ze altijd over haar schouder gekeken om er zeker van te zijn dat niemand in de schaduw op de loer lag. Ze had ooit een van de verslaggevers van de *Gazette* gevraagd of de criminaliteit in en rond de appartementen in deze wijk wellicht hoger lag dan gemiddeld, maar tot haar verbazing bleek het omgekeerde het geval. 'Het is een twijfelachtige buurt,' vertelde de verslaggever na zijn onderzoek, 'maar in dat complex woont een aantal lichamelijk gehandicapte mensen. De meesten van hen zitten er al jaren, en dat soort stabiliteit maakt een woonomgeving meestal veiliger.'

Niettemin liep Lindsay snel door. De afvalcontainer midden op de parkeerplaats was van verse graffiti voorzien en een van de appartementen had een kapot raam. Maar wat ze ook van de appartementen vond, ze zou hier meer tijd moeten doorbrengen. Meestal wimpelde Josh haar bezoeken af. Hij was te moe of voelde zich niet in staat om iemand te ontvangen. Hij leek er de voorkeur aan te geven om haar in hun ouderlijk huis te zien. Maar misschien zou dat nu ook veranderen.

Ze klopte op de deur en hij deed sneller open dan gewoonlijk. Verbeeldde ze het zich alleen of stond hij echt beter rechtop? 'Josh…'

Uit zijn stereo klonk nog steeds hetzelfde lied, maar minder hard dan voordien. Hun blikken ontmoetten elkaar en hij stak zijn beide armen uit. 'Alles komt in orde, Lind.' Zijn stem was zacht, vol van emotie die hij anders maar zelden toonde. 'Echt waar.'

Sinds haar tweede jaar op de middelbare school was haar broer altijd groter geweest dan zij, en met zijn één meter twee-ennegentig stak hij ruim twintig centimeter boven haar uit. Hij was veel afgevallen, maar had nog steeds niet het ranke en sportieve uiterlijk uit zijn kindertijd terug. Het kon Lindsay niet schelen. Ze sloeg haar armen om hem heen en legde haar hoofd tegen zijn borst. Hij was een beer van een vent, en zijn ronde omvang maakte dat ze zich klein en veilig voelde in zijn armen.

Toen ze zich losmaakte, keek ze hem diep in zijn ogen en zag weer de fonkeling die drie jaar afwezig was geweest. 'Je bent echt terug, hè?'

Hij knikte. 'Alsof ik net uit een nachtmerrie wakker ben geworden.' Hij stapte opzij en nodigde haar uit in zijn appartement.

Ze had even tijd. Samen liepen ze naar zijn woonkamer, waar ze haar handtas op de opgeruimde en afgenomen salontafel zette. Toen ze naast elkaar op de bank tegenover de elektrische open haard gingen zitten, begon haar broer te grinniken. 'Zie je het, Lind? Nergens een bordje of post te bekennen.' Hij maakte een gebaar naar de opgeruimde kamer. 'Ben je trots op me?'

'Ik doe mijn best om niet flauw te vallen.' Ze grinnikte. Haar broer had altijd een rommelige kamer, al vanaf hun kindertijd. *'Het leven kost te veel tijd,'* zei hij altijd. Maar sinds het ongeluk maakte de rest van de familie zich zorgen dat zijn vervuilde appartement misschien een symptoom was van zijn pijn en een mogelijke depressie. Ze inspecteerde de kamer, de nette meubels en schone vensterbanken, en klopte hem op zijn knie. 'Misschien moet ik je wel bij mij thuis in dienst nemen.'

Ze praatten ontspannen met elkaar en Lindsay kwam terug op zijn hervonden geloof. 'En je voelt je echt beter vandaag? Ik bedoel, je rug doet minder pijn?'

Josh ging verzitten, waarschijnlijk om een comfortabeler positie te vinden. 'Tot voor kort liet ik de pijn alles wat ik deed overheersen. Mijn hele dag werd erdoor bepaald. Soms was de pijn in mijn rug zo intens dat ik me hem bijna als een levend, ademend monster voorstelde, een monster dat me gevangen hield zonder kans op ontsnapping. Begrijp je?'

Lindsay pakte zijn hand. Het deed haar pijn haar broer zo over zijn situatie te horen praten. Wat deed het ertoe of hij wel of niet gezelschap had gewild als hij zo terneergeslagen en ontmoedigd was geweest, als zijn pijn zo overweldigend was? 'Je had het moeten zeggen. Ik had vaker na mijn werk langs kunnen komen en je op zijn minst eten kunnen brengen.'

'Nee.' Zijn voorhoofd was vochtig, het bewijs dat hij ook tijdens hun gesprek nog steeds pijn had. Maar de rust en vrede in zijn ogen gingen dieper dan alles wat hij voelde. 'Maak je geen zorgen, Lind. Ik red me wel.' Hij keek naar de foto's op de schoorsteenmantel. 'Ik moest in mijn eentje op dit punt komen. Alleen met God.'

Lindsay stond op en bekeek de drie foto's van dichtbij. De foto van het kleine meisje trok het eerst haar aandacht en ze pakte het lijstje op. 'Stonden deze er al toen ik hier voor het laatst was?'

'Waarschijnlijk.' Het klonk onbeholpen. 'Ik vraag je meestal ook niet bij mij in de woonkamer te komen zitten. Als je hier was, had ik altijd haast om je weer naar buiten te werken.'

'Waarom?' Ze hield het lijstje nog steeds in haar hand, maar keek naar hem om, geraakt door zijn bekentenis.

'Daarom.' Zijn gezicht smeekte haar het te begrijpen. 'Ik wilde niet dat je me zo zag. Mijn rug… het is soms een enorme opgave om rond te lopen. Als ik hier alleen ben, hoef ik niet te doen alsof alles in orde is. Ik kan op de vloer gaan liggen of in bed blijven, als ik me daar beter bij voel.' Hij glimlachte. 'Maar vandaag – ik weet niet, het is heel vreemd. De pijn is er nog steeds, maar nu op afstand. Alsof iemand me roept vanaf de overkant van een rugbyveld.'

Het sneed haar door haar ziel: haar broer die altijd zo vrolijk en gemakkelijk was. Hij had niet gewild dat ze langskwam omdat hij zich geneerde voor zijn pijn. Een afschuwelijke waarheid. Lindsay zuchtte en keek weer naar de foto, die ze nog maar één keer eerder had gezien. 'Hoe oud was ze hier? Vier of vijf?'

'Vier.' Josh stond op en kwam naast Lindsay staan. 'Ik denk er steeds aan dat ik over een jaar misschien de gedeelde voogdij over haar heb. Volgens mij is ze volmaakt, denk je niet?'

Lindsay glimlachte naar hem. 'Ik wil haar zo graag zien.' Het kon haar niet schelen dat haar ouders dachten dat het meisje niet van Josh was of dat ze jaren geleden voor het laatst iets van de moeder hadden gehoord. Het kind vertoonde ontegenzeggelijk gelijkenis met Josh en dus was het voor Lindsay een heel reële mogelijkheid dat het inderdaad om zijn dochter ging. Bovendien, waarom zou ze tegen die overtuiging ingaan? Josh geloofde dat het zijn dochter was, en Lindsay geloofde in Josh.

Ze zette de foto terug en keek naar het lijstje ernaast. Twee tienermeisjes in spijkerbroek en trui, voor de besneeuwde voortuin van een huis met twee verdiepingen. 'Wie zijn dat?'

'Dat is een lang verhaal.' Het antwoord van Josh kwam snel. 'Het zijn hartsvriendinnen. Ik kwam ze tijdens mijn werk tegen.'

Lindsay keek nog eens naar de meisjes en wist zonder het te hoeven vragen dat haar broer in geen van beiden geïnteresseerd was. Ze waren minstens tien jaar jonger dan hij. Wat het verhaal erachter ook was, het moest veel betekenen voor Josh als hij hun foto daar had staan, waar hij hem elke dag kon zien. 'Heb jij die foto gemaakt?'

'Nee.' Hij draaide zich om en liep naar de keuken. 'Ik weet niet precies wie hem gemaakt heeft.' Hij duwde met zijn hand tegen zijn onderrug maar ging niet langzamer lopen. 'Het is niet zo belangrijk, eigenlijk. Ik bewaar die foto daar alleen maar om me aan het goede te herinneren dat uit het werken op een sleepwagen kan voortkomen.' Hij deed het keukenkastje bij de gootsteen open. 'Wil je water?'

'Graag. Dank je.' Ze was met haar gedachten nog steeds bij de tienermeisjes. Als Josh een reden nodig had om in zijn werk te geloven, dan was Lindsay blij voor hem dat hij die gevonden had, wat het ook was. Vooral omdat zijn ongeluk tijdens het werk hem zijn gezondheid had gekost, en de laatste drie jaar ook zijn baan.

Ze pakte het glas water van hem aan. 'Vertel me eens over die buren van jou, met wie je naar de kerk gaat.'

'Het is een fantastische groep. Carl Joseph en zijn vriendin Daisy wonen in verschillende appartementen in het complex hiernaast, en dan zijn er nog de broer van Carl Joseph, Cody, en zijn vrouw Elle, de zus van Daisy. Ze gaan elke week met zijn vieren en vanaf het moment dat ik Carl Joseph over die video van Wynonna vertelde en uitlegde hoe ik voelde dat God mij naar Hem terugriep, hebben ze me in hun groep opgenomen.' Zijn ogen straalden. 'Ik heb echt een heel rijk leven, Lindsay, en dat heeft niets te maken met de schadevergoeding.'

Ze nam zich welbewust voor om zich voor altijd te herinneren hoe hij op dat moment voor haar stond, terwijl het zonlicht door het keukenraam naar binnen stroomde. Daar stond hij, in zijn kleine appartement, terwijl zijn rug ongetwijfeld vreselijk pijn deed, en geloofde met heel zijn hart dat geen geld ter wereld hem rijker kon maken dan hij nu al was. Tranen van geluk maakten haar ogen vochtig. 'Ik kan het avondeten op vrijdag nauwelijks afwachten. En de zaterdag natuurlijk.' Ze omhelsde hem nog eens en hield hem langer vast dan gewoonlijk. Toen ze een stap achteruit deed, keek ze recht in zijn hart, in het deel dat altijd voor haar gereserveerd was. 'Ik denk dat je misschien weer echt begint te leven.'

'Dat is ook zo.' Hij ademde diep in en stond weer rechtop. 'Ik ben zo benieuwd wat God nu voor mij in petto heeft.'

'Ik ook. Ik bedoel, ik heb mijn broer terug.' Ze pakte haar handtas van de salontafel en hing hem om haar schouder. Nadat ze Josh op zijn wang had gekust, liep ze naar de voordeur. 'Vrijdagavond.'

'Ik zal er zijn.' Ze stonden in de deuropening en Josh leunde tegen het kozijn. 'O ja, die zeshonderd dollar die je me leende?' Hij haalde een cheque uit zijn zak en gaf die aan haar. 'Die kun je woensdag verzilveren.'

Lindsay had niet meer aan de lening gedacht sinds ze hem het geld een paar maanden geleden had gegeven. Zijn doktersrekeningen waren te hoog geworden en hij kon de huur niet meer betalen. 'Josh, dat hoef je niet te doen.' Ze probeerde hem de cheque terug te geven, maar hij wilde hem niet aannemen. 'Beschouw het als een cadeau.'

'Dat kan ik niet.' Zijn toon was nog steeds vrolijk, maar

Lindsay wist dat hij het meende. 'Ik heb toen gezegd dat ik het zou terugbetalen, en dat meende ik. Voor volgende maand heb ik al mijn rekeningen gedekt.' Hij glimlachte. 'Bedankt dat je er voor me was. Ik wilde geen achterstand oplopen en dankzij jou en Larry is dat ook niet gebeurd.'

'Maar je had ook kunnen wachten tot je de schadevergoeding hebt.'

'Ik ben pa en ma bijna een jaarinkomen schuldig.' Hij keek haar grappig aan, met dezelfde blik die hij vroeger op zaterdag opzette wanneer ze maar één middag hadden om de hele garage op te ruimen. 'Dat zal echt moeten wachten tot de schadevergoeding binnen is.' Hij legde een hand op haar schouder. 'Wat ik van jou leende, kan ik nu terugbetalen, dus laat me dat ook doen, oké?'

'Goed.' Ze keek hem nog een paar seconden in de ogen voordat ze de cheque opvouwde en in de zak van haar spijkerbroek stak. 'Ik hou van je, Josh. Ik ben zo blij dat je de weg terug hebt gevonden.'

'Ik hou ook van jou.' Zijn ogen dansten. 'Zeg tegen Ben dat hij me zaterdag moet opzoeken tussen het publiek.'

Lindsay liep snel naar haar auto en toen ze wegreed, zag ze Josh voor zijn deur staan kijken. Zijn glimlach was zelfs aan de overkant van de parkeerplaats nog te zien. Ze zwaaide nog een laatste keer en nam snel een besluit. Ze zou haar andere boodschappen eerst doen en pas daarna naar het huis van haar ouders rijden. Dan hoefde ze zich niet opgejaagd te voelen. Vandaag moesten zij en haar moeder over meer praten dan de agenda van de komende week of het team waartegen Ben op zaterdag moest spelen.

Een uur later liep ze de voordeur bij haar ouders binnen en vond haar moeder aan de telefoon in de achtertuin. Lindsay stond op knappen om het nieuws over Josh te vertellen, maar haar moeder gebaarde dat ze even moest wachten. Voor haar voeten lag een hoopje uitgetrokken onkruid, met een klein kistje met tuingereedschap ernaast. Lindsay leunde tegen de achtermuur van het huis en keek langs haar moeder de diepe tuin in. Zij en Josh hadden er vroeger veel gespeeld en in de zomer hadden hun ouders er een zwembad voor hen en hun vrienden en vriendinnen opgezet. Zoveel mooie herinneringen.

'Zoals Nate altijd zegt, herkozen worden is niet vanzelfsprekend, dus we moeten voorzichtig zijn. Vrijdag hadden we de bibliothecarissen hier en deze week komt een andere groep vertegenwoordigers van de onderwijsvakbond. Ik denk dat we weer kwarktaart serveren.' Ze vertrok haar gezicht in de richting van Lindsay en maakte met haar vrije hand kleine cirkeltjes in de lucht, waarmee ze wilde zeggen dat ze probeerde het gesprek af te ronden. 'Juist, ja, misschien zou je moeten komen. Je bent een vriend van ons en van hen. Dat is altijd goed voor Nate.'

Lindsay maakte zich zorgen over haar moeder. Voordat haar vader zich verkiesbaar stelde voor de Onderwijsraad, zaten haar ouders op een Bijbelstudie van de kerk en brachten ze maaltijden naar ouderen die het huis niet uitkwamen. Tegenwoordig leek elk uur van de dag echter in het teken van haar vaders herverkiezing te staan. Misschien dat het nieuws over Josh zou helpen haar gedachten even af te leiden van de ontvangsten en politieke presentaties die zoveel van hun tijd opslokten.

Na nog twee minuten was het gesprek van haar moeder eindelijk afgelopen. Ze zuchtte diep en maakte een overdreven uitgeput gebaar. 'Die vrouw heeft meer connecties dan wie ook in Springs, maar, mensenlief, wat kan ze praten.' Ze keek op haar horloge. 'De tuin zal moeten wachten. We hebben vanavond een etentje met haar en nog drie anderen.' Ze veegde haar handen af aan haar marineblauwe, katoenen broek en glimlachte naar Lindsay. 'Heb je die ovenschaal meegebracht?'

'Ja, maar ik hoopte eigenlijk dat je een paar minuten tijd zou hebben.'

'Het spijt me, lieverd. Het moet op tijd klaar.' Haar moeder liep snel langs haar heen. 'Kom mee naar de keuken. Ik moet mijn handen even wassen.'

Lindsay kon niet anders doen dan meelopen. 'Ik ben vandaag bij Josh langs geweest. Hij draaide een lied…'

Haar moeder zette de waterkraan open, zeepte haar handen in en begon ze te wassen. Ze trok haar wenkbrauwen op in Lindsays richting om aan te geven dat ze nog steeds luisterde. Maar met het geluid van het stromende water kon ze niet elk woord verstaan, en dus wachtte haar dochter.

Even later draaide ze de kraan dicht en droogde haar handen met keukenpapier af. 'Hij luisterde naar christelijke muziek, wil je dat zeggen?' Het vochtige papier verdween in de afvalverwerker en het geluid van de open- en dichtgaande klep deed nog een schepje bovenop het lawaai. Lindsay wachtte.

Haar moeder leek te begrijpen dat het gesprek meer aandacht nodig had en ze bleef staan om haar dochter aan te kijken. 'Het spijt me, lieverd, ga je gang.'

'Inderdaad ja, hij luisterde naar *I can only imagine*. Je kent dat lied toch?'

'Hmm.' Haar moeder schudde haar hoofd. 'Klinkt niet echt bekend.'

'Het is een lied over de hemel en toen hij me vanochtend opbelde, speelde hij het zo hard af dat ik hem nauwelijks kon verstaan via de telefoon. Hij zei dat het was alsof hij eindelijk…'

'Hij moet een beetje oppassen met zijn buren. Zoveel vrienden heeft hij niet, Lindsay.' Ze keek op haar horloge en sloeg haar armen over elkaar. 'Harde muziek maakt hem bij niemand geliefd.'

Lindsay keek haar moeder verbijsterd aan. Waarom maakte ze het haar zo moeilijk om het goede nieuws over Josh te vertellen? *Wees geduldig*, hield ze zichzelf voor. *Geduld, mijn moeder weet niet waar het naartoe gaat.*

'Maar het ging niet om de buren. Het lijkt alsof Josh door dat lied veranderd is, door de boodschap die erin zit. Hij praatte vandaag over God, over zijn terugkeer naar de kerk, en zelfs zijn pijn leek minder erg dan anders.'

Haar moeder pakte een sinaasappel van de fruitschaal, legde hem op een stukje keukenpapier op het aanrecht en drukte de nagel van haar duim in de schil. 'Je vindt het toch niet erg dat ik wat eet, hè? Ik ben de lunch helemaal vergeten, en het ontbijt was een restje van gisteren.'

Lindsay wilde wel tegen haar schreeuwen. Dit was niet te geloven. 'Heb je gehoord wat ik zei? Dat hij weer naar de kerk wil met ons en hoe zijn pijn plotseling veel draaglijker lijkt?'

'Ik vind die pijnstillers die hij gebruikt vreselijk.' Ze nam een partje van de sinaasappel, brak het doormidden en stopte een helft in haar mond. Met haar vrije hand depte ze haar mond-hoeken terwijl ze zich op een volgende hap concentreerde. 'Dat spul kan je dood betekenen.' Ze kauwde en slikte een volgend stukje door. 'Ik heb dat middel laatst op internet opge-zocht en daar stond dat die tabletten je daadwerkelijk kunnen doden als je erop kauwt in plaats van ze door te slikken. Omdat de medicijnen dan te geconcentreerd vrijkomen.' Ze zwaaide met een volgend partje sinaasappel in de lucht. 'De dokter heeft hem op een veel te hoge dosis gezet. Misschien dat hij vandaag geen pijn voelt, maar hoe zit dat als hij aan het spul verslaafd is? Dan zouden we allemaal wensen dat hij met iets meer pijn leefde en niet elke keer ja zei tegen een verhoging van de dosis.'

Lindsays frustratie maakte haar sprakeloos, en haar moeder ging door. 'En ja, liever d, hij praat zo nu en dan over de kerk en over God. Ik geloof pas dat er iets veranderd is wanneer ik het zie. Anders blijft het bij een heleboel woorden, en je kent Josh. Altijd dromen over zijn plannen voor dit en plannen voor dat – zelfs al voor het ongeluk.' Ze at verder van de sinaasappel en deed de rest in een afsluitbaar plasticzakje.

'Mam, heb je eigenlijk wel gehoord wat ik zei?' Het huilen stond Lindsay nader dan het lachen. Dit was een geweldige dag voor Josh en haar moeder pikte absoluut niets op van wat ze zei.

'Natuurlijk hoor ik je wel, lieverd.' Ze legden de sinaasappel in de koelkast. 'Maar als we eerlijk zijn, hebben we deze verhalen van Josh al keer op keer gehoord.' In haar ogen stond ontmoediging te lezen. 'Ik maak me echt zorgen over je broer. Sinds de middelbare school worstelt hij al om zijn plannen in daden om te zetten.' Ze boog naar Lindsay toe en kuste haar op het voorhoofd. 'Bedankt dat je zo'n goede zus voor hem bent. Het is belangrijk dat we hem allemaal blijven aanmoedigen. En dat geldt vooral voor jou.' Ze liep weg naar de trap en haar slaapkamer. 'Ik moet me nu gaan omkleden, maar we praten er later wel verder over, goed?'

Als Lindsay niet zo kwaad op haar moeder was geweest, zou ze tegen haar geschreeuwd hebben. Ze zou haar gezegd hebben dat het niet goed was en dat geen enkel etentje belangrijker was dan de veranderingen die ze die dag bij Josh had gezien. Maar als zij niet wilde luisteren, dan moest dat maar. Ze wilde het goede gevoel in haar hart niet laten verknoeien door ruzie te maken.

Tegen de tijd dat Lindsay weer in haar auto zat, was haar woede gezakt en had plaatsgemaakt voor het medelijden dat ze vaker voor haar moeder voelde. Medelijden omdat ze zich niet meer zo op haar geloof richtte als vroeger, en omdat ze niet alleen bezorgd was over Josh maar zich ook voor hem schaamde. Het zat hun moeder dwars dat Josh geen docent was geworden zoals zijn vader, of een schrijver zoals Lindsay. Terwijl ze via een drukke hoofdweg koers zette naar huis, dacht ze weer aan haar broer en zijn hernieuwde enthousiasme voor God en het leven en zijn vastbesloten wil om er iets van te maken, ondanks de pijn.

Als ze eerlijk was tegen zichzelf, eerlijk over de donkerste hoeken in haar hart, dan waren er ook momenten geweest dat *zij* zich gegeneerd had voor de carrièrebeslissingen van Josh. Hij was tot zoveel meer in staat dan het rijden op een sleepwagen. Maar haar schaamte had in elk geval niet lang geduurd. Als haar broer graag auto's wilde wegslepen, dan was ze blij voor hem, ongeacht wat hij anders met zijn leven had kunnen doen.

Ze kende het verhaal achter de foto van de twee tienermeisjes nog niet, maar de volgende keer dat ze elkaar zagen, zou ze hem er weer naar vragen. Het had overduidelijk een reden dat die foto op de schoorsteenmantel stond – een reden die haar tranen in haar ogen bezorgde. Ze parkeerde haar auto in de garage.

Omdat niemand van zijn familie trots was op zijn werk als sleepwagenchauffeur en hij nergens anders bevestiging kon vinden, gaf de foto Josh waarschijnlijk iets wat heel veel voor hem betekende.

Een reden om in zichzelf te geloven.

6

Josh stond op het punt om flauw te vallen van de pijn. Hij stond in de getuigenbank en beantwoordde de vragen op een kalme, weloverwogen toon, maar van binnen schreeuwde zijn lichaam om verlichting. *Waar bent U, God? Ik heb U nodig, alstublieft...*

De advocaat van de verzekeringsmaatschappij overlegde een minuut met zijn compagnons en maakte zich op voor de volgende ronde van scherpe vragen. Josh deed zijn ogen een paar seconden dicht en probeerde zijn houding aan te passen om ook maar de minste verlichting van zijn pijn te vinden. De blijdschap, de hoop en het geloof die zijn wereld drie dagen eerder beheersten, waren er nog steeds, maar ze waren moeilijker te ervaren. Dat was alles.

Een innerlijke stem sprak tot zijn ziel en schonk hem de rust die hem aan de waarheid herinnerde. Deze verklaring was niet het eind van het verhaal – ongeacht wat ze opleverde. Zijn leven was veranderd, en geen pijn ter wereld kon dat ongedaan maken. Hij hoorde de advocaat zijn keel schrapen terwijl hij weer achter de microfoon plaatsnam.

Josh deed zijn ogen open en probeerde er ontspannen en professioneel uit te zien. Thomas Flynn, zijn advocaat, had hem een paar keer verteld hoe belangrijk deze dag in de rechtbank zou zijn voor zijn uiteindelijke schadevergoeding. De rechter kon nog steeds beslissen over een bedrag ergens tussen honderdduizend en een miljoen dollar.

De belangrijkste advocaat van de verzekeringsmaatschappij was William R. Worthington, van Worthington Advocaten in

Denver. Hij was begin vijftig, en had een bos donker haar met grijze accenten. Alles, van zijn donkere maatpak tot de manier waarop hij bewoog, gaf aan dat hij een zwaargewicht was. De verzekeringsmaatschappij hoopte dat Worthington hun honderdduizenden dollars bespaard zou hebben als de strijd eenmaal gestreden was.

Worthington hield een anderhalve centimeter dik document vast en sloeg langzaam de eerste drie bladen om. Zijn handelingen gaven de indruk dat hij belangrijke zaken nauwgezet op een rij zette – een aantal belastende omstandigheden, wellicht – en dat hij diep nadacht over zijn volgende vraag.

Josh wist wel beter.

'Alles wat een advocaat doet, hoort bij het spel,' had Flynn hem verteld. 'Het zelfvertrouwen, hun optreden alsof ze de zaak al gewonnen hebben, de stiltes die ze laten vallen – alles.'

De advocaat boog naar de microfoon. 'Meneer Warren, u hebt problemen gehad met uw gewicht, nietwaar?'

'Bezwaar.' Flynn kwam overeind. 'De vraag is onduidelijk, edelachtbare.

'Toegewezen.' De rechter was een pezige man. Het proces leek hem niet te boeien. 'Formuleer uw vraag anders, raadsman.'

'Jawel, edelachtbare.' Worthington knikte licht met zijn hoofd. 'Meneer Warren, u hebt overgewicht. Is dat waar?'

'De laatste paar jaar ben ik eigenlijk…'

'Ja of nee, meneer Warren. Hebt u overgewicht?'

Josh zag de dokter weer voor zich die hem vertelde dat hij nog maar twintig kilo hoefde af te vallen. 'Ja.' Hij haalde een tissue uit een doosje in de hoek van de getuigenbank en wiste zijn voorhoofd af. 'Ja, ik heb overgewicht.'

Worthington bladerde weer in zijn boekwerk. 'Meer dan één arts heeft u verteld dat uw gewicht een gezondheidsrisico is. Is dat waar?'

Meer dan één arts? Josh dacht koortsachtig na en herinnerde het zich. De arts in de noodhulp, die hem in de eerste uren na het ongeluk behandelde, vertelde hem dat hij iets aan zijn gewicht moest doen. 'Hoe ernstig je verwondingen zijn, ze worden alleen maar erger als je niets aan je gewicht doet.' Hij kromp even in elkaar terwijl een enorme pijnscheut zijn onderrug teisterde. 'Ja. Twee artsen. Dat is waar.'

'Meneer Warren, hebt u een pauze nodig?' In de stem van de rechter klonk meer medeleven door dan Josh sinds het begin van de verklaring had gehoord. 'We kunnen tien minuten schorsen.'

'Nee, dank u. Mijn rug doet hoe dan ook pijn, en ik wil graag naar huis. Ik heb vanavond een etentje bij mijn zus.'

'Zoals u wilt.' De rechter gebaarde naar de advocaat. 'Gaat u verder.'

'Dank u, edelachtbare.' Hij keek naar Josh. 'Ik ga u een verklaring voorlezen die geschreven is door uw huidige arts, en u vertelt mij of u daarmee bekend bent. Begrijpt u mij?'

'Ja.' Josh had een vreselijke hekel aan de toon die ze tegen hem aansloegen, alsof hij een schooljongen was die bij het spieken werd betrapt. Dacht die vent nou werkelijk dat hij die pijn verzon? Dat hij, als hij maar wilde, morgen weer naar de garage kon om auto's te gaan wegslepen? Hij greep de rand van de houten ombouw voor hem vast en wachtte af.

'Dit is de verklaring: "Ik ben van mening dat mijn patiënt, Josh Warren, achtentwintig jaar oud, een aanzienlijke verbetering in de conditie van zijn rug zou kunnen bewerkstelligen als hij gewicht zou kwijtraken."' Worthington liet een stilte vallen om de woorden te laten doordringen. '"Het is vrijwel onmogelijk om uit te maken hoeveel van zijn huidige pijn en bewegingsbeperking veroorzaakt wordt door zijn overgewicht, en hoeveel veroorzaakt is door de aanrijding."'

Josh bleef kalm. Flynn had hem gewaarschuwd dat de advocaten van de verzekeringsmaatschappij deze invalshoek zouden kunnen kiezen. Door hem ervan te beschuldigen dat hij zijn eigen gezondheid ondergroef, konden ze in twijfel trekken of het ongeluk werkelijk zoveel schade had aangericht. 'Maak je daar geen zorgen over,' had Flynn hem die ochtend gezegd. 'Ook al zou je niet gewond zijn geraakt en alleen om psychische redenen niet meer aan het werk kunnen gaan – omdat je bijvoorbeeld bang bent geworden om met een sleepwagen te rijden – dan nog zit er een schadevergoeding in. De cliënt van de verzekeringsmaatschappij was stomdronken. Hij reed van de weg af en raakte jou bijna dodelijk. Jouw overgewicht zal in de afweging van de rechter hoegenaamd geen rol spelen.'

Josh knipperde met zijn ogen. 'Ja, ik ben bekend met die verklaring.' Waarom vroeg die vent niet naar al het gewicht dat hij al was kwijtgeraakt? Sinds het ongeluk was hij al vijfentwintig kilo afgevallen. Hij raakte uitgeput en was hard toe aan zijn volgende pijnstiller.

'En is het waar dat uw arts u verteld heeft dat een operatie aan uw rug niet aan te bevelen is voordat u nog twintig kilo bent afgevallen?'

'Ja. Dat is mij gezegd.'

Worthington liet zijn duim over een tekstfragment midden op de pagina glijden. 'Hoeveel woog u toen u van de middelbare school kwam, meneer Warren?'

'Negentig.'

'Negentig kilo, is dat correct?' Hij keek de rechter veelbetekenend aan.

'Ja, dat is correct.'

'En hoeveel woog u ten tijde van het ongeluk?'

'Honderdvijfendertig kilo.' Josh kon zijn eigen oren nauwelijks geloven toen hij het getal noemde. Hoe was het mogelijk dat hij zijn gewicht in de loop van de jaren zo had laten oplopen? Met meer dan vijfenveertig kilo. Geen wonder dat de arts zich zorgen maakte. Het feit dat hij al vijfentwintig kilo was kwijtgeraakt, maakte hem vastbesloten om op die weg voort te gaan en weer onder de vijfennegentig kilo te komen.

Worthington trok zijn wenkbrauwen op. 'Honderdvijfendertig kilo? Dat was uw gewicht op het moment van het ongeluk?'

'Ja.' Josh voelde de monsters weer achter hem, die met honderd puntige messen in zijn ruggengraat prikten.

De advocaat sloeg een bladzij om en aarzelde. 'Ik heb hier…' hij hield het document omhoog voor de rechter, '… een onderzoek dat vorig jaar is uitgevoerd en waarin geconcludeerd wordt dat mensen met extreem overgewicht – meer dan vijfenveertig kilo boven hun ideale gewicht – kwetsbaarder zijn voor bedrijfsongevallen. Ik wil dit document graag als bewijsstuk indienen, edelachtbare.'

'Bezwaar.' Flynn stond onmiddellijk op, zijn ogen duister van verontwaardiging. 'Behalve wanneer die studie direct en persoonlijk betrekking heeft op mijn cliënt, is het niets meer dan stemmingmakerij die niets van doen heeft met de specifieke situatie van mijn cliënt.'

'Toegewezen. Irrelevant.' De man keek stuurs in de richting van Worthington. 'U zou op de hoogte moeten zijn van de regels voor het bewijsmateriaal in dergelijke zaken.'

'Jawel, edelachtbare.' De advocaat leek niet al te ontdaan. Waarschijnlijk had hij het bezwaar en de terechtwijzing verwacht, maar niettemin was de informatie naar buiten gebracht. Zware mensen hadden meer kans op ongevallen.

Josh keek naar zijn advocaat en kon Flynns ogen bijna lezen. Hij hoefde zich geen grote zorgen te maken over het rapport over mensen met overgewicht. Hij was niet van een ladder gevallen of uitgegleden bij de koffiemachine. Zijn gewicht had niets te maken met het feit dat hij was aangereden door een dronken chauffeur. Hij haalde een paar keer kort adem door zijn neus omdat hij verwachtte dat de pijn zou verhinderen dat hij diep kon inademen. Maar de pijn leek iets minder intens dan een paar minuten daarvoor.

'U hebt geen kinderen, nietwaar? Niemand die van u afhankelijk is?'

Josh aarzelde een ogenblik. 'Ik heb een dochter.'

Het antwoord leek Worthington even van zijn stuk te brengen. Zoals Flynn al had gezegd, had de verzekeringsmaatschappij het liefst dat Josh alleenstaand was, zonder kinderen. Maar de advocaat verborg zijn verrassing goed en liet nauwelijks een aarzeling blijken voordat hij verderging.

Hij keek Josh recht aan. 'Overwoog u vóór het ongeluk in de ziektewet te gaan, meneer Warren?'

De vraag kwam als een donderslag bij heldere hemel. 'Ik weet niet precies wat…' Hij wierp een snelle blik in de richting van Thomas Flynn. 'Kunt u de vraag herhalen?'

'Was u in de tijd van het ongeluk van plan in de ziektewet te gaan?' Zijn woorden kwamen snel als een spervuur en waren direct gericht op zijn motieven om een rechtszaak te beginnen.

'Nee, dat was ik niet van plan.'

'Maar uw gewicht maakte het u moeilijk om te blijven werken, nietwaar?'

'Nee.' Hij hield zijn stem onder controle, maar de woede begon in hem op te komen. Flynn had hem ook hiervoor gewaarschuwd en bij vorige verklaringen had de advocaat van de verzekeringsmaatschappij geprobeerd soortgelijke vragen te stellen. Twijfel zaaien, dat was het enige wat de man deed. Josh zette zich schrap en dwong zichzelf om zijn antwoorden emotieloos te blijven geven. 'Ik was niet van plan om de ziektewet in te gaan.'

'En vanwege uw gewicht had u moeite om even productief te blijven als uw collega-slepers bij de garage, nietwaar, meneer Warren?'

'Nee.' Hij verzette zijn voeten, maar de beweging bracht geen verlichting voor de pijn in zijn rug. Hij was er zeker van dat iemand die achter hem langs zou lopen, vlammen zou zien op de plek waar zijn ruggengraat hoorde te zitten.

'En na het ongeluk was u bijna blij een reden te hebben om de ziektewet in te kunnen gaan, nietwaar?'

Josh aarzelde en keek de advocaat verbijsterd in de ogen. Voordat hij antwoord kon geven, was Flynn weer opgesprongen. 'Bezwaar. De verdediging insinueert, edelachtbare.'

'Toegewezen.' Weer keek de rechter Worthington aan met een blik die zei dat hij bijna over de schreef ging. 'Let op uw stijl van ondervragen, raadsman.'

'Jawel, edelachtbare. Neem me niet kwalijk.'

'Gaat u verder.'

Worthington bleef zijn vragen nog negentig minuten lang afvuren. Hij vroeg Josh hoe hij zijn dagen thuis doorbracht en of hij in staat was een uur lang te zitten. En als hij dat kon, realiseerde hij zich dan dat je voor de meeste kantoorbanen nooit langer dan een uur achter elkaar hoefde te blijven zitten? Hij vroeg of Josh overwoog een baan te zoeken, of dat hij er tevreden mee was om achterover te leunen en de verzekeringsmaatschappij in zijn behoeften te laten voorzien. Thomas Flynn tekende nog een aantal keren bezwaar aan, maar aan het eind van het verhoor was de schade aangericht. Als Josh een bokser was geweest, had hij na de laatste bel bebloed en beurs gebeukt midden in de ring gelegen, het slachtoffer van een technische knock-out.

Eén ding was zeker. Hoeveel de schadevergoeding ook zou gaan opleveren, Josh zou iedere dollar ervan dubbel en dwars verdiend hebben.

Flynn vroeg om een korte schorsing en hij praatte op de gang met Josh. 'Je ziet er moe uit.'

'Ben ik ook.' Zijn lichaam schreeuwde om een nieuwe pijnstiller, iets wat de brandende pijn in zijn rug kon verlichten. Maar de pillen konden hem suf maken en hij moest nog even scherp blijven. 'Mijn zus rekent op me met het eten.'

Flynn was een familiemens en een advocaat die oprecht uit was op gerechtigheid. Hij hiëld van een gokje, maar geloofde evenzeer in wonderen. Die eigenschappen maakten hem tot de perfecte advocaat, wat Josh betrof. Flynn keek hem meelevend aan. 'Wat erg dat je zo veel pijn hebt.' Hij legde een hand op zijn schouder. 'Maar ik heb echt een paar minuten nodig voor het kruisverhoor, om een aantal zaken recht te zetten.'

'Ik dacht dat je zei dat de rechter daar geen rekening mee zou houden – met mijn gewicht en de vraag of ik de ziektewet in wilde of niet. Wat ik trouwens niet wilde.'

'Ik weet het, en ik heb je de waarheid gezegd. Dat zou allemaal niets mogen uitmaken.' Hij sloeg zijn armen over elkaar en zuchtte gefrustreerd. 'Maar het eind van het liedje is dat de rechter even menselijk is als iedereen. De beslissingen in deze zaken worden niet gebaseerd op objectieve, exacte formules.'

'Oké.' Josh kon niet langer diep ademhalen. Hij zou moeten leven op oppervlakkig inademen en geforceerd uitademen, zoals hij geleerd had te doen wanneer de pijn zo intens werd. 'Ik kan nog een paar minuten aan.' Daarna had hij nog de autorit van een uur terug naar Springs, en het was al bijna vijf uur.

De pauze liep ten einde en Josh stond weer in de getuigenbank. Flynn was buitengewoon strijdlustig als het op rechtspraak aankwam. Josh wist dat uit de privégesprekken die hij met zijn advocaat had gevoerd op diens kantoor. Flynn had hem alle trucs geleerd om een zaak vanuit de getuigenbank te winnen en hij had hem met meer zorg en oog voor detail getraind dan zijn honkbalcoaches ooit hadden gedaan. Nu keek hij hem vriendelijk en meelevend aan. 'Gaat het goed, meneer Warren?'

Josh glimlachte bijna. De toon van de vraag en de woorden waren bedoeld om één ding heel duidelijk te maken: dat Worthington Josh bij het vorige verhoor bijna lijfelijk had mishandeld. 'Ja, het gaat.'

'Doet uw rug pijn?'

'Ja.'

'Waar zou u uw rugpijn indelen op een pijnschaal van één tot tien, zoals artsen die gebruiken, meneer Warren?'

Josh aarzelde geen moment. 'Negen.' Tien was voor het geval dat hij nauwelijks meer adem kon halen. Daar zat hij dicht tegenaan, maar op dit moment was het nog een negen. Flynn liet het detail een paar seconden inwerken.

'Goed.' Hij keek in zijn aantekeningen. 'U zei dat u honderdvijfendertig kilo woog ten tijde van het ongeluk. Is dat correct?'

'Ja.' Josh maakte zich er geen zorgen over waar Flynn naartoe wilde. Zijn dossier liet geen ruimte voor twijfel, ongeacht welke vragen er gesteld werden.

'Kunt u de rechtbank vertellen hoeveel werkdagen u absent was in de maand voor uw ongeluk?'

Ze hadden de gegevens een aantal keren doorgenomen, aan de hand van de registraties in de garage zelf. 'Geen enkele.'

'Heel goed.' Hij keek naar het notitieblokje in zijn hand. 'En hoeveel werkdagen was u absent in de zes maanden voorafgaande aan uw ongeluk?'

'Geen enkele.'

Flynn keek alsof hij onder de indruk was. 'Goed dan, meneer Warren, hoeveel werkdagen was u absent in het jaar voorafgaande aan uw ongeluk?'

'Geen enkele.'

'U was vier jaar en drie maanden in dienst van de politiegarage van North County voordat u uw ongeluk kreeg. Is dat correct?'

Flynn wist dat het correct was. Josh had eerst een paar

maanden bij een kleinere garage gewerkt, voordat hij deze stap maakte. Werken voor een politiegarage betekende dat hij bij politieoproepen uitrukte en auto's van plaatsen van misdrijven en verongelukte wagens wegsleepte. Het werk was veel zwaarder dan wat hij daarvoor had gedaan – het wegslepen van auto's met pech en foutgeparkeerde wagens – maar het betaalde beter en had meer prestige. Hij realiseerde zich weer eens hoeveel hij door het ongeluk was kwijtgeraakt. 'Ja. Ik heb meer dan vier jaar voor North County gewerkt.'

'En u had gedurende al die tijd een extreem overgewicht van op zijn minst vijfenveertig kilo?'

Hij geneerde zich niet langer voor de vraag. Aan het verleden kon hij niets veranderen. 'Ja, dat klopt.'

'En hoeveel werkdagen was u absent tijdens uw gehele werktijd bij de politiegarage van North County?'

'Niet één.'

'Niet één!' Deze keer schoot Flynn precies ver genoeg uit zijn rol van rustige, meelevende ondervrager dat hij een Oscar had kunnen winnen voor zijn gespeelde verrassing. Iedereen in de rechtszaal zou kunnen denken dat het nieuwe en verbluffende informatie was voor de doorgewinterde advocaat. 'Heel goed.' Hij keek in zijn notities.

Josh was aan het eind. Hij voelde zijn voeten verkrampen van de inspanning om rechtop te blijven staan. Nadat hij zijn voeten verzet had, vond hij nog een klein restje uithoudingsvermogen. Genoeg om te overleven. *Dank U voor Uw steun, God.*

Er kwam een rust over Josh die het monster van de pijn naar achteren drong.

'Nu over uw gewicht.' Flynn liet zijn aantekeningen zakken. 'U woog honderdvijfendertig kilo ten tijde van het ongeluk, maar u had geen enkele werkdag om redenen van gezondheid gemist in de meer dan vier jaar die u voor de politiegarage van North County werkte. Is dat correct?'

'Bezwaar.' Worthington stond statig op en trok zijn manchet-knopen recht. 'We hebben dit al behandeld, edelachtbare.'

'Toegewezen.' De rechter gebaarde naar Flynn dat hij door moest gaan. 'De raadsman heeft gelijk. U hebt de informatie omtrent het werkverleden van de eiser al vastgesteld.'

'Jawel, edelachtbare. Dank u.' Flynn keek schuldbewust. Hij poseerde even om zijn gedachten op een rij te krijgen. 'Wat is uw gewicht nu, meneer Warren?'

'Rond de honderdtien.'

'Honderdtien kilo?'

'Ja.'

'Dus u bent veel gewicht kwijtgeraakt sinds u letsel opliep. Is dat correct?'

'Ja, bijna vijfentwintig kilo.'

'Volgt u een dieet om gewicht te verliezen?'

'Ja.'

'Kunt u de rechtbank vertellen waarom u een dieet volgt om gewicht te verliezen?'

'Omdat…' Josh drukte zijn hand tegen zijn onderrug, '… ik een rugoperatie nodig heb en de arts denkt dat die succesvoller zal zijn wanneer ik een normaal gewicht heb.'

Flynn aarzelde. Hij liet zijn aantekeningen zakken en keek Josh indringend aan. 'Had u plezier in uw baan als chauffeur op een sleepwagen, meneer Warren?'

'Ja, dat had ik.'

'Vertelt u ons in uw eigen woorden wat het voor u bete-kende om chauffeur op sleepwagen te zijn.'

Josh had de vraag niet verwacht en hij was verbaasd over de emotie die hem naar de keel greep. 'Ik denk – mijn familie wilde dat ik leraar of schrijver zou worden, misschien arts. Ze wilden dat ik ging studeren na de middelbare school. Maar ik heb er altijd van gedroomd op een vrachtwagen te rijden.' Hij haalde zijn schouders op en de beweging lokte een nieuwe pijnscheut in zijn rug uit. 'Als chauffeur op de sleepwagen kon ik mensen helpen. Ze hadden misschien net een ongeluk gehad of waren het slachtoffer van een misdrijf geworden en ik… ik weet niet, ik vond het prettig om er voor hen te zijn.' Hij moest zijn best doen om zijn zelfbeheersing te bewaren. 'Ik vond het heerlijk om chauffeur op die wagen te zijn.'

'Maar u zult nooit meer in staat zijn om op een sleepwagen te rijden. Is dat correct?'

Het was een detail waar hij niet graag aan dacht. 'Ja. Mijn rug zal ook na een operatie te instabiel zijn voor dat soort werk.'

Flynn knikte en in zijn ogen stond medeleven te lezen. 'Ik heb nog een laatste vraag voor u, meneer Warren. Onthou dat u onder ede staat.' Hij keek nogmaals in zijn aantekeningen om de dramatiek van het moment te verhogen. 'U staat op het punt om een grote som geld in deze zaak te verkrijgen. Als u op dit moment zou moeten kiezen tussen teruggaan naar de dag voor uw ongeluk en een leven als chauffeur op een sleepwagen of het verkrijgen van twee miljoen dollar in deze rechtszaak, wat zou u dan kiezen, meneer Warren?'

Josh was schor en zijn ogen brandden. 'Ik zou teruggaan naar de dag voor het ongeluk. Dan zou ik mijn gezondheid en mijn baan terughebben, en dat is alles wat ik zou willen.'

Flynn knikte langzaam en keek met een van medeleven vertrokken gezicht naar de rechter op. 'Geen vragen meer, edelachtbare.'

Het verhoor was eindelijk voorbij. Josh had niet veel verstand van de rechtspraktijk, maar als hij het met een rugbywedstrijd vergeleek, had hij het gevoel dat Thomas Flynn zojuist de winnende touch down had gescoord. In de gang gaf hij zijn advocaat een hand. 'Je bent goed.'

'Jij bent nog beter. Om daar te zitten en al die smeerlapperij van de andere kant over je heen te krijgen.'

Hij moest nog iets navragen voordat hij kon vertrekken.

'Twee miljoen? Ik dacht dat we één miljoen vroegen.'

'Ik heb een amendement ingediend. Vanwege alle ellende die ze over je hebben uitgestort en de nieuwe informatie van de arts dat je nooit meer in je lievelingswerk zult kunnen terugkeren, heb ik het bedrag bijgesteld.' Ze liepen verder de gang in. 'En weet je?' Hij bleef staan en glimlachte triest naar Josh. 'Ik denk dat we het krijgen.'

Vijf minuten later zat Josh in zijn auto en zocht hij in alle vakken van zijn oude Mustang naar pijnstillers. Het was zes uur en zijn volgende pil mocht hij eigenlijk pas nemen als hij naar bed ging. Maar als hij voldoende wilde kunnen ademen om de rit naar Denver te kunnen halen, moest hij de pijnstiller wel veel eerder nemen.

Hij vond wat hij zocht en rommelde op de bodem van zijn auto tussen stapels gerechtelijke documenten en zakken van fastfoodrestaurants tot hij een warm flesje water had gevonden. Hij draaide het open en slikte de pil in zonder er nog een seconde over na te denken. Ooit moest hij een manier vinden om van de pijnmedicatie af te komen, misschien met een deel van die twee miljoen dollar die Flynn voor hem ging binnenhalen. Hij hield zijn adem in en bad dat de pijnstiller snel zou werken. Hij moest een rechtszaak winnen, een operatie inplannen, een oude vriendin opsporen en zijn relatie met God volledig herstellen. En bovenal had hij ergens een klein meisje dat haar vader nodig had.

Op dit ogenblik stond zijn verslaving aan pijnstillers niet heel hoog op zijn prioriteitenlijstje.

7

Lindsay legde de laatste hand aan een spaghettimaaltijd en keek naar Larry die met Ben en Bella een bal overgooide in de achtertuin. Ze wachtte op de deurbel toen de telefoon overging. Het schermpje op het toestel gaf de beller aan. 'Josh,' kreunde ze. 'Je bent te laat.' Ze nam met haar vrije hand op terwijl ze met haar andere hand in de grote pan met pasta roerde. 'Hallo Josh, waar zit je?'

'Ik haal het niet, Lind. Volgende keer m'schien.'

'Josh?' Haar hart sloeg over. Ze zette het gas uit en liep naar de achterdeur, met haar ogen op haar gezin gericht. 'Wat is er aan de hand? Je klinkt vreemd.'

Met een moeizame en slepende stem vertelde hij haar dat hij nog maar tien minuten op de snelweg was en een pijnstiller had moeten nemen. 'Ik moest wel, Lind. Het is zo erg vandaag. Maar… ik voel me een beetje vreemd. Het ademhalen gaat beter, maar ik ben een beetje duizelig.'

'Josh, dat is gevaarlijk. Verlaat de snelweg en ga naar een dokter.'

'Lind.' Zijn lach klonk ontspannen en zorgeloos. 'Met mij is alles in orde. Als ik dacht dat ik niet kon rijden, zou ik wel stoppen.'

'Maar hoe kun je dat beoordelen? Je klinkt niet goed.'

'Ik ben moe, da's alles. Maak je geen zorgen. De verklaring duurde langer dan verwacht. Als ik straks een goede nacht weet te maken, is alles weer in orde.'

'Ik blijf aan de telefoon hangen.' Ze vond het vreselijk zoals hij met slepende stem sprak. 'Blijf tegen me praten of ik bel het alarmnummer.' Ze wilde niet boos op hem zijn, maar als hij moeite had met praten dan kon hij zeker ook niet goed autorijden.

'Maak je geen zorgen om mij, Lind. Ik heb me wel vaker zo gevoeld. Ik rij al bijna drie jaar auto onder invloed van pijnmedicatie.'

Dat was waar. 'Goed.' Maar toch bleef ze bezorgd. 'Maak je niet druk over het eten. Misschien zaterdagavond, na de wedstrijd van Ben en de kerk. Larry zou de barbecue kunnen opzetten.'

'Dat zou leuk zijn, zus.'

'En hoe ging het eigenlijk met die verklaring?'

'Flynn is de beste. Met hem erbij winnen we die zaak nog.'

'Mooi… maar Josh, ik vind nog steeds dat je vreemd klinkt. Misschien moet je toch naar een ziekenhuis gaan en je laten controleren.'

'Echt, Lind, er is niets aan de hand. Ik heb alleen een beetje slaap nodig.'

'Als jij het zegt. Maar ik blijf aan de lijn totdat je thuis bent.'

'Ik hou van jou, Lind, weet je dat? Jij bent mijn beste vriend.'

Ze deed haar ogen dicht. Stel dat hij was omgekomen bij het ongeluk. Ze moest er niet aan denken hem te verliezen, zeker niet nu hij eindelijk zijn band met God had teruggevonden. De jaren die voor hen lagen, zouden de beste worden. 'Ik hou ook van jou, Josh. En nu moeten we aan je herstel gaan werken.'

'Ik kan altijd op jou rekenen, Lind.'

Ze praatten over zijn geloof en hij vertelde haar hoe hij God had gevraagd hem door de verklaring te helpen. Flynn had het bedrag dat ze eisten verdubbeld, maar Josh leek er niet buitengewoon enthousiast over. 'Weet je wat het is?' Hij klonk iets beter dan eerder in het gesprek. 'Ik wil niet rijk worden. Ik wil beter worden.'

'Dat weet ik, en dat zal ook gebeuren.' Ze wilde dat ze naast hem zat om het stuur te kunnen overnemen en hem veilig naar huis te brengen. 'God heeft grootse plannen met jou, Josh. Dit is niet meer dan het begin.'

'Ik zal Savannah zien. Dat is het mooiste.'

'Ja. Je zult je een uitstekende advocaat kunnen veroorloven.'

'Die heb ik al. Flynn kan de voogdijkwestie behandelen. Die staat al op zijn lijstje, zodra de schadevergoeding is geregeld.'

Ze rekte het gesprek en vertelde over de coach van Ben die hem voor de wedstrijd van de volgende dag als spelverdeler had ingedeeld, en over Bella die zichzelf als de persoonlijke cheerleader van haar broer had opgeworpen. 'Ze is drie jaar ouder dan hij. Het is net als bij jou en mij.'

'Ik weet het. Ze hebben geluk. Savannah zal blij zijn met haar neef en nicht.'

Lindsay wist niet waarom, maar ze voelde de tranen in haar ogen opwellen. Haar broer vroeg maar zo weinig van het leven, maar op de een of andere manier waren de puzzelstukjes nog nooit op hun plaats gevallen. Tot nu toe nog niet, althans. Als hij eerst maar van die blessures afkwam, de operatie zou krijgen die hij nodig had en van die rechtszaak verlost zou zijn. Misschien kwamen de beste jaren nu echt onder handbereik voor hem. Ze was net uitvoerig aan het vertellen over een artikel dat ze schreef naar aanleiding van de honderdste verjaardag van een woudloper uit hun stad, toen ze hem hard hoorde uitademen.

'Ik heb het gehaald.' Hij klonk opgelucht. 'Ik ben thuis. Ik heb net de auto op de parkeerplaats gezet.'

Lindsay zuchtte opgelucht. 'Gelukkig. Zorg dat je je rust krijgt. Zaterdag wordt een belangrijke dag en dan moet je je goed voelen.'

'Doe ik. Zeg tegen Ben en Bella dat ik ernaar uitkijk om ze te zien.' Zijn stem brak en Lindsay realiseerde zich dat hij emotioneler was dan hij had doen voorkomen. 'Bedankt dat je me door die rit heen hebt gepraat, Lind. Ik was eerlijk gezegd een beetje bang.'

'Ik hou van je. Je kunt altijd bellen als het nodig is. Ik ben hier voor jou.'

'Dank je. Ik hou ook van jou.'

Het gesprek was afgelopen en Lindsay veegde haar tranen weg. Waarom voelde ze zich nu zo triest? Haar broer was veilig en wel thuis en na een goede nachtrust zou hij weer dezelfde vrolijke jongen zijn van een paar dagen geleden, toen Mercy-Me door zijn huis galmde. Maar ze had ernaar uitgekeken om hem die avond te zien, en zonder hem leek het etentje plotseling minder leuk.

Ze snoof en riep zichzelf tot de orde. Ze had geen reden om triest te zijn, niets om ontmoedigd over te raken. Josh stond op een keerpunt en alles zou in orde komen met hem. Bovendien hadden ze de zaterdag om naar uit te kijken. Lindsay kon weer glimlachen toen ze de spaghetti afmaakte en haar gezin naar binnen riep om te eten. Die avond ging de zesjarige Ben voor in het gebed voor het eten. Hij dankte God voor het eten, voor hun gezin en voor de wedstrijd van de komende dag – en hij had nog een speciaal verzoek.

'Alstublieft, God, wees vannacht met oom Josh. Hij is te moe om hier te komen, helpt U hem alstublieft om zich beter te gaan voelen. In Jezus naam. Amen.'

Toen de maaltijd begon en het gesprek op Bella's leestest in groep zes kwam, voelde Lindsay een innerlijke rust die ze sinds het telefoongesprek met Josh niet had gekend. God had het gebed van haar kleine Ben vast en zeker gehoord en dat kon maar één ding betekenen: Josh zou zich de volgende morgen beter voelen.

Annie belde naar haar dochter om te horen hoe het met de verklaring van Josh was gegaan.

'Hij is hier niet.' Lindsay hielp Larry met de afwas. 'Hij was te moe. Maar hij zei dat alles goed was gegaan. Ik heb hem gezegd dat we het etentje naar zaterdagavond verschuiven.'

Te moe? Annie had die ochtend met Josh gepraat en hij was vol energie geweest, klaar om de confrontatie met de advocaat van de verzekeringsmaatschappij aan te gaan. 'Hij keek ernaar uit om bij jou te komen eten.' Annies verwondering sloeg onmiddellijk om in bezorgdheid. De medicatie moest wel een uitwerking op Josh hebben. 'Heeft hij het over die pijnstillers gehad?'

'Hij zei dat hij er een had genomen voordat hij naar huis reed.' Lindsay ging zachter praten. 'Echt, mam, ik maakte me zorgen over hem. Hij klonk niet goed, alsof hij half in slaap was, of dronken of zoiets. Ik heb hem nooit eerder zo gehoord.'

'Ik wel. Het is niet goed. Hij moet zo oppassen met die medicijnen.' Annie rondde het gesprek snel af en belde onmiddellijk naar Josh. Het was even na achten, dus zelfs op een dag dat hij heel moe was, zou hij normaal gesproken nog wakker zijn. Annie ging naar buiten en liep over de overdekte veranda voor hun huis op en neer. De telefoon ging een keer over, twee keer… 'Neem op, Josh,' fluisterde ze. Het was nog ruim boven de twintig graden buiten, maar ze kreeg kippenvel op haar blote armen. 'Neem alsjeblieft op, jongen.'

Nadat het toestel vier keer was overgegaan, hoorde ze zijn stem. 'Hallo?'

Annie legde van opluchting een hand op haar borst. 'O, Josh.' Ze liet zich op de schommelbank vallen en zonk weg in de kussens. 'Je zus zei dat je te moe was voor het etentje.'

'Dat klopt. Maar ik voel me nu beter.' Hij klonk vermoeid, maar alert. Er zat niets slepends meer in zijn stem, voor zover Annie kon horen. 'De verklaring was verschrikkelijk. De ergste ooit.'

Een verwaande advocaat had haar zoon een dag lang emotioneel gekweld en hem gedwongen een uur op en neer te rijden voor nog weer een verklaring. Het spelletje dat de grote verzekeringsmaatschappij speelde om onder de uitkering van de schadevergoeding uit te komen, riep bij Annie herinneringen op aan een tocht naar Yellowstone National Park, in de zomer voordat Josh naar de middelbare school ging.

Ze stonden op het punt om uit hun tent te kruipen toen ze een hond hoorden blaffen. Annie lag het dichtst bij de opening en ze keek net op tijd naar buiten om het drama te zien dat zich op een open plek tegenover de camping afspeelde. Een jong van een zwarte beer was te ver van zijn moeder afgedwaald en werd nu door een blaffende terriër in het nauw gedreven tegen een boom. Het jong keek naar links en naar rechts, op zoek naar een ontsnappingsroute, maar de hond blokkeerde snel al zijn mogelijkheden.

In een flits, met een brul die over de camping schalde, rende de moederbeer de open plek op. De hond wist niet wat hem overkwam. Hij blafte nog steeds tegen het jong toen de moeder hem van achteren bereikte en met een machtige zwaai van haar grote klauw drie meter de lucht in zwiepte. De hond ging drie keer over de kop en landde op zijn rug, maar gewond of niet, hij rende voor zijn leven.

Nu het gevaar voor haar kleintje geweken was, liep de moeder naar haar jong, likte zijn snuit, knuffelde hem en bleef boven hem waken tot de twee zich in het bos terugtrokken.

Zo voelde Annie zich ook – als de moederbeer was ze in staat elke advocaat aan te vliegen die haar zoon in het ene verhoor na het andere aan de kwelling van vernederende vragen onderwierp. Het liefst zou ze onmiddellijk naar Josh toe gaan, om hem vast te houden en zijn leed weg te nemen.

'Mam?'

'Ik vind het vreselijk.' Ze leunde tegen het verandahek. 'Je zou dat allemaal niet moeten hoeven meemaken.' Ze haalde langzaam adem. *Positief*, hield ze zichzelf voor. *Je moet positief blijven voor hem.* Ze rechtte haar rug. 'Maar vertel verder. Ben je alweer dichter bij een regeling?'

'Ik denk van wel.' Josh was helder en duidelijk terwijl hij over de vragen vertelde. 'De verzekeringsmaatschappij wil de rechter laten denken dat ik op het punt stond de ziektewet in te gaan, vanwege mijn overgewicht.'

'Dat is bespottelijk. Bovendien, je bent alweer bijna terug op je oude gewicht.' Annie stelde zich haar zoon in de getuigenbank voor terwijl de advocaat van de verzekeringsmaatschappij hem vernederende en beschamende vragen stelde. 'Is het dit allemaal waard, jongen? Ik bedoel, wat zegt meneer Flynn ervan?'

'Hij denkt dat de rechter over een paar weken uitspraak doet. De verzekeringsmaatschappij is zo langzamerhand door alle opties voor uitstel heen.' Hij legde uit dat zijn advocaat het verhoor op briljante wijze had afgerond en dat Flynn zijn aanvankelijke eis voor schadevergoeding had verdubbeld. Hij was nog steeds aan het vertellen toen Nate op de veranda stapte en Lindsay nieuwsgierig aankeek.

'Josh,' zei ze geluidloos met mondbewegingen.

Haar man knikte en aarzelde. Kennelijk zag hij haar bezorgde blik want hij kwam naast haar staan en vroeg met zachte stem: 'Alles in orde?'

Annie knikte, maar relativeerde de geruststelling met een bezorgd schouderophalen.

'Dus ik ben bijna door die verklaringen heen. Misschien nog één verhoor voordat we klaar zijn, zegt Flynn.'

Het nieuws raakte Annie als een stomp in haar maag. Nog een verhoor was zoveel als het besef dat haar zoon nog eens murw zou worden gebeukt. 'Misschien ga ik de volgende keer met je mee.'

'Dat hoeft niet, hoor.' Hij lachte opgewekt. 'Ik kom er wel door. Daarna kan ik jou en pap terugbetalen en doorgaan met mijn leven.'

'Voel je je beter, nu je een poosje thuis bent?'

'Ja.' Josh klaagde vrijwel nooit over zijn pijn, en deze avond was geen uitzondering. 'O ja...' zijn stem werd teder, '... ik heb Flynn gevraagd of hij mij zou kunnen helpen om Savannah te vinden. Als de schadevergoeding binnen is.'

Annie deed haar mond open om het idee de grond in te boren. Er waren minstens honderd belangrijkere zaken die Josh zou moeten regelen als hij zijn schadevergoeding kreeg. Om te beginnen zijn rugoperatie – en vervolgens moest hij uitmaken of hij weer ging studeren. Deed hij dat niet, dan moest hij uitzoeken wat voor soort werk hij zou gaan doen, want rijden op een sleepwagen was niet langer aan de orde. Het kind opsporen van een vrouw met wie hij in Las Vegas een week had doorgebracht, kon onmogelijk goed voor hem uitpakken. Weer een doodlopende weg.

Maar of het de zorg in de ogen van haar echtgenoot was, of een influistering van God, ze voelde zich plotseling geroepen om met hem in te stemmen. 'Ik denk dat meneer Flynn een enorme hulp voor je zal zijn bij alles wat er na de schadeloosstelling te gebeuren staat.'

'Ja.' Het leek alsof hij meer over Savannah wilde vertellen, maar in plaats daarvan zuchtte hij en klonk vermoeider dan daarvoor. 'Je gelooft nog steeds niet dat ze van mij is, nietwaar?'

Natuurlijk niet, wilde ze zeggen. 'Er is geen bewijs. Die vrouw... was niet direct betrouwbaar, Josh. Voor hetzelfde geld is het de foto van het kind van iemand anders.'

Er klonk weer een zucht aan de andere kant van de lijn. 'Dat weet ik wel. Maar als ik in haar ogen kijk, zie ik mijn eigen ogen. Ik moet de waarheid achterhalen. Bid daar in elk geval voor, alsjeblieft.'

'Dat zal ik doen.' Ze was blij dat ze het ergens over eens konden zijn. Ze knikte naar haar man. 'Je vader en ik zullen er beiden voor bidden dat jij je antwoorden vindt, als de tijd er rijp voor is, goed?'

'Goed genoeg.' Hij zat kennelijk achter zijn computer want ze kon het snelle tikken van zijn vingers op het toetsenbord horen. 'Luister, ik ben nog even online, maar ik ga vroeg naar bed. Ik zie je morgen bij de wedstrijd van Ben.'

'Goed.' Ze wist niet waarom, maar Annie voelde een enorme drang om het gesprek nog te rekken en Josh ervan te overtuigen dat ze meer om hem gaf dan hij ooit kon beseffen.

Nate tikte op haar hand. 'Zeg hem dat ik van hem hou,' fluisterde hij.

'Je vader houdt van je. En ik ook. Je zult hier doorheen komen.'

'Weet ik. Ik hou van jullie allebei.'

Ze kon de glimlach in zijn stem horen en voelde zich al beter. 'Welterusten.'

'Welterusten.'

Annie verbrak het contact en legde het toestel op het hek van de veranda. Waarom voelde ze zo'n pijn in haar hart en wilde ze het liefst naar de andere kant van de stad rijden om haar zoon in haar armen te. houden, zoals ze gedaan had toen hij een kleine jongen was? Ze draaide zich naar Nate om, leunde tegen hem aan en luisterde naar zijn rustige hartslag. 'Ik wilde zo graag dat het hele gedoe met die rechtszaak voorbij was.'

'Was het een lange dag?' Nate loodste haar naar de schommelbank en ze gingen naast elkaar zitten.

'Het verhoor was kennelijk erg zwaar. Indringende vragen van de advocaat van de verzekeringsmaatschappij. Nog meer druk en vernedering.' Ze keek hem aan. 'Ik zou het liefst naar het kantoor van die man rijden en hem het een en ander voor de voeten werpen.'

'Het duurt nu toch niet lang meer? Nog een paar weken misschien?'

'Ik hoop het. Na drie jaar is het nauwelijks voorstelbaar dat de zaak ooit geregeld zal worden.'

'Maar dat gebeurt toch.' Hij kuste haar op haar hoofd en liet de bank zachtjes schommelen. 'Josh komt op zijn pootjes terecht en zal zijn eigen weg vinden. Ik geloof in hem.'

'Ik ook.' Haar antwoord kwam snel en ze herinnerde zich haar gedachten van een week geleden, toen ze zichzelf moest toegeven dat ze teleurgesteld was in haar zoon. Ze legde haar hoofd tegen Nates schouder. 'Het was zoveel makkelijker toen hij nog klein was. Als zijn fiets op school gestolen was of als hij geen rol kreeg in de musical op de middelbare school, kon ik hem omhelzen, met hem bidden en koekjes voor hem bakken.' Ze knipperde haar opwellende tranen weg. 'De wereld zag er de volgende ochtend altijd weer zonniger uit.'

'Hij is nog steeds jong, Annie. Het ongeluk was een flinke tegenslag.' Nates stem was rustig en vol van vertrouwen in hun zoon, zoals Annie het graag zelf ook zou voelen. 'Kom.' Hij ging schuin zitten om haar beter te kunnen zien. 'We bidden nu, omdat jouw hart zo bezwaard is om hem.'

Nate begon en Annie eindigde. Nadat ze tien minuten hadden gebeden, voelde ze zich beter. Zoveel beter dat ze naar binnen ging om bloem, suiker en chocolade te voorschijn te toveren en koekjes te bakken voor Josh. Toen ze uit de oven kwamen, glimlachte ze bij het idee hoe blij hij zou zijn als ze hem de lekkernij onder de wedstrijd van Ben zou geven. Ze bedacht hoe fijn het zou zijn hem te omhelzen en te laten voelen dat ze van hem hield, ongeacht alle omstandigheden. Onder het schoonmaken van de keuken die avond, wilde ze geloven dat hun omhelzingen, gebeden en zelfgebakken koekjes maar één ding konden betekenen.

De volgende ochtend zou de wereld er zonniger uitzien.

8

Josh was nog geen tien minuten online met Cara of hij leefde weer op na alle narigheid van het verhoor. Hij was nog steeds uitgeput en een beetje duizelig, maar de pijn was in elk geval draaglijk. Hij leunde op zijn bureau en wachtte op Cara's volgende boodschap. Ondertussen bedacht hij weer hoe vreemd hij zich had gevoeld in de auto. De terugtocht vanuit Denver was een beetje riskant geweest, en Lindsay had gelijk. Hij had eigenlijk moeten stoppen. Maar stel dat hij op een parkeerplaats of langs de kant van de weg in zijn auto in slaap was gevallen. De pijnstillers konden hem acht uur of nog langer laten slapen en hij zou een makkelijk doelwit zijn geweest voor iedereen die toevallig voorbijkwam. In plaats daarvan had hij voortdurend gebeden en Lindsays aanbod in dank aanvaard. Hun gesprek hielp hem zijn gedachten bij het verkeer te houden.

<Had je vandaag niet iets in de rechtbank?> De boodschap van Cara verscheen onder in het scherm.

Cara wist niet hoeveel geld hij als schadeloosstelling kon krijgen. Geld speelde geen rol in hun vriendschap, en dat was goed. Vooral na de vergissing die hij met Savannahs moeder had begaan. Hij klikte zijn iTunes-bibliotheek open en zocht MercyMe op. Zijn vingers vlogen over het toetsenbord. *<Ja. Het stelde niet veel voor. Ik kwam thuis, heb gegeten en ben boodschappen gaan doen.>* Hij vertelde niet over het ophalen van de boodschappen voor Ethel, de oude weduwe in het appartement boven hem. Het was niet iets waarover hij praatte, niet meer dan een vast onderdeel van zijn week. Ethel was tweeënnegentig en had pijnlijke heupen. Er was geen operatie die haar op haar leeftijd nog kon helpen, en dus bespaarde Josh haar de gang naar de supermarkt. Het was het minste wat hij kon doen. Hij typte nog een regel onder zijn laatste boodschap: <*Heb ik je al over mijn laatste plannen verteld?*>

Haar antwoord kwam onmiddellijk. <*Vertel op.*>

<*Naast al dat gezonde eten van mij, wil ik aanstaande zomer ook weer gaan rugbyen.*>

<*Bedoel je... in een echt team?*>

<*Nee* ☺. *In het park met de zoon van mijn zus. Hij is gek op overgooien en ik heb sinds het ongeluk geen bal meer aangeraakt. Maar dat gaat allemaal veranderen. En dan nog iets.*>

<*Wat dan?*>

<*Ik ga spelen zonder mijn shirt aan. Als ik geopereerd ben, ga ik weer naar de sportschool, net als vroeger.*>

Het duurde even voordat het antwoord kwam. <*Als iemand dat kan, dan ben jij het, J. Ik bedoel, je bent al bijna vijfentwintig kilo kwijtgeraakt. Wat is eigenlijk jouw geheim? Daar heb je het nooit over.*>

<*Geen geheim.*> Josh leunde achterover in zijn stoel toen er plotseling een pijnscheut door zijn onderrug sneed. Hij huiverde en bleef typen. <*Ik heb de snackbar, de suiker en het vet afgezworen. Dat is alles. Geen liters frisdrank per dag meer.*>

<*Perfect, J.*>

Hij gaapte en vroeg zich af of Becky hem ooit nog terug zou willen, of dat hij met Cara verder zou moeten praten over de toekomst. De antwoorden zouden uiteindelijk wel komen, daar twijfelde hij niet aan. Hij zou Becky kunnen opbellen. Als ze niet geïnteresseerd was, zou hij naar Cara kunnen vliegen, zodra hij weer hersteld was. Hij zou een paar dagen in een hotel in de buurt kunnen blijven, zodat ze konden ontdekken of hun online-relatie om te zetten zou zijn in een echte. <*Ik heb nog andere plannen*>, typte hij. <*Als ik je daarover vertel, verknoei ik alles. Die moeten dus tot later wachten.*>

<*Nu heb je mijn interesse pas echt gewekt.*>

<Laten we zeggen dat ik dat zo wil houden, begrijp je? Met jouw interesse.>

<Ah… jij bent mijn beste vriend, J.>

<En jij de mijne.> De pijn in zijn rug werd intenser. *<En bid voor Savannah, wil je? Ik heb het gevoel dat het niet zo goed gaat met haar.>*

<Dat zal ik doen. Hé, luister eens! Een maand geleden stond het woord 'bidden' nog niet in mijn woordenboek. Maar jij hebt me veranderd, J.>

Hij had haar woorden nog niet gelezen of hij typte het antwoord al. *<God heeft je veranderd. Hij heeft mij ook veranderd – is dat niet geweldig?>*

<Maar waarom heb jij zo'n vreemd gevoel over Savannah?>

<Dat weet ik niet.> Hij ging met zijn muis terug naar de iTunes en dubbelklikte op het nummer dat hem de weg terug naar God had gewezen. De woorden vulden de kleine ruimte om hem heen en hij zong mee. Cara wachtte kennelijk op een uitgebreider antwoord. Hij hield zijn handen midden boven het toetsenbord en probeerde bij zijn gevoel te komen. Langzaam begonnen zijn vingers te bewegen. *<Misschien omdat ik al zo lang geen foto meer van haar heb gezien. Soms vraag ik me af of ze nog leeft en of ze eigenlijk iets van mijn bestaan afweet.>*

Cara's antwoord kwam langzaam, zin voor zin. *<Dat is triest. En het is verkeerd. Je moet je advocaat inschakelen om haar te vinden.>*

<Dat doe ik ook. En ik weet dat ze daar ergens is. Ik heb alleen het gevoel dat ik voor haar moet bidden. Totdat ik haar zie, is dat het enige wat ik echt voor haar kan doen, begrijp je?>

<Ik zou op de voorste rij willen zitten bij de eerste keer dat jij dat meisje ontmoet, J. Het is net een film of zoiets. En dat is ook het soort gelukkige afloop dat dit verhaal zal kennen.>

Josh dacht aan zijn gesprek met Carl Joseph en Daisy eerder die week. De beste verhalen waren de verhalen met een gelukkig einde. Hij begon te typen. <*Dat is waar ik God ook om vraag: dat het voor mij en Savannah goed afloopt.*> Hij bewoog naar voren in zijn stoel en wachtte een paar seconden, maar de pijn kreeg hem steeds vaster in zijn greep. Als het zo doorging, zou hij het niet lang meer uithouden achter de computer. Het nummer was afgelopen en hij startte het opnieuw. Hij wilde het nog een keer horen voordat hij in bed stapte. <*Ik moet gaan liggen*>, typte hij. <*Sorry.*>

<*Geen probleem. Ik ben ook moe.*>

<*Misschien dat ik vannacht wat langer slaap. Ik wil me morgen goed voelen voor de wedstrijd van Ben. Daarna gaan we met zijn allen naar de kerk en dan naar het huis van Lindsay voor het eten.*>

<*Dat klinkt goed. Ik wilde dat ik erbij was.*>

Hij glimlachte. <*Ik ook. Je zou Lindsay echt mogen.*>

Ze praatten nog even over broers en zussen, maar de brand in de rug van Josh was onverbiddelijk. <*Hé, ik moet nu echt gaan. Ik spreek je morgen wel weer, goed?*>

<*Ik wacht op je. Welterusten, J.*>

<*Dank je, welterusten.*> Hij kromp ineen door een nieuwe pijnscheut. <*En vergeet Savannah niet.*>

Josh sloot zijn computer af en trok zijn bovenste bureaula open. Er lag een foto in van hem en Becky op het eindexamenbal. Was het niet meer dan een droom, dat idee om na zoveel jaar contact met haar op te nemen, haar misschien uit te nodigen voor een kop koffie en te kijken of er nog gevoelens waren tussen hen? Soms leek Becky meer een soort fantasiefiguur, het perfecte meisje dat erop wachtte dat hij de perfecte jongen zou worden.

Maar op avonden als deze kon hij steeds weer de shampoo in haar haar ruiken en haar armen om hem heen voelen terwijl ze over de dansvloer zwierden. Hij kon haar horen lachen en voelen hoe zijn hart uitging naar haar. Hij verdubbelde zijn vastbeslotenheid toen hij de foto weer in de bureaula legde. Hij zou iets van zichzelf maken en hij zou haar opbellen. God zou de rest bepalen.

Tot die tijd was hij dankbaar dat hij Cara had.

Hij gaapte weer, en zelfs die beweging deed pijn in zijn rug. Hij wilde direct in zijn bed duiken, maar de laatste tijd had hij een kleine extra stap ingelast in zijn avondroutine. Hij duwde zijn stoel van het bureau af, kwam moeizaam overeind en liep naar de haard. Elke stap deed nog meer pijn dan de vorige en tegen de tijd dat hij de schoorsteenmantel met foto's had bereikt, droop het zweet van zijn voorhoofd. *God, zonder U kom ik hier niet doorheen. Alstublieft...* hij sloot zijn ogen en hield de adem in om een seconde lang iets van verlichting te voelen. Twee pijnstillers per dag, dat was wat de dokter voorschreef. Maar soms, en vooral als hij voor een volgende verklaring naar Denver was geweest, nam hij er drie. De overschrijding was niet groot, zeker niet vergeleken met die in de verhalen die hij op het internet had gelezen over mensen die het gebruik niet meer in de hand konden houden. Drie pijnstillers was meer dan hij zou willen innemen, maar het zou hem niet fataal worden.

Hij ademde uit en deed zijn ogen open, om naar de foto van Savannah te kijken. *Ik weet niet waar ze is, God, maar ik weet dat ze van mij is. Dat weet ik met elke vezel van mijn wezen.* Hij ademde weer met moordende pijn in en zocht steun tegen de schoorsteenmantel. *U ziet haar op dit moment, wees daarom alstublieft bij haar en troost haar. Bescherm haar God, zodat ik een kans heb om haar papa te zijn wanneer ik beter ben. Soms is zij nog het enige wat me op gang houdt.*

Hij voelde een inwendige zekerheid dat God met haar zou zijn, en met hem, altijd.

Die zekerheid leek altijd te komen wanneer hij in een diep dal zat. Josh liet de schoorsteenmantel los, kuste zijn vingertoppen en drukte zijn vingers op de foto van Savannah. *Dank U,*

God. En schenkt U mij alstublieft een beetje slaap.

Hij wierp een laatste blik op zijn dochter, draaide zich om en schuifelde naar de slaapkamer. De pijn was een verkramping geworden die tussen zijn schouders en zijn onderrug heen en weer schoot. Hij zou de rest van zijn overgewicht tegen eind februari kwijt zijn, waarna hij eindelijk geopereerd kon worden.

Nadat hij zijn tanden had gepoetst en zijn gezicht had gewassen, liet hij zich in bed vallen. De indringende pijn maakte hem misselijk, zodat hij snel naar het flesje pijnstillers op zijn nachtkastje greep en er een in zijn handpalm schudde. Zijn glas met water zat nog niet halfvol, maar hij had de energie niet om nog een keer uit bed te stappen. Hij zou de pil zo snel mogelijk moeten doorslikken, en zo goed mogelijk gebruik moeten maken van het water dat hij had.

Even dacht hij terug aan het leven dat hij voordien had geleid. Zwaar of niet, hij kon zijn bed in rollen en onmiddellijk inslapen, zonder ook maar één gedachte aan pijnstillers. Hij deed de tablet in zijn mond en nam het restje water, dat hij echter al doorslikte terwijl de pil in zijn mond achterbleef. Uit reflex kauwde hij de pijnstiller kapot en slikte hem door.

Pas toen hij het glas terugzette op zijn nachtkastje, flitste er een gedachte door zijn hoofd. Had de dokter niet iets gezegd over het kauwen op die pillen? Dat hij voorzichtig moest zijn omdat een doorgebeten pil de medicatie te snel in zijn bloedstroom kon brengen, of iets in die geest? De paniek schoot door zijn lichaam en maakte dat hij rechtop ging zitten, ondanks de pijn. Zijn hart klopte en bonkte en sloeg sneller dan gewoonlijk. Stel dat de doorgebeten pil schadelijk zou blijken. Misschien moest hij het alarmnummer bellen, of op zijn minst zijn moeder om haar advies te vragen.

Maar nog terwijl hij rechtop zat en de mogelijkheden afwoog, werd hij door een slaap overmand die zo dik en zwaar en zoet was dat die de pijn in zijn rug wegnam en hij zijn lichaam voelde ontspannen. Langzaam zakte hij onderuit tot zijn hoofd deels op zijn kussen lag. Ergens in een verre hoek van zijn bewustzijn klonk er nog steeds een bijna verstild alarm. Het was toch in orde? Het moest goed met hem zijn, want God had nog grote plannen met hem. *God, help me.* De sensatie van de slaap werd intenser en voor het eerst sinds het ongeluk verdween de pijn vrijwel geheel.

De opluchting was heerlijk, als een roes. *Alles komt goed. U bent toch bij me, nietwaar, God?*

Weer voelde hij een innerlijke vrede die zijn zorgen wegnam.

Goed. Josh glimlachte en liet zich meeslepen in een slaap die dieper en zoeter was dan hij ooit had ervaren, zelfs voor het ongeluk. God had grote plannen voor hem en Savannah, er was geen reden om bang te zijn. Terwijl hij de duisternis rondom zich voelde sluiten, liet hij elke zorg en alle pijn los. Het gevoel van opluchting was zo sterk dat hij in de palm van Gods hand meende te slapen. Het laatste wat Josh ervoer, was iets wat hij in lange tijd niet had gekend. Misschien zelfs nooit.

Een volmaakte vrede.

Savannah kende de grote man niet die met haar mama praatte, maar zijn donkere ogen maakten dat ze kippenvel kreeg op haar armen. Ze waren in Central Park om geld aan het bedelen, zo noemde mama het, toen een grote man met mooie kleren stopte en met hen begon te praten. Nou ja, niet met hen, maar met haar mama. Hij had donker, krullend haar, een klein gouden kruis aan een dun kettinkje en drie dikke, gouden ringen. Eerst praatten en lachten haar mama en de man over pret maken en plannen voor de nacht. Maar toen zag

Savannah dat de man haar mama geld liet zien. Veel geld, want er stonden nullen op de dollarbiljetten en mama zei dat nullen goed waren.

Op dat moment zei mama tegen Savannah dat ze op de bank moest blijven zitten wachten. Ze liep weg met de man naar de vijver en hun gepraat veranderde in zacht gefluister. Savannah vond het een beetje eng om daar alleen te zitten, maar ze liet haar voeten bungelen en keek naar de grond. Mama zei altijd dat het beter was om naar de grond te kijken, zodat mensen niet op verkeerde ideeën zouden komen. Savannah wist niet wat het precies betekende, maar het klonk ernstig, en dus keek ze naar de grond. Ook praatte ze met Jezus. Haar grootvader Ted had haar over Hem verteld toen ze vijf jaar was en zij elkaar voor het eerst tegenkwamen in zijn ziekenhuiskamer. Opa Ted was de vader van haar moeder, maar haar moeder zei dat ze niet met hem kon opschieten. Ze zei tegen Savannah dat ze naar het ziekenhuis moesten omdat opa Ted ging sterven. Dat was de enige reden.

'Ik heb niet lang meer, Savannah,' zei hij tegen haar. Daarna praatte hij met haar over Jezus. Hij zei dat Hij God was, maar dat je Hem niet kon zien, en dat Hij alle dingen had gemaakt en ook dat Hij in haar hart wilde wonen. Opa Ted had die dag haar hand gepakt en haar de liefste glimlach geschonken die iemand haar ooit had gegeven. 'Als je van Jezus houdt, als je met Hem praat en op Hem vertrouwt, dan zullen wij op een dag voor altijd bij elkaar zijn.'

'Waar zijn we dan?' Savannah vond opa Ted lief. Ze wilde dat haar moeder haar eerder bij hem had gebracht, voordat hij zo ziek werd.

'Dat heet de hemel, lieverd.' Opa hoestte heel veel en het duurde een tijdje voordat hij weer kon praten. 'Het leven is soms aan deze kant van de hemel niet zo goed. Maar...' zijn ogen begonnen te stralen en werden vochtig, '... in de hemel zal het perfect zijn, Savannah. Als een verjaardagsfeest dat nooit, nooit ophoudt.'

Een verjaardagsfeest dat nooit, nooit ophoudt.

Die woorden riepen het mooiste beeld op bij Savannah, een beeld waar ze om moest glimlachen. Ze dacht er keer op keer weer over na, vooral nadat haar opa Ted er een paar dagen later naartoe ging. Ze beleefde heel veel bange dagen met mama, en dus leek wat opa Ted haar had gezegd een goed idee. Vertrouw op Jezus. Ja, dat was een veel beter idee dan alles wat haar moeder had bedacht.

Jezus, ik kijk naar de grond zodat niemand het verkeerde idee krijgt. Ze hield de rand van de bank vast, maar die was kleverig en dus vouwde ze haar handen op haar schoot. *Ik ben blij dat U in mijn hart woont, want ik ben een beetje bang voor die man met wie mama praat. Misschien kent ze hem van onze kamer in Harlem. Of misschien ook niet, en dat betekent dat hij een vreemdeling is en dat mama niet met hem zou moeten praten.*

Ze keek soms heel even op, en eindelijk kwamen haar mama en de man weer terug. Ze lachten en fluisterden en de man had zijn arm om de schouders van haar mama geslagen. Savannah voelde hoe haar maag ineenkromp, want ze geloofde niet dat mama de man kende. Dat betekende dat ze een vreemdeling een arm om haar schouder liet slaan. Steeds als dat gebeurde, eindigde het ermee dat zij pijn had of huilde of boos was op de vreemdeling.

Savannah zuchtte en keek naar de grond. Waar was haar papa nu? *Weet U het, Jezus? En als dat zo is, wilt U het mij dan alstublieft vertellen? Hij is een droomprins en hij houdt van mij, dat weet ik. Dus als U ontdekt waar hij is, alstublieft, vertel het mij, goed?*

'Savannah?' De stem van haar moeder klonk anders, heel lief, alsof er een liedje in zat. Niet zoals die meestal klonk, verdrietig en altijd kwaad en ontevreden.

Ze keek op. 'Ja?'

'Dit is Victor.' Ze glimlachte naar de man en knipperde een paar keer met haar ogen. 'Hij neemt ons vandaag mee naar zijn huis bij het park.'

'Voor een logeerpartij.' De man knipoogde naar Savannahs mama. Daarna richtte hij zijn borstelige wenkbrauwen op haar. 'Lijkt je dat leuk?'

Savannahs hart klopte sneller. Jezus hield niet van liegen, dat had opa Ted haar verteld. Maar op dat moment zeiden de ogen van haar mama: *Luister, jongedame, je kunt maar beter ja zeggen of anders heb je een probleem!* Ze slikte haar angst in en antwoordde met een zo rustig mogelijke stem. 'Ja, meneer. Maar ik wil wel graag mijn eigen plek op de grond.'

'Is dat zo?' De man lachte hard, diep uit zijn ronde buik. 'Maak je geen zorgen, kleintje. We gaan het gezellig maken. Allemaal.' Hij gaf haar mama een elleboogstoot. 'Ik hoop dat je de helft van haar pit hebt.'

Pit. Mensen gebruikten dat soort woorden om over haar te praten. Pittig, speels, vurig. Mama zei dat het was omdat ze rood haar en sproetjes had. Met zijn drieën liepen ze in de richting van de mooie gebouwen aan de rand van het park. Savannah kon het niet lezen, omdat haar mama zei dat school wel kon wachten. Maar het gebouw waar de man hen mee naartoe nam, had de letters R-I-T-Z. Een man in een mooi uniform stond hen bij de voordeur op te wachten.

Victor nam haar mee door een mooie kamer naar het restaurant waar ze aan een tafel met een wit laken erover gingen eten. Er stonden mooie glazen en borden op en er lagen vorken. Savannah durfde niets te zeggen, maar ze kon niet ophouden met om zich heen te kijken. De mensen en de meubels, het tapijt en de plafonds – niets van dat alles leek op hun kamer in Harlem. Meer op iets uit een film. *Dit is een plek waar mijn papa zou kunnen wonen*, dacht ze. Ze wist precies hoe hij eruit zag en dus begon ze te kijken of hij misschien een van de mensen was die voorbij kwamen lopen.

Victor praatte vooral met haar mama. Ze bestelden biefstuk en aardappels en Savannah kreeg een hamburger met frietjes, en een klein flesje ketchup. Ze bleef kijken of ze haar vader zag, terwijl ze aten. Het duurde lang want haar mama en Victor dronken twee flessen wijn leeg.

Daarna nam Victor hen mee in een lift naar zijn huis. 'Zijn kamer,' noemde hij het. Savannahs mama en de dikke man lachten hard en ze liepen een beetje wankel. Toen ze bij de deur van Victor kwamen, was erachter een heel huis met een woonkamer, twee televisies en heel grote ramen waardoor je het park aan de overkant van de straat kon zien. Savannah had nog nooit van haar leven zoiets moois gezien. Victor zette de televisie voor haar aan en zocht een programma op met kinderen die zongen. 'Wacht hier, kleintje. Jouw beurt komt later.' Hij grijnsde naar haar, maar de blik in zijn ogen maakte haar bang.

Daarna gingen hij en haar mama naar een andere kamer en Savannah hoorde een slot klikken. Ze bleven er heel lang, bijna totdat het donker was. Savannah werd moe van de televisie. Ze liep naar het raam en keek naar het park en de stoep die langs de rand liep. Zoveel mensen. Soms vroeg ze zich af of ze haar droomprins-papa ooit zou vinden.

Een gedachte, of misschien eerder een wens, liet haar hart sneller kloppen. Misschien dacht haar papa precies op dit moment, waar hij ook was, ook aan haar. Dat gaf haar een veilig en slaperig gevoel. Ze liep terug naar de bank en strekte zich uit.

'Savannah?'

Het was de stem van een man en Savannahs adem stokte toen ze haar ogen opendeed. Ze drukte zichzelf in de hoek van de bank. Ze moest in slaap zijn gevallen. Dit was niet haar plaatsje op de vloer in hun kamer in Harlem. Waar was ze? Door het raam hoorde ze de regen neerstromen, met een klein beetje onweer. Ze knipperde snel met haar ogen en toen zag ze hem. Die vreemde man stond dicht bij haar. Er viel licht van buiten in de kamer en ze kon zijn grijns zien. Dezelfde grijns als voordien.

'Nee,' fluisterde ze. Ze probeerde nog verder in de hoek van de bank weg te kruipen.

Alstublieft, Jezus. Bescherm me.

De man deed een stap in haar richting, maar op dat moment kwam haar moeder de kamer binnen. 'Victor, kom terug…' ze klonk nog steeds vreemd vanwege de wijn. 'Ik wil je iets laten zien.'

Victor keek nog een keer naar Savannah en raakte haar haren aan. 'Niets aan verloren.' Hij spuugde een beetje toen hij het woord 'niets' zei. 'Ik hou toch niet van roodharigen.' Hij lachte weer vanuit zijn buik, knipoogde naar haar en ging terug naar de andere kamer, met haar mama.

Toen de deur dichtklapte, hijgde Savannah hard en snel. Haar hart ging tekeer als de regen tegen het raam. Ze wist niet wat de man had gewild of waarom hij bij haar was gekomen, maar diep van binnen voelde ze dat God haar gebed had gehoord, en dat Hij haar van iets vreselijks had gered. *Dank U voor mijn rode haar,* zei ze tegen Jezus voordat ze weer in slaap viel. Want dat beschermde haar misschien.

Twee dagen later kregen haar mama en Victor ruzie. Hij schreeuwde en zij schreeuwde en toen zag Savannah hoe Victor haar in het gezicht sloeg. Savannah rende naar de deur en sloeg haar handen voor haar gezicht, maar voordat de man nog iets ergs kon doen, pakte haar mama haar bij haar hand en vertrokken ze. In de lift legde haar moeder een hand op haar wang en begon te huilen.

Savannah dacht dat het was omdat haar wang rood was en omdat Victor haar vriend niet meer wilde zijn.

'Mannen zijn varkens.' Ze deed haar ogen dicht. 'Hoe kon ik hem geloven?' Ze snikte en rolde met haar ogen. 'Ik ben een vreselijke moeder, Savannah. Ik hou niet eens van kinderen. Ik zou je eigenlijk bij de kinderbescherming moeten afleveren. Dan zouden we waarschijnlijk beiden beter af zijn.'

'Is dat waar mijn papa woont?'

Haar mama keek haar heel vreemd aan. 'Is dat wat je wilt? Bij je vader wonen?'

Savannah sperde haar ogen wijd open. 'Ja, graag. Tenminste, een poosje.'

Haar mama huilde nog harder. 'Goed, Savannah. Je zou ook gelukkiger zijn bij hem. En ik zou kunnen doen wat ik wilde.'

Haar mama zei altijd dat ze beiden beter af zouden zijn als Savannah naar de kinderbescherming zou gaan of bij haar vader zou wonen, zodat zij zou kunnen doen wat ze wilde. Maar ze bracht haar nooit weg. Savannah dacht dat dat kwam doordat haar mama van haar hield, ook al zei ze dat ze niet veel om kinderen gaf. Ze wist waarschijnlijk gewoon niet hoe ze met kinderen moest omgaan. Dat was wat opa Ted haar toefluisterde toen ze dat gesprek hadden in zijn ziekenhuiskamer.

Savannah bleef stil toen ze naar de metro gingen en de trap af liepen. Ze wist niet zeker of haar vader daar was waar haar moeder haar heen wilde brengen, maar ze had het gevoel dat haar moeder het deze keer echt wilde doen, haar echt naar haar vader wilde brengen. Tot dat moment zou ze blijven bidden dat het inderdaad zou gebeuren, want haar moeder dacht dat het beter zou zijn voor hen allebei. Toen ze twee zitplaatsen in de metro hadden gevonden, haalde Savannah zich haar vader nogmaals voor de geest. God had haar beschermd en zou haar nu haar prachtige droomprins-papa laten vinden. Dat kon ze voelen. En dat moest betekenen dat haar vader meer deed dan alleen maar aan haar denken. Hij moest ook met Jezus over haar hebben gepraat.

Die gedachte liet Savannah voor het eerst in twee dagen glimlachen.

9

Carl Joseph pakte een ei per keer uit het nieuwe doosje in zijn koelkast en zette ze voorzichtig in het plastic eierdoosje dat Josh hun had gegeven. Gaandeweg raakte hij de tel kwijt, en dus telde hij ze opnieuw. Toen hij er zeker van was dat hij zes eieren had, deed hij de koelkast dicht.

'Goede buren brengen de dingen die ze lenen terug,' zei hij hardop. 'En ik ben dus een goede buurman.' Hij hield de eieren dicht tegen zijn borst, deed de sleutel van zijn appartement in zijn zak – omdat een zelfstandig persoon zijn sleutel altijd in zijn zak heeft – sloot de deur achter zich en liep naar het appartement van Daisy.

Hij klopte twee keer snel en daarna twee keer langzaam op haar deur. Het was zijn speciale manier van aankloppen, die hij alleen gebruikte, niemand anders. Zelfs zijn broer of Elle niet. Hij keek naar de lucht en glimlachte. Een blauwe lucht betekende dat Daisy de hele dag blij zou zijn. Hij floot een liedje over *ergens boven de regenboog* en na het gedeelte met *dromen komen uit* deed Daisy de deur open.

'Hoi, Daisy.' Hij hield de eieren in zijn ene hand en wees met de andere naar de lucht. 'Blauw betekent droog, en droog betekent goed.'

Daisy glimlachte naar hem en haar ogen glinsterden als de zon op de golfjes van een meer. 'Dank je, CJ. Ik hou van blauwe luchten.'

'Nou ja…' Carl Joseph trok een paar verlegen rondjes met zijn teen. 'Eigenlijk heeft God ze aan jou gegeven.' Hij lachte om zijn eigen grapje. 'Maar dat wist je natuurlijk al.'

'Natuurlijk.' Ze gaf hem een zacht klopje op zijn schouder. 'Gekkie. Natuurlijk weet ik dat de blauwe luchten van God komen.' Ze keek naar de eieren in het plastic eierdoosje en trok haar wenkbrauwen op. 'Goed idee, CJ. We moeten de eieren terugbrengen naar Josh.'

'Want dat is wat een goede buurman doet.'

'Zo is het.' Ze stak haar duim in de lucht, wat ze graag deed als Carl Joseph een goed idee had. 'Goed gedaan, CJ.' Ze haakte haar arm in de zijne, pakte haar grote blauwe handtas op en samen liepen ze over de parkeerplaats naar het appartement van Josh. 'Weet je nog dat ik in Disneyland net deed alsof ik Minnie Mouse was, CJ?'

Carl Joseph drukte zijn bril iets hoger op zijn neus. 'En weet jij nog dat ik Minnie-Mouse-oren voor jou kocht die dag?'

'Precies.' Ze liep een paar stappen zonder iets te zeggen, wat betekende dat ze nadacht. 'Ik heb een idee, CJ. Zal ik mijn Minnie-Mouse-oren opzetten, de volgende keer dat we een dagje uitgaan?'

'Dan zouden we naar het winkelcentrum kunnen gaan!' Carl Joseph zag voor zich hoe leuk dat zou worden.

'Naar de Disneywinkel.' Daisy wees naar het appartement van Josh, recht voor hen. 'We kunnen vragen of Josh ook mee wil. Want misschien kan hij hierbij dan een Minnie-Mouse-jurk kopen…' Ze rommelde in haar handtas en trok een paar gloednieuwe Minnie-Mouse-oren tevoorschijn. 'Tammy en ik zijn gisteren onderweg van het werk naar huis langs het winkelcentrum gegaan. Ik heb deze gekocht voor dat kleine meisje van de foto op zijn schoorsteenmantel.'

'Dat is heel aardig, Daisy.' Carl Joseph glimlachte, maar niet voluit. 'Maar Josh zei dat het verhaal niet zo goed afliep.'

'Maar God gaf ons een gelukkige afloop in Disneyland, weet je nog?'

Hij dacht erover na. 'En Disneyland is de vrolijkste plaats ter wereld…'

'Precies.' Ze stak haar duim weer op. 'We geven deze oren aan Josh en vragen hem of hij de volgende keer met ons meegaat om een Minnie-jurk voor het kleine meisje te kopen.' Haar glimlach werd zachter. 'Misschien dat dat verhaal met deze oren dan ook goed zal aflopen.'

'Ja, misschien, Daisy. Misschien wel.' Ze stonden voor het appartement van Josh. Hij had Daisy aan zijn arm en de eieren in zijn vrije hand, en dus klopte hij met de punt van zijn schoen tegen de deur van Josh.

Ze keken naar de deur, maar Josh kwam niet opendoen. 'Misschien dat jouw sportschoen niet hard genoeg klopte.'

De zon brandde warm op de schouders van Carl Joseph. 'Ja, misschien.' Hij zette de eieren voorzichtig op de grond, omdat alle eieren in hetzelfde doosje zaten, en klopte daarna hard aan met zijn hand, op de juiste manier. Met zijn lippen dicht bij de deur riep hij: 'Hallo, Josh. Hier zijn je lievelingsburen!'

Daisy naast hem moest giechelen en ze draaide de nieuwe Minnie-oren in haar handen om en om terwijl ze wachtten. Er stopte een auto op de parkeerplaats en twee meisjes stapten uit. Een moeder in de auto zei 'tot ziens' tegen hen en reed weer weg. En nog steeds had Josh de deur van zijn appartement niet opengedaan.

'Denk je dat hij misschien slaapt?' Carl Joseph keek over zijn schouder naar Daisy.

'Als dat zo is, moeten we hem waarschijnlijk wakker maken.'

'Klopt.' Carl Joseph duwde zijn bril weer hoger op zijn neus en probeerde de deurklink. De deur was niet op slot en ging onmiddellijk open. Hij kreeg een vreemd gevoel in zijn maag, maar probeerde toch te blijven glimlachen. 'Ik denk dat hij ons verwachtte.'

Daisy's glimlach was plotseling verdwenen en ze huiverde een beetje. 'Als hij er niet is? Misschien overtreden we de wet als we naar binnen gaan als hij er niet is.'

'Hij is er wel.' Carl Joseph draaide zich half om en wees naar de oude Mustang op de parkeerplaats. 'Zie je die, Daisy? Dat is zijn auto, dus is hij er.'

'Goed,' zei Daisy, niet erg overtuigd. 'Laten we samen naar binnen gaan.'

Carl Joseph pakte de eieren op en deed een paar stappen naar binnen. Hij keek in de richting van de slaapkamer. 'Josh, hier zijn je lievelingsburen. Ben je wakker?'

'Josh?' Daisy zette haar handen aan haar mond om haar stem harder te laten klinken. 'Josh, wakker worden, oké?'

De geluiden in het appartement bleven beperkt tot het zoemen van de koelkast, het tikken van de klok aan de keukenmuur en het gezoem van een vlieg in de buurt van de schuifdeur naar het balkon. Maar geen stem van Josh. Carl Joseph kreeg een raar gevoel in zijn maag. Het was hetzelfde gevoel dat hij een keer had gekregen toen hij de bus nam, voordat hij de lessen van Elle over zelfstandig wonen had afgerond. Die dag nam hij de verkeerde bus en was hij bijna voor altijd verdwaald, maar gelukkig hadden zijn broer en Elle hem gevonden. Hoe hij zich die dag voelde, was hoe hij zich nu begon te voelen.

'Kom, Daisy.' Hij liep naar de keuken en Daisy liep achter hem aan.

'Ik ben bang, CJ. Waar is hij?'

'Ik weet het niet.' Hij overwoog om de koelkast open te doen en de eieren erin te zetten, maar toen dacht hij aan zijn manieren. Het was niet zijn koelkast, dus waarschijnlijk mocht alleen Josh de eieren wegzetten. Hij liet ze in hun plastic eierdoosje op het aanrecht staan. 'Daisy, niet bang zijn.' Hij legde zijn handen op haar schouders. 'We gaan gewoon naar zijn slaapkamer en maken hem wakker. Dat is wat goede buren zouden doen.'

Haar wenkbrauwen krulden helemaal op. 'Weet je het zeker?'

'Ja.' Carl Joseph luisterde niet naar het bange gevoel in hem. Hij stak zijn hand uit naar Daisy. 'Kom.'

Samen liepen ze door het gangetje maar de slaapkamer van Josh en Carl Joseph klopte weer aan. Nog steeds geen antwoord. 'Josh?'

'Hij slaapt,' fluisterde Daisy. 'Toe maar, CJ, ga naar binnen.'

Carl Joseph deed de slaapkamerdeur open, en daar lag Josh op zijn bed. 'Josh?' Hij praatte zacht omdat hij dacht dat zijn buurman wel wakker zou worden als hij zijn deur hoorde opengaan. 'Wakker worden, Josh.'

Langzaam liepen ze naar zijn bed, maar halverwege bleef Daisy staan. 'Hij – hij ziet er niet goed uit, CJ.'

'Hij is heel erg slaperig.' Carl Joseph wilde niet dat Daisy dat zei, want wat moesten ze als... Hij liep regelrecht naar het bed en schudde zacht aan Josh' schouder. 'Josh!' Deze keer praatte hij hard, omdat dat misschien nodig was om hem wakker te maken. 'Josh, word wakker!'

'CJ, ik ben toch weer bang.'

'Het is in orde. We zeggen zijn naam tegelijk heel erg hard. Misschien dat hij dan wakker wordt.'

'Goed.' Daisy trilde heel erg, maar ze telden tegelijk.

'Eén... twee... drie.' Tegelijkertijd riepen ze Josh' naam en Carl Joseph schudde nog eens aan zijn schouders. Maar Josh knipperde niet eens met zijn ogen en bleef roerloos liggen.

Dat was het moment waarop Carl Joseph dacht dat Daisy misschien gelijk had. Misschien was er iets aan de hand met Josh en hadden ze noodhulp nodig. In zijn appartement en dat van Daisy hing een instructieblaadje aan de wand hoe ze noodhulp moesten halen. Carl Joseph duwde zijn bril omhoog en slikte moeilijk. 'Daisy?' Hij deed een stap achteruit en draaide zich naar haar toe. 'Misschien moeten we noodhulp halen voor Josh. Misschien kunnen zij hem wakker maken.'

'O nee!' Ze sloeg haar hand met de Minnie-Mouse-oren voor haar mond. 'Noodhulp is voor heel erge problemen.'

'Maar als hij niet wakker kan worden, dan is dat toch een heel erg probleem?' Carl Joseph keek over zijn schouder naar Josh.

'Ja.' Er kwamen tranen in haar ogen. 'Schiet op, CJ, haal de noodhulp!'

Carl Joseph voelde zijn hart in zijn borst kloppen, want dit was enger dan de verkeerde bus nemen. Hij pakte de telefoon die naast het bed van Josh stond en probeerde zich het nummer te herinneren. Hij zette de telefoon weer neer en balde zijn vuisten. *Alstublieft, God, help me het nummer te herinneren.*

'Wat doe je?' Daisy huilde. 'CJ, bel de noodhulp!'

'Ik bid. Want dat is de eerste noodhulp voor mij.' Hij schreeuwde niet tegen haar, maar zei het op een stevige toon, zodat ze het zou begrijpen.

Hij zag vanuit zijn ooghoeken dat ze een paar stappen naar Josh toe deed en weer terug. Ze was nerveus en bang. 'Schiet op, Carl Joseph.'

Op dat moment schoot hem het juiste nummer te binnen. Hij kon het in zijn hoofd zien. Snel pakte hij de telefoon weer op en koos precies wat hij zag. 'Eén, één, twee, daar red je levens mee.'

Nog geen tel later zei een mevrouw: 'Alarmcentrale, wat is uw probleem?'

Carl Joseph keek naar zijn favoriete buurman. 'Josh wordt niet wakker.'

'Wat zegt u, meneer?'

'Josh!' *Rustig blijven*, zei hij tegen zichzelf. Want hij voelde zich niet echt rustig. *Blijf kalm. Help me, Jezus.* Het belangrijkste in noodsituaties was kalm te blijven en te bidden. 'Hij woont in het appartement aan de overkant van de parkeerplaats. Hij is onze lievelingsbuurman en hij wordt niet wakker.'

'Ademt hij?'

Ademde hij? Daar had Carl Joseph niet aan gedacht. Zijn hart bonkte in zijn borstkas. 'Hoe kom ik daarachter?'

'Meneer.' De vrouw klonk een beetje ongeduldig. 'Kijk of zijn borst op en neer gaat en of er lucht uit zijn neus of mond komt.'

'Goed... goed, ik zal het controleren.' Hij legde de telefoon op het nachtkastje en keek geconcentreerd naar de borst van Josh. Maar hoe hij ook keek, zijn borstkas bewoog niet. Daarna hield hij zijn hand voor Josh' neus, maar er kwam geen adem uit. Achter hem begon Daisy harder te huilen, en toen Carl Joseph de telefoon weer oppakte moest hij hard praten om verstaanbaar te zijn. 'Zijn borst beweegt niet en er komt geen lucht uit zijn neus.' Hij begon zelf snel te ademen, want dat kon niet goed zijn. Geen beweging en geen lucht. 'Help ons, alstublieft!'

'Er is een ambulance onderweg, meneer. Bent u daar alleen?'

'Ik en mijn vriendin, Daisy. Wij wonen in de zelfstandige woonvorm, maar we waren hier omdat goede buren dingen die ze lenen terugbrengen.'

'Natuurlijk, meneer. Wacht daar totdat de ziekenauto komt, goed?'

'Ja, mevrouw.' Hij hing op en keek naar Josh. Misschien dat iemand zijn borst stil kon houden en geen lucht uitblies als hij heel, heel erg slaperig was. En dus probeerde hij hem nog een keer wakker te maken. 'Josh!' schreeuwde hij, 'word wakker, nu!'

Weer niets.

'Het is niet goed met hem, CJ. Laten we gaan.' Daisy klonk nu heel erg bang, zoals toen de regen kwam en zij bang was dat ze zou smelten. 'Laten we naar buiten gaan.'

'We moeten op de ziekenwagen wachten.' Hij sloeg zijn armen om Daisy heen en wiegde haar heen en weer. 'Dat zei die mevrouw van de noodhulp.'

Daisy liet haar hoofd tegen zijn borst vallen en zo wachtten ze tot ze sirenes hoorden. *Help ons alstublieft, God. Help onze buurman.* Carl Joseph herhaalde zijn gebed keer op keer totdat hij iemand op de deur hoorde kloppen.

'Ziekenbroeders. Is daar iemand?'

'Carl Joseph en Daisy,' schreeuwde hij. 'We zijn hier in de slaapkamer.'

Twee mannen in blauwe uniformen renden door de gang en kwamen de kamer binnen. De eerste keek naar Josh en daarna naar Carl Joseph. Hij had enorm veel haast. 'Willen jullie de kamer verlaten?' Daarnaast riep hij iets naar de andere man over een wagentje en peddels.

Carl Joseph keek nog een keer naar Josh om en liep toen samen met Daisy de kamer uit. Hij wist niet zeker hoe ver hij de kamer uit moest lopen, maar hij hoorde nog meer sirenes, en dus besloot hij dat ze het best helemaal buiten konden gaan staan. Hij nam het plastic eierdoosje weer mee, want hij wilde er zeker van zijn dat Josh de eieren terugkreeg. Toen herinnerde hij zich dat hij elke keer wanneer hij noodhulp nodig had zijn grote broer moest bellen. Hij hoorde harde geluiden uit het appartement komen, en een vreselijke gedachte overviel hem.

Stel je voor dat... dat Josh dood was?

'CJ, wat gebeurt er?' Daisy huilde nog steeds en een paar van haar tranen vielen op de nieuwe Minnie-Mouse-oren. Ze moest ergens anders naartoe, ergens weg van de sirenes en politieauto's en de brandweerwagen die de parkeerplaats opkwamen.

'Kom mee, Daisy. We gaan naar mijn huis.' Hij nam haar mee en belde toen zijn grote broer Cody.

'Carl Joseph, hoe gaat het met jou?' Zijn broer klonk blij.

'We gaan nog steeds samen eten vanavond, toch?'

'Cody, er is iets heel erg mis met onze lievelingsbuurman, Josh.'

De vrolijke stemming verdween onmiddellijk. 'Wat is er dan?'

'Hij wil niet wakker worden. We gingen naar hem toe om zes eieren terug te brengen, omdat een goede buurman terugbrengt wat hij leent, maar Josh wil niet wakker worden.' Zijn woorden raakten door elkaar omdat zijn ademhaling stokte. 'Hij wordt niet wakker en dus heb ik noodhulp gebeld en nu zijn er verplegers en een ziekenauto en brandweermannen en de politie.'

'Goed, vriend. Maak je geen zorgen. Ik kom eraan.'

'Dank je, broer.' Carl Joseph hield Daisy vast totdat zijn broer door de voordeur stapte. 'Zo vriend, ik ga naar het appartement van Josh. Wil je mee of blijf je hier?'

'Mee.' Carl Joseph ademde nog steeds te snel en voelde zich een beetje misselijk. Maar hij moest terug naar Josh. Die was immers zijn favoriete buurman. Hij liet Daisy los. 'Jij ook? Ga je ook mee?'

'Nee... Ja.' Ze hield zijn arm stevig vast. 'Ja, als jij bij me blijft.'

'Dat doe ik.' Snel renden ze achter Cody aan de deur uit. Inmiddels stonden er andere mensen op de parkeerplaats naar het appartement van Josh te kijken. De oude mevrouw Ethel die precies boven Josh woonde, de twee tienermeisjes die eerder uit een auto waren gestapt en nog een paar andere mensen. Niemand lachte of praatte, iedereen stond alleen maar te wachten en te kijken.

Toen ze bij de politieauto's kwamen, bleef Cody staan. Hij draaide zich naar hem om. 'Ik ben zo terug.'

Carl Joseph voelde zich alsof hij niet meer kon ademen. Zijn hele voorhoofd was nat en zijn hart sloeg nog steeds heel snel.

'Cody,' probeerde hij te fluisteren, zodat Daisy het niet zou horen. 'Ik ben heel erg bang om Josh.'

'Luister, vriend.' Zijn broer legde zijn handen om Carl Josephs wangen. 'Het komt allemaal in orde, wat er ook met Josh gebeurt.' Zijn broer klonk ernstig, maar kalm. 'Josh houdt van Jezus, weet je nog?'

'Ja, dat is ook zo.' Carl Joseph knikte heftig. 'Josh houdt van Jezus.' En voor mensen die van Jezus hielden, zou alles ten slotte goed komen. Dat was altijd zo. Zijn hart ging iets rustiger kloppen. 'Dank je, broer.'

Daisy hield nog steeds de oren van Minnie Mouse vast, maar de woorden van Cody leken ook haar gerust te stellen. Hij rende van hen weg naar de ingang van Josh' appartement, waar op dat moment een politieman naar buiten stapte. Zijn broer zei iets tegen de politieman en ze praatten een minuutje met elkaar. Daarna keek Cody naar de grond en wreef in zijn nek. Carl Joseph begon zich weer heel naar te voelen.

Want zijn broer deed dat alleen wanneer er iets heel, heel ergs aan de hand was.

Cody wist niet hoe hij terug moest gaan naar zijn broer en Daisy om hun de waarheid te vertellen over hun lievelingsbuurman.

Josh Warren was dood.

De politieman hield hem bij de deur tegen en vertelde hem het nieuws. 'Hoe kan dat? Wat is er met hem gebeurd?' Cody kon het nauwelijks geloven. Josh was achter in de twintig en hij was gezond, op zijn overgewicht en pijnlijke rug na.

'In zijn slaap overleden. Er zal vrijwel zeker een autopsie worden verricht.' De politieman had een mobiele telefoon in zijn hand. 'Deze lag in zijn kamer. Kent u misschien de namen van familieleden?'

'Ik weet niet hoe ze heten.' Cody probeerde te bedenken wat Josh hem had verteld. 'Zijn ouders wonen in Black Forest, dacht ik.'

De rechercheur nam de adressenlijst in de telefoon door. 'Ma en pa.' Hij zuchtte en keek hem triest aan. 'Als u mij wilt excuseren.'

Cody deed een stap achteruit en liep vervolgens langzaam in de richting van zijn broer en Daisy. Ergens aan de andere kant van de stad zouden de ouders van Josh het nieuws te horen krijgen dat geen enkele moeder of vader ooit wilde vernemen. Hij bleef een paar seconden staan en keek naar de blauwe hemel. De dood was nooit eenvoudig, maar zeker de dood van zo'n jong iemand niet. *Ik weet dat U de leiding hebt, God. Maar ik begrijp het niet. Josh Warren? Wat heeft hij ooit aan zijn leven gehad? Wat voor goeds heeft hij ooit meegemaakt?*

Zijn gedachten waren niet oneerbiedig, alleen maar eerlijk. Zoals hij altijd tegen God sprak. Toen Ali overleed, had haar verlies hem tot in zijn kern verpletterd en hem bijna het leven laten opgeven. Maar op wonderbaarlijke wijze had God Elle in zijn leven gebracht. Met haar had hij het leven en de weg naar zijn geloof teruggevonden.

Maar Josh? Hij had geen geliefde gevonden en wachtte nog steeds op zijn schadevergoeding. En bovenal had hij zijn dochter niet gevonden. Cody voelde de pijn in zijn eigen hart. Het kleine meisje zou haar vader nooit kennen en nooit weten wat een fijne man het was. Hij moest slikken om de brok in zijn keel weg te werken.

Carl Joseph stond te wachten.

10

Annie zat met Nate op de achterveranda te ontbijten en keek naar een paar reeën die tussen de dennenbomen liepen toen de telefoon overging. Ze nam aan dat het Lindsay was die haar precies zou vertellen waar ze werden verwacht voor de rugbywedstrijd en hoe opgewonden Ben was dat iedereen kwam. Lindsay belde vaak, minstens een keer per dag. Ze stond op, glimlachte naar Nate en liep naar binnen.

Sommige mensen kunnen vertellen over hun voorgevoel, hoe ze in de minuten, uren of dagen voor een auto-ongeluk, verdrinking of negatieve uitslag van een onderzoek een knagend vermoeden hadden, een intuïtieve zekerheid dat er iets heel ergs stond te gebeuren. Later, ongeacht hoeveel jaren een bepaalde gebeurtenis achter hen lag, bleef hun dat voorgevoel bij. 'Ik had al zo'n gevoel,' zeggen mensen dan. 'Op een of andere manier wist ik het gewoon.'

Annie had dat gevoel niet.

Toen ze het huis binnenliep, merkte ze op hoe de zon uit de blauwe lucht tussen de boomtakken door scheen en hoe het huis naar de verse, warme kaneel rook van het gebak dat ze zojuist uit de oven had gehaald. Haar enige gedachte omtrent de komende dag was dat God haar kennelijk blij wilde maken met zo'n perfecte zaterdag aan het begin van de herfst. Een rugbywedstrijd, een kerkdienst waarin haar gezinsleden bijna een hele bank bezetten en aansluitend eten bij Lindsay. Dit zou een dag worden, hield ze zichzelf voor, die ze ook na jaren nog keer op keer opnieuw zou beleven. Er speelde al een glimlach om haar lippen toen ze de telefoon opnam. 'Hallo?'

'Mevrouw Warren?' Het was geen bekende stem.

'Ja?' Ze voelde een lichte verontrusting en keek naar de veranda, waar Nate alleen zat te eten. De reeën waren doorgelopen, en zij had ze gemist. En dat voor een telefonisch verkooppraatje.

'Mevrouw Warren, u spreekt met rechercheur Daniel White van de politie.'

Hij aarzelde, en in die halve tel voelde Annie hoe haar wereld op de kop werd gezet. Want waarom, waarom zou een politieman haar thuis opbellen op een zaterdagochtend? De toon van zijn stem gaf haar het antwoord al. Ze zette zich schrap tegen het aanrecht.

'Mevrouw, hebt u een zoon die Joshua David Warren heet?'

'Ja.' *Schiet op alsjeblieft*, wilde ze schreeuwen. *Zeg me waarom u belt.* 'Wat is er aan de hand?'

'Komt u alstublieft zo snel als u kunt naar zijn appartement, mevrouw. Er is iets gebeurd.'

Er is iets gebeurd? De adrenaline schoot door haar aderen. 'Iets gebeurd?'

'We wachten hier op u, mevrouw Warren. Haast u zich alstublieft.'

Ze verbrak de verbinding en op de een of andere manier droegen haar voeten haar terug door het huis naar de veranda. Ze had het gesprek met de politieman niet met een dankuwel of een andere beleefdheidsvorm afgesloten. Ze hoopte dat de man haar niet onbeleefd zou vinden of haar gedrag niet aan haar man zou toerekenen, waardoor zijn herverkiezing schade zou kunnen oplopen. Ze liet alle bizarre, irrationele gedachten toe omdat ze de emotionele lawine die haar wilde bedelven nog even op afstand hielden.

'Nate.' Haar stem klonk neutraal. Ze bleef in de deuropening staan en zocht steun tegen het kozijn. 'We moeten gaan.'

Onmiddellijk fronste hij bezorgd zijn voorhoofd. Snel stond hij op en keek haar aan, met zijn mond nog vol gebak. 'Annie, je ziet zo bleek als een vaatdoek.' Hij liep naar haar toe en legde zijn handen op haar schouders. 'Wat is er aan de hand?'

De politieman zou het Nate niet kwalijk nemen. Niet wanneer hij hen persoonlijk zou ontmoeten en zelf zou kunnen zien dat ze niet onbeleefd, ondankbaar of onaardig was. Niet echt. 'De rechercheur zei dat we moesten opschieten.' Ze draaide zich om en liep het huis weer in om de sleutels uit de la bij de koelkast te halen. Ze hield ze omhoog voor Nate.

'Annie, zeg iets.' Hij liep achter haar aan, zijn uitdrukking nog steeds gealarmeerd. 'Welke rechercheur? Wie was er aan de telefoon?'

Ze knipperde met haar ogen en haar merkwaardige roes werd net lang genoeg doorbroken om iets te kunnen zeggen: 'Er is iets mis met Josh.' Een nieuwe golf adrenaline bruiste door haar lichaam en ze liet de sleutels vallen. Voordat ze de vloer raakten, lag ze in Nates armen. 'Alstublieft God, nee.' Haar woorden klonken verstikt van paniek. 'Niet Josh, niet mijn zoon.'

Nate liet de omhelzing niet langer dan een paar seconden toe voordat hij haar stevig bij haar armen pakte. 'Er heeft een rechercheur over Josh gebeld, is dat het?'

'Ja.' Annie kon de eerste stenen van de emotionele lawine niet toelaten, kon haar bewustzijn niet daarheen laten leiden waar de gebeurtenissen van de laatste minuut haar naartoe dwongen. Ze keek haar echtgenoot intens aan en smeekte hem met haar ogen. 'Hij is in orde. Hij moet in orde zijn.'

Nate greep de sleutels op van de vloer en pakte haar hand. 'Ik rijd.'

'Dank je.' Zie je wel. Ze dacht wel aan haar manieren. 'We moeten bidden.'

'Dat doe ik ook. Onophoudelijk.' Maar tijdens de rit van tien minuten stopte hij toch drie keer om telkens dezelfde vraag te stellen. 'De politieman zei niet wat er aan de hand was?'

'Nee.' Ze wendde haar blik elke keer hooguit een seconde

van de weg af. 'Blijf bidden.' Maar elke keer dat ze hetzelfde antwoord gaf, zei een stem diep van binnen dat het misschien te laat was om te bidden. Het hele bestaan zoals zij het kende, zou veranderen, want dit was hoe de levens van mensen veranderden. Een telefoontje, een klop op de deur, de mijlpaal die het leven voortaan in twee delen zou splitsen: het leven voor en na dat ene moment.

Haar gebed was een schreeuw om hulp die ze in stilte bij elke ademteug herhaalde. *God, wees met Josh. Troost hem en geef hem vrede. Wat er ook met hem gebeurd is, alstublieft God, wijk niet van zijn zijde.*

Het gebed schonk haar de innerlijke kracht en moed voor de volgende ademteug. *God, wees met Josh. Troost hem en geef hem vrede. Wat er ook met hem gebeurd is…*

Pas toen de parkeerplaats voor het appartement van haar zoon in zicht kwam, wist Annie zeker hoe ernstig de situatie was. Er stond een ziekenwagen niet ver van Josh' voordeur geparkeerd, met ernaast een brandweerwagen en twee politieauto's. Mensen stonden in kleine groepjes toe te kijken en Annie wilde wel tegen hen schreeuwen. *Sta daar niet te staan, doe iets! Help mijn zoon.*

'Alstublieft, God…' Nate sprak de woorden hardop uit toen hij zijn auto parkeerde. Deze keer klonk er geen verwarring of vraagteken door in zijn stem, want het antwoord was duidelijk. De wagens van de hulpdiensten zeiden hem wat de politieman niet had gezegd.

Ze stapten uit en plotseling werd Annie overvallen door een wanhopig gevoel bij haar zoon te willen zijn, bij haar jongste. Ze begon in de richting van zijn voordeur te rennen, en ze bleef rennen, zelfs nadat ze bijna struikelde over een sproei-installatie. Er verscheen een politieman in de deuropening die bleef staan om haar op te wachten. Waarom had hij geen haast? Waarom hielp hij haar zoon niet?

Ze ging nog sneller rennen en hoorde Nate dicht achter haar lopen. Josh was in moeilijkheden, maar zij waren er, dus alles zou goed komen. *Alstublieft, God, laat het in orde zijn.* Josh had al genoeg meegemaakt zonder dit, maar als ze hem in haar armen kon nemen en tegen zich aan zou kunnen drukken zoals ze altijd had gedaan toen hij klein was, dan zou alles goed komen, want zo sterk was haar liefde. Sterk genoeg om zijn problemen weg te nemen.

'Pardon.' Ze gebaarde naar de rechercheur dat hij opzij moest gaan, maar de man bleef in de doorgang staan. 'Ik moet mijn zoon zien!' Ze herkende haar eigen van wanhoop vervulde stem niet meer.

'Mevrouw, ik ben rechercheur White.'

'Dank u voor uw telefoontje.' Haar mond was droog. 'We moeten hem zien.'

Nate had haar ingehaald en begon onmiddellijk te praten. 'Is hij binnen?' Hij hijgde en keek de politieman nauwelijks aan. 'Wat is er met hem gebeurd?'

'Meneer, ik moet u hier tegenhouden.' De rechercheur hield zijn beide handen vooruit om de deuropening zoveel mogelijk te blokkeren. 'Alstublieft. U kunt niet naar binnen.'

Annie deed haar mond open om iets te zeggen of te schreeuwen of te huilen, maar voelde zich plotseling als verlamd. Nate sloeg een arm om haar heen. De woorden van de rechercheur vermengden zich met het geluid van een radio uit een van de wagens achter haar, met het verkeerslawaai op Elm Street, de weg die langs het appartementencomplex liep, en met het bonken van haar hart. Alle geluiden werden zo intens dat het moeilijk was om te horen wat de politieman zei. Iets over de doodsoorzaak die niet duidelijk was en over een geopend flesje met pijnstillers dat naast het bed van haar zoon was gevonden. Hij vroeg of Josh ooit meer pijnstillers nam dan de voorge-schreven dosis. Nate vroeg hoe lang Josh al dood was en…

Annies knieën begaven het en ze greep naar haar man. Haar zoon was dood? Haar jongste kind was heengegaan zonder dat ze afscheid had kunnen nemen? Onmogelijk. Ze stak haar arm recht naar voren alsof ze hem kon aanraken of op een of andere manier contact kon leggen. 'Josh!' De schreeuw die ze gaf, was de schreeuw van een verdwaasde die God smeekte de klok terug te zetten om haar een kans te geven hierheen te komen en hem vast te houden, zoals ze dat de vorige dag na zijn verhoor had gewild. 'Josh, nee!' Ze schreeuwde zijn naam nog eens en Nate trok haar in zijn armen.

'Alstublieft.' Hij trilde en keek de politieman aan, zijn stem was vervormd van angst en ongeloof. 'We moeten hem zien.'

Rechercheur White aarzelde. 'U wilt dat liever niet zien.' Hij keek over zijn schouder naar binnen en keek vervolgens Annie aan. 'Herinner u hem zoals hij was.'

Zoals hij was? Dat kon niet waar zijn. Ze had hem net nog aan de telefoon gehad en hem gezegd dat hij een beetje rust moest nemen. Ze hadden plannen gemaakt voor de rugbywedstrijd van die dag. Ze moest naar binnen om hem te zien. Misschien hadden de verplegers het niet goed gecontroleerd, misschien sliep hij alleen maar heel diep, zoals wel vaker gebeurde wanneer hij een extra pijnstiller nam.

Er kwam een verpleger naar buiten. Hij bleef in de deuropening staan en praatte zacht met White. 'De patholoog-anatoom is onderweg.'

Op dat moment kwam de lawine in beweging, overrompelde haar en bedolf haar onder verstikkende lagen van pijn en verdriet. 'Niet Josh, alstublieft, God!' De schreeuw was niet zo hard als tevoren, maar zwaar van een angst die Annie nog nooit had gekend.

Nate trok haar weer tegen zich aan en wreef troostend met zijn hand over haar arm. 'Ssst, meisje... stil maar. Hou me vast.'

Annie wist niet hoe ze drie meter terug waren gelopen vanaf de voordeur, naar een plek aan het eind van het trottoir. Ze wist ook niet hoe lang ze daar al stonden toen er een busje stopte en twee mannen met een brancard zwijgend langs hen heen liepen. Annie keek naar de grond, naar een barst in het asfalt bij haar voeten. Het liefst wilde ze terugrennen naar de auto en tegen Nate zeggen dat hij zo snel hij kon zo ver mogelijk hier vandaan moest rijden, zodat alles wat ze voor zich zag gebeuren, niet echt zou zijn.

Als ze lang genoeg naar beneden bleef kijken, kon ze zichzelf ervan overtuigen dat ze niet op de parkeerplaats bij Josh stond, maar bij de rugbywedstrijd. Ze stond bij haar auto, liep naar de tribunes met een deken in haar ene hand en een tas met flessen water in de andere. Dit hier was niet echt. Ze was bij de rugbywedstrijd en Ben deed zijn warming-up op het veld. Lindsay, Josh en Nate hielden een plaats voor haar vrij op de tribune. En ze bedacht hoe kort geleden het was dat Josh in sporttenue over het veld liep en naar hen zwaaide vanaf de achterlijn. Zij en Nate fantaseerden erover dat hij met zijn lengte en kracht misschien rugby zou spelen op de middelbare school, of zelfs op de universiteit. Ze knipperde met haar ogen en kon alles van Josh zien, van zijn eerste schooldag tot elke lange, eindeloze zomer en elke ochtend dat hij zich moest haasten om de bus te halen.

Nate liet zijn hoofd op haar kruin zakken en er klonk een zachte kreun uit zijn gebroken hart. 'Niet Josh,' steunde hij. Zijn omhelzing werd harder, wanhopiger.

Ze bleef naar beneden kijken, haar ogen vastgehaakt aan de barst in het asfalt, totdat ze iets nats aan de zijkant in haar nek voelde lopen. *Niet opkijken*, hield ze zichzelf voor. De brancard zou ooit naar buiten moeten komen. *Niet opkijken.* Maar ze wilde weten of de tranen in haar nek van haarzelf waren, en dus keek ze voldoende op om Nates blik te vinden. Zijn gekwelde gezicht was vertrokken van verdriet en ongeloof en tranen stroomden over zijn wangen. 'Hij is er niet meer, Annie… onze jongen is heengegaan.'

Annie schudde haar hoofd. Dat kon niet. Hij was achtentwintig. Hij had zijn hele leven nog voor zich. Ze keek naar de mensen om haar heen. Een knappe man met donkere ogen stond naast een jong stel met het syndroom van Down. Een vrouw met twee tieners die aan weerszijden dicht tegen haar aan kropen. Een oude vrouw die iets opzij stond, haar armen over elkaar geslagen en haar fronsende blik op de voordeur van Josh gericht.

Annie vroeg zich af of ze vrienden van haar zoon waren. Plotseling besefte ze dat ze geen van Josh' buren kende. Ze was er niet eens zeker van of Josh ze wel kende. Maar omdat ze er waren en de moeite namen om toe te kijken, dacht ze erover zich voor te stellen en hen te bedanken voor hun komst – zoals ze dat ook altijd deed op Nates ontvangsten.

Maar dit was geen… dit was geen…

Ze kneep haar ogen dicht en drukte haar wang tegen Nates gezicht. Een politieagent zei iets over de weg vrijmaken voor de brancard, en Annie kon alleen maar bedenken dat er iemand gewond was. Josh. Ja, dat was het. Josh was gewond en hij kwam op een brancard uit zijn appartement. De mensen moesten ruimte maken omdat hij naar een dokter moest.

Maar hoezeer ze zich ook inspande om zichzelf daarvan te overtuigen, de details van de werkelijkheid schreeuwden haar van alle kanten toe. Uit de voordeur klonk het geluid van wielen op het beton, en Annie deed wat ze nooit had moeten doen. Ze deed haar ogen open en keek direct in de richting van het geluid. Op dat moment zag ze het.

Er schoot een herinnering door haar hoofd. Zij en Nate zaten op een ochtend ongeveer tien jaar geleden de krant te lezen. Nate las het verhaal voor van een gezin dat een trektocht maakte op Pikes Peak. Hun tienerzoon gleed uit op het pad en stortte zijn dood tegemoet. De nooddiensten werden ingeschakeld, maar ze konden niets meer doen en de ouders en zusters van de jongen waren gedwongen toe te kijken hoe zijn lichaam werd geborgen en weggebracht.

'Wat vreselijk,' had Annie tegen Nate gezegd. 'Geen enkele moeder zou dat moeten hoeven meemaken, om het lichaam van haar dode zoon te zien afvoeren. Ik weet niet zeker of ik dat zou kunnen verdragen.'

En nu was zij die moeder.

De brancard kwam in het zicht, met ervoor en erachter de twee assistenten van de lijkschouwer. Het lichaam lag onder een wit laken, maar Annie wist zonder enige twijfel dat degene op de brancard Josh was. Allereerst hing zijn voet bijna van de brancard, zoals Josh zijn voeten soms over de rand van de bank kon laten hangen als hij op bezoek was en even ging liggen.

Bovendien was het laken afkomstig uit een set die Annie en Nate de vorige Kerst aan Josh hadden gegeven. Wit met een dun bruin streepje bovenaan.

'Josh!' Haar stem was nauwelijks te horen. 'God, help hem. Alstublieft, help hem.' Ze greep Nates arm steviger vast. 'Hij krijgt geen adem.' Ze kwam in beweging en wilde naar hem toe lopen, maar Nate hield haar tegen.

'Annie, niet doen. We moeten Lindsay bellen.'

Niet doen? Ze wilde tegen hen schreeuwen dat ze moesten ophouden, omdat Josh geen medische hulp kon krijgen met een laken over zijn gezicht. Maar toen hoorde ze iemand huilen en ze keek over haar schouder. Het was de jonge vrouw met het syndroom van Down. Ze had haar handen voor haar ogen geslagen en snikte, terwijl haar vriend een arm om haar schouder sloeg en zei: 'Josh is nu in de hemel, Daisy. De hemel is een goede plek, weet je nog?'

De werkelijkheid kwam als een dreun binnen.

Het telefoontje, de rechercheur, het busje van de lijkschouwer, de in stilte rouwende buren. Dat alles was het bewijs van een waarheid die ze niet langer kon ontkennen. Dit was geen ontvangst voor de buren van Josh, en nee, haar zoon was niet ziek, hij sliep niet en hij worstelde niet om adem te halen onder het laken dat hij met Kerst had gekregen.

Hij was dood. Haar jongen was dood en zij had niet de kans gekregen om afscheid te nemen. Ze herinnerde zich iets dat Josh haar na zijn ongeluk had verteld. Hij was blij geweest dat hij die avond niet was overleden, want dan zou dat zonder zijn familie zijn gebeurd.

'Wat er ook met me gebeurt, ik wil niet alleen sterven,' had hij haar gezegd. 'Er is niets verschrikkelijkers dan dat.'

Maar dat was precies wat er was gebeurd. Haar enige zoon was overleden zonder familie aan zijn zij. 'Josh, nee! Niet Josh, God, alstublieft.' Annie begon weer te huilen en haar snikken gingen over in een jammerklacht. Haar Josh was verdwenen en ze zou nooit meer ademhalen zonder het verlies in haar binnenste te voelen, als een wond die niet wilde helen. De verstikkende lawine van de pijn sloot elke glimp van verlichting uit en Annie deed haar ogen dicht onder het verpletterende gewicht. Ze voelde hoe ze begon te vallen.

Nate ving haar op. Het moest Nate zijn. Maar hij kon de duizelingen in haar hoofd niet tegenhouden, kon de pijn van het verlies niet wegnemen, die ze zelfs in haar armen en benen en handen voelde. Josh vertrok en ze kon zichzelf er niet toe brengen op te staan, naar hem toe te lopen en afscheid van hem te nemen. Zwarte vlekken vermengden zich met de vervormde beelden in haar hoofd, en rondom haar begonnen de geluiden te vervagen. *Josh… niet Josh, God.*

Ze viel flauw en kon zichzelf niet overeind houden, ongeacht hoe graag ze in beweging wilde komen om de paar stappen te zetten vanwaar zij stond naar waar Josh was. Maar hij was hier helemaal niet, hij was in de hemel. Ze kreeg nauwelijks adem meer, kon haar ogen niet openen. Ze had zojuist gezien hoe twee mannen het lichaam van haar dode zoon uit zijn appartement reden en naar het busje van de lijkschouwer brachten. Nate hield haar vast, maar ze viel hoe langer hoe sneller en verloor alle controle. Het laatste wat ze zich herinnerde, was de afschuwelijke waarheid dat Josh dood was, en de zekerheid dat zij de volgende zou zijn. Ze had gelijk gehad op die dag dat Nate haar het artikel over dat gezin op Pikes Peak had voorgelezen. Dit was een pijn die ze nooit en te nimmer zou kunnen dragen.

Zelfs niet als God zelf haar steunde.

11

Thomas Flynn hing op, duwde zijn stoel weg van zijn maho-
niehouten bureau en liep langzaam naar het enorme raam van
zijn kantoor op de tweeëndertigste verdieping van het Mark-
ham Professional Building. Hij keek uit over het centrum van
Denver en liet de zinloosheid van de situatie op zich inwerken.
Josh Warren was dood.

Hij kreeg de boodschap die ochtend, toen hij op kantoor
kwam. Een dringend telefoontje van de moeder van Josh, Annie Warren. Thomas wist nog voordat hij het telefoontje beantwoordde dat er iets vreselijk mis was. Josh was niet zichzelf
geweest tijdens het verhoor. Zijn huid was tot een ziekelijke
tint grijs verbleekt en hij stond te trillen van de pijn. Op dat
moment had Thomas nog gedacht dat de verschijning van zijn
cliënt zijn zaak alleen maar goed zou doen. Iedereen in de
rechtszaal kon zien hoeveel schade het ongeluk had veroorzaakt, want hij droeg de tekenen ervan als een tweede huid die
strak om zijn lichaam was getrokken, zonder de mogelijkheid
die ooit kwijt te raken.

Hij had Josh de waarheid verteld – ze waren dicht bij een
schaderegeling. Een maand, misschien twee. Drie op zijn hoogst.
De rechter was de advocaten van de verdediging beu, een trio
overbetaalde maatpakken dat er een sport van maakte om de
verzekeringsmaatschappij dikke rekeningen te sturen.

Er waren verzoeken om uitstel gekomen vanwege agenda-
conflicten, vergaderingen van de verzekeringsmaatschappij en
de onmogelijkheid voor de advocaten om degelijk bewijsmateriaal te verzamelen. En bij het opduiken van de minste of

geringste nieuwe details in de zaak – meestal tijdens de onder-vragingen van Josh – volgden er nieuwe verzoeken om uit-stel. Dat was bijvoorbeeld gebeurd nadat bleek dat de arts Josh gevraagd had gewicht te verliezen voordat hij een rugoperatie kon uitvoeren. Een dergelijk klein detail liet de verdediging in haarkloverijen vervallen die maar liefst vier weken duurden.

De rechter wist hoe het spelletje werd gespeeld. Weiger een verzoek om uitstel en de zaak kon in beroep worden gebracht. En dus had hij geduld gehad, en had hij de verlenging zoveel mogelijk beperkt. Wanneer de defensie om zes weken vroeg voor onderzoek van een of ander nieuw detail, ter voorberei-ding van hun reactie, gaf de rechter hun over het algemeen drie weken.

Maar het spel liep ten einde en alle betrokkenen voelden het aankomen. Thomas had voldoende van deze zaken mee-gemaakt om de tekens te kunnen herkennen. De verdediging had al toegegeven dat hun cliënt, de verzekeringsmaatschappij, aansprakelijk gesteld kon worden. Deze erkenning betekende dat de rechter over de hoogte van de schadeloosstelling zou beslissen, wat voor de verdediging aanzienlijk gunstiger was dan het alternatief. Geen enkele verzekeringsmaatschappij met veel geld wilde een proces met een jury. Zeker niet wanneer de verzekerde een dronken chauffeur was die een man had aangereden die zich op dat moment als een ware held gedroeg.

De bepaling dat er geen jury aan te pas kwam, was in theorie bedoeld om het proces eenvoudiger te maken. Dat was de re-den dat de verdediging een proces niet ongelimiteerd kon laten voortslepen zonder er een schertsvertoning van te maken die de rechter in het verkeerde keelgat schoot. En de verdediging wilde zeker geen kwade rechter tegen zich hebben wanneer het erop aankwam de hoogte van de schadevergoeding te bepalen.

Niettemin had Thomas deze maandagochtend verwacht weer een kopie van een verzoek om uitstel op zijn bureau te vinden. Josh had tenslotte tijdens het verhoor op vrijdag een tamelijk dramatisch aspect onthuld: hij had een erfgename, een dochter.

Hij tilde zijn rechterarm boven zijn hoofd en legde hem tegen het koele glas van het raam. Annie Warren wist niet hoe haar zoon was gestorven, alleen dat hij vrijdag was gaan slapen en nooit meer wakker was geworden. Sommige collega's konden dit soort nieuws over hun cliënten horen en tien minuten later staan lachen in de kantine met een kop koffie en een donut in de hand.

Thomas niet.

Josh was belangrijk voor hem, net als elke cliënt die hij ooit vertegenwoordigde. Hij deed letselschadezaken omdat hij er plezier in had stereotypen te doorbreken. Niet alle advocaten in deze branche joegen achter elke ambulance aan. Sommige, zoals hij, namen cliënten die werkelijk schade opliepen door de misdragingen van anderen. Thomas zag zichzelf graag als een soort moderne Robin Hood die geld van de rijken en schuldigen haalde om het te verdelen onder de armen en de gekwetsten.

Maar voor Josh zou dat nooit meer gebeuren, en Thomas vroeg zijn secretaresse om alle telefoontjes tegen te houden. Hij zou een dag nodig hebben om weer op adem te komen en uit te maken wat de volgende stap zou worden in de zaak van Josh. Hij kneep zijn ogen half dicht tegen het felle licht van de late septemberochtend. Als hij geweten had dat het zo slecht ging met Josh, zou hij hem naar huis hebben gebracht, of naar een ziekenhuis.

Wat was er met hem gebeurd? Josh was afgevallen en mentaal gezien leek hij de ondervragingen beter aan te kunnen dan bij eerdere tochten naar Denver. Hoe kon hij in zijn slaap overlijden? Thomas draaide zich om en leunde tegen de vensterbank. Zijn ogen vielen op een kleine plaquette die op zijn bureau stond. Het was een geschenk van zijn vrouw, die een van zijn favoriete Bijbelverzen had laten ingraveren.

En wij weten dat voor wie God liefhebben, voor wie volgens zijn voornemen geroepen zijn, alles bijdraagt aan het goede. Romeinen 8:28

Hij las de woorden drie keer, maar was er nog niet zeker van. Droeg alles bij aan het goede? Hij had God zijn hele leven liefgehad, en Josh was de laatste paar maanden sterker geworden in het geloof. Maar hoe kon zijn dood ten goede werken voor iemand? Bijvoorbeeld voor de ouders van Josh? Thomas zuchtte en zijn schouders zakten iets.

Hij keerde terug naar zijn bureau en keek naar de documenten die voor hem uitgespreid lagen. De verklaring die Josh tijdens het verhoor op vrijdag had afgelegd. De bladzijde die hem in het licht van het nieuws dwars zat, zat achteraan in het pakket. Het was het moment waarop Josh werd gevraagd of hij een erfgenaam had. De vraag was voor Thomas natuurlijk niet als een verrassing gekomen. Hij had zijn cliënt erop voorbereid dat het onderwerp zeker aan de orde zou komen, zoals altijd in zaken omtrent schadevergoedingen.

'Je kent het meisje niet en je kunt er niet zeker van zijn dat ze jouw dochter is,' had Thomas Josh keer op keer gezegd als het onderwerp aan de orde kwam. 'Als ze vragen of je een erfgenaam hebt, stel ik je voor de waarheid te zeggen – dat je, voor zover jou bekend, geen erfgenaam hebt.'

'Maar dat is de waarheid niet.' Josh was altijd oprecht verbijsterd over deze aanbeveling. 'Ik heb *wel* een dochter, en ze woont hoogstwaarschijnlijk ergens in New York City.'

'Dat je met een vrouw geslapen hebt die later een kind kreeg, betekent nog niet dat het jouw kind is.' Thomas wilde nooit wreed klinken, alleen feitelijk. 'De vrouw was onbetrouwbaar. Ze was getrouwd en ze was uit op een affaire. Maar omdat er nu een kind bij betrokken is, is het een emotionele aangelegenheid geworden voor jou. Zet je gevoelens opzij en bekijk de situatie zoals die reëel gezien is.'

Waar Thomas zich zorgen over maakte, en dat had hij ook aan Josh uitgelegd, waren zijn ouders. Josh was hun iets meer dan vijfentwintigduizend dollar schuldig en sinds het ongeluk hadden ze de verantwoordelijkheid voor hem genomen. Soms brachten ze hem naar afspraken als hij te veel pijn had om zelf te rijden; ze overlegden na hoorzittingen met Thomas over de beslissing van de rechter omtrent een of ander verzoek van de verdediging en ze waren de enige emotionele ondersteuning die zijn cliënt had.

Als Josh door een vreselijke samenloop van omstandigheden zou komen te overlijden voordat de schadevergoeding was toegekend, verdienden zijn ouders het geld te ontvangen. Dat had Thomas met zoveel woorden zelfs tegen Josh gezegd, maar hij bleef bij zijn standpunt. 'Als een van hun advocaten mij in de getuigenbank vraagt of ik een dochter heb, zeg ik hem wat Maria Cameron tegen mij heeft gezegd. Savannah is van mij. Dat geloof ik, en dat is dus de enige waarheid die ik kan verklaren.'

Thomas las dat deel van Josh' verklaring nog eens door en voelde hoofdpijn bij zijn slapen opkomen. Hij had geen andere keus dan de vrouw op te zoeken en haar in te lichten over de dood van Josh en de schadevergoeding die toegekend zou worden. Als de zoektocht slaagde en als Savannah inderdaad het kind van Josh was, dan zouden zijn ouders alles terugkrijgen wat hij hun verschuldigd was, maar geen cent meer. De rest van wat een schadevergoeding van twee miljoen zou kunnen zijn, zou naar Savannah gaan, en dus in realiteit naar haar moeder.

Thomas haalde zich zijn cliënt voor de geest, de oprechtheid in zijn ogen. De vriendelijke, trouwe Josh. Voor hem had het antwoord ten gunste van Savannah niets te maken met het verlies van de schadevergoeding aan de moeder van het kind.

Zijn getuigenis was eerder een publieke bevestiging van zijn liefde voor het kind, van zijn vastbeslotenheid om haar op een dag te vinden en de gedeelde voogdij over haar te verkrijgen. In zijn visie was hij Savannahs vader. Punt uit. Hij zou alles voor haar doen.

Maar hoe zat het met Annie en Nate Warren?

Thomas kreeg het warm van de wending die de zaak zou kunnen nemen. Hij wilde de waarheid achterhalen en keek nogmaals hoofdschuddend naar de verklaring van Josh. De kans dat hij de vader van het meisje was, moest wel klein zijn. Een vrouw als Maria Cameron kon die week wel met tien mannen geslapen hebben, en met haar echtgenoot. Ze wilde geld, niets meer. Daarom had ze Josh opgebeld voor ondersteuning van het kind toen de baby een paar maanden oud was. Maar ze had het te gemakkelijk opgegeven naar Thomas' mening. Als Josh echt de vader was van het meisje, zou Maria op zijn minst één keer per jaar hebben gecontroleerd of hij al in een betere financiële situatie was terechtgekomen.

De advocaat draaide zijn stoel om naar zijn computer. De ouders van Josh wisten nog niets van deze wending in de zaak, maar uiteindelijk zou hij het hun moeten vertellen, zeker wanneer de vermoedens van hun zoon op een of andere manier toch waar bleken te zijn. Hij dacht aan wat Josh hem over zijn ouders en hun mening over Maria Cameron had verteld. 'Zij geloven niet dat ik Savannahs vader ben.' De teleurstelling had in elk woord doorgeklonken. 'Zij willen het liefst vergeten dat ik ooit in Las Vegas ben geweest.'

Thomas deelde dat gevoel. Hij logde in bij de onlineservice die toegang bood tot informatie om een bepaalde personen te lokaliseren. Zijn advocatenkantoor had een abonnement op de dienst. Hij typte de naam Maria Cameron in het zoekveld en vulde voor de stad en de staat respectievelijk New York en NY in. Binnen een fractie van een seconde werden zes vrouwen met die naam gevonden. Degene die hem interesseerde, was een vrouw met een strafblad, en enkele jaren ouder dan Josh.

Hij dubbelklikte op de naam en er verscheen een zee aan gegevens. Langzaam liep Thomas de lijst door. De foto was gemaakt tijdens een arrestatieronde wegens prostitutie en liet een vrouw zien die ooit misschien aantrekkelijk was geweest. Haar rossigblonde haar was te vaak geblondeerd, ze had uitstekende jukbeenderen en ingevallen ogen.

Volgens het dossier was ze de afgelopen jaren zes keer gearresteerd wegens aanklachten die varieerden van drugs tot het uitschrijven van valse cheques en prostitutie. Hij haalde het meest recente proces-verbaal tevoorschijn, van meer dan een jaar geleden. Onderaan stonden de details over de arrestatie van de vrouw.

De verdachte is een blanke vrouw van achtendertig jaar. Ze werd gearresteerd op verdenking van het aanbieden van seks tegen betaling. Op het moment van haar arrestatie bleek zij in gezelschap van een minderjarig kind te zijn, een zes jaar oude dochter. De verdachte werd meegenomen naar het bureau, geregistreerd en haar vingerafdrukken werden genomen. Ze bracht de nacht in hechtenis door, in afwachting van de formele aanklacht. Het minderjarige kind werd overgedragen aan de huisgenoot van verdachte, Freddy B. Johnson.

Onderaan het document was het adres van Johnson opgegeven, met een telefoonnummer – het enige telefoonnummer dat de verdachte opgaf, volgens de volgende paragraaf, opgetekend door de agent die de arrestatie verrichtte. Thomas noteerde het nummer en liep snel de andere vijf vrouwen met dezelfde naam Maria Cameron na. Ze waren allemaal getrouwd en hadden geen van allen een strafblad. Thomas had sterk het gevoel dat hij de juiste persoon met zijn eerste ingeving had gevonden.

Alles in hem schreeuwde erom dat hij het papiertje met het nummer van Freddy Johnson zou verscheuren en zou uitleggen dat hij tevergeefs geprobeerd had de zogenaamde erfgenaam van Josh Warren te vinden. Zijn hele leven had God echter zijn besluiten gestuurd, en dat was vooral het geval in zijn rechtspraktijk. Josh beweerde een erfgenaam te hebben, en het was de verantwoordelijkheid van Thomas en zijn staf om die bewering te controleren, ongeacht de uitkomst. Zelfs als het nieuws verpletterend zou zijn voor de ouders van zijn cliënt.

Hij pakte de hoorn van zijn telefoon, koos het nummer en leunde op zijn ellebogen. Na vier keer te zijn overgegaan, schakelde het toestel door naar een antwoordapparaat. 'Spreek een boodschap in na de pieptoon,' was het enige wat de ruwe stem zei. Het piepje kwam snel en Thomas aarzelde. 'Eh… dit is Thomas Flynn, de advocaat van Josh Warren. Ik ben op zoek naar ene Maria Cameron. Zij moet mij terugbellen. Haar dochter is wellicht de enige erfgenaam van een schadevergoeding die voortvloeit uit een lopende rechtszaak.' Hij sprak het nummer van zijn kantoor en van zijn mobiele telefoon in en verbrak de verbinding. Hij had gedaan wat hij moest doen.

Nu kon hij alleen nog maar bidden dat alles wat hierna zou gaan gebeuren in lijn zou zijn met het Bijbelcitaat op zijn bureau, dat alles zou bijdragen aan het goede voor wie God liefhebben.

Vooral voor de door rouw verpletterde ouders van Josh Warren.

12

Het was een perfecte dag voor een bruiloft, een prachtige zaterdag in de herfst, met een koele blauwe lucht vol zonneschijn, omlijst door groene bladeren met de eerste oranje en gele randen. Dat was het enige wat Annie kon bedenken toen ze haar jurk aantrok en een tweede laagje mascara aanbracht. Dergelijke gedachten hielpen haar haar verstand te bewaren, overeind te blijven en de dag door te komen zonder in te storten om nooit meer op te staan.

Ze duwde een paar losse haarlokken op hun plek en keek door het badkamerraam naar de blauwe lucht ver daarachter. Toen Josh en Becky nog verkering hadden, fantaseerden ze soms over een bruiloft in de vroege herfst. Annie hoorde nog de klank van Josh' stem en zag de sprankeling in zijn ogen als Becky in de buurt was.

'Oktober,' zeiden ze altijd. 'Dat is de perfecte tijd voor een bruiloft.'

Annie was het daarmee eens. De droge hitte was dan voorbij en het duurde nog een maand voordat de sneeuw zou komen. De vakantieverblijven en cruises waren voordelig in oktober en de stranden waren warm en leeg, omdat alle schoolkinderen weer in de klas zaten. Annie spoot wat haarlak op haar lange pony. Becky Wheaton was de vorige dag aangekomen, nog steeds alleen en mooi. Ze verbleef in hun gastenkamer beneden. Uit Maine, San Diego en Atlanta was familie komen overvliegen en iedereen zou elkaar over een uur bij de kerk ontmoeten. Maar dit was niet de bruiloft waarnaar Josh had uitgekeken.

Het was zijn begrafenis.

Annie had de afgelopen week uitsluitend op Gods kracht overleefd, daar twijfelde ze niet aan. Maar ze deed haar best door bezig te blijven. Josh was haar kind, haar enige zoon. Ze nam geen afscheid van hem zonder een film van zijn leven te maken en een gedrukte liturgie die mensen als herinnering konden meenemen. De liturgie was het eerste klaar en Annie had de exemplaren dinsdag geprint. De film nam langer in beslag.

Annie bewerkte korte videoclips van Josh' leven, zette er foto's en teksten tussen en monteerde alles op haar computer tot ze een naadloos verslag van bijna een uur lang had. Daarna voegde ze muziek toe waar dat toepasselijk was – nummers die te maken hadden met de tijdelijkheid van het bestaan en het verdriet van het afscheid nemen.

Laat op de vorige avond hadden Annie en Nate de film met betraande ogen bekeken en Annie moest denken aan Babette en al die anderen die de euvele moed hadden op Josh neer te kijken. Hoe de situatie op het tijdstip van zijn dood ook was, de film had voldoende hoogtepunten om een aangrijpend en indrukwekkend beeld van Josh' leven te geven. De prijzen die hij op de basisschool won voor sportwedstrijden, zijn medailles als Boy Scout, zijn optreden als ceremoniemeester op het eindexamenfeest.

De ene herinnering na de andere vertelde het verhaal dat andere mensen misschien waren vergeten: dat Josh succesvol was geweest. Het maakte niet uit dat er maar een paar foto's en geen video's waren van de tijd nadat hij als chauffeur op de sleepwagen ging werken. Dit was hoe Annie zich hem wilde herinneren en hoe ze hoopte dat iedereen zich hem vandaag op de begrafenis herinnerde. Zoals hij was voordat hij het zicht op zijn dromen verloor.

Nate zocht haar op in de badkamer, waar ze nog steeds met haar kapsel in de weer was. 'Ben je zover?'

Ze wierp een laatste blik in de spiegel. Voelde ze zich ook niet zo toen Lindsay ging trouwen, met iedereen in de stad voor de gelegenheid en de haast om op tijd klaar te zijn voor de ontmoeting in de kerk? Ze slikte haar tranen weg. 'Ik wil dit niet.'

'Ik ook niet.' Hij sloeg zijn armen om haar heen. 'Ik kan niet geloven dat hij er niet meer is.'

Het was wat ze elkaar de hele week hadden gezegd, zelfs tijdens hun gesprekken met de begrafenisondernemer, bij het uitzoeken van de kist en bij het plannen van de begrafenis van Josh op een begraafplaats aan de voet van zijn favoriete berg. Hoe kon het dat hij er niet meer was? In welke bizarre reeks van gebeurtenissen waren ze verzeild geraakt, en waarom voelde het nog steeds alsof hij zomaar zou kunnen opbellen en zijn stem laten horen of op de deur zou kunnen kloppen om zijn familie te bezoeken?

Naar de auto lopen, naar de kerk rijden – het gebeurde allemaal als in een waas. De dienst zou om elf uur beginnen en Annie keek een paar minuten voor die tijd om zich heen. De teleurstelling sneed door haar ziel. De kerk was nauwelijks voor een kwart gevuld, met vijfenveertig, hooguit vijftig mensen. De groep bestond uit familie en een paar vrienden: Becky, Keith en zijn vrouw en een paar mensen die Annie vaag herkende van die afschuwelijke minuten op de parkeerplaats bij Josh, een week eerder. Twee anderen tekenden het gastenboek achter in de kerk.

Keith was een van de dragers, samen met Nate en twee neven van Annie uit Maine. Weer was er die haast beangstigende gelijkenis. De bloemen voor in de kerk, de kaarsen, het gastenboek. De donkere pakken van de dragers en de bloemen in de knoopsgaten van de jacquetten. Het was het feest dat Josh ooit nog eens hoopte te vieren, met alles erop en eraan, behalve de bruid en bruidegom.

Annie keek weer over haar schouder. Er hadden meer mensen moeten zijn, meer levens die aangeraakt waren door haar enige zoon. Waar waren de mensen die zij ontvingen? De mensen wier kinderen bij Josh op school hadden gezeten? Waren ze te druk om te komen of had de tijd een te diepe kloof tussen hun levens en dat van Josh geslagen?

De tranen brandden in haar ogen en ze boog zich naar Nate toe. *Ik hield van je, zoon. Je vader en ik hielden van je. Lindsay ook. Dat is het enige wat ertoe doet. En God, U hield ook van hem, nietwaar?* Annie onderdrukte een opkomende golf van paniek, want stel je voor dat Josh niet van God hield. Hij had Hem als kind liefgehad en zelfs als middelbare scholier. Maar hoe zat het de laatste tijd? Annie was er niet zeker van.

Ze verdrong het beeld van Josh die niet meer in de kerk kwam en de laatste jaren afstand van God leek te nemen. Dat was niet de Josh die zij zich herinnerde en zij wilde met alle vezels van haar wezen geloven dat het niet de Josh was die God zich herinnerde. *Alstublieft, God, herinnert U zich hem zoals hij was. Niemand kan Uw volk uit Uw hand roven, nietwaar? Laat dat alstublieft waar zijn voor Josh.*

Haar ogen dwaalden naar de kist voor in de kerk die overdekt was met rode anjers. Daarnaast, op een ezel, stond de ingelijste foto van Josh in sportbroek en wit T-shirt, een foto gemaakt door Lindsay toen ze samen de lagere hellingen van Pikes Peak beklommen, een jaar voor het ongeluk.

Het zachte gesnik was afkomstig van Lindsay die links van Annie zat. Haar hoofd lag op de schouder van haar man en naast hem zaten Ben in Bella stilletjes met neergeslagen ogen te wachten. Lindsay had de afgelopen week een paar keer geprobeerd met haar te praten, iets over een muziekvideo en Wynonna Judd, maar de vele telefoontjes, het monteren van de film en de bespreking van de details van de dienst hadden hun gesprek steeds weer onderbroken.

Annie nam zich voor later naar de details te vragen. Op dit moment kon ze alleen maar naar haar dochter kijken. Haar broer was haar hele leven haar beste vriend geweest. Ze zou nooit meer dezelfde zijn zonder hem.

Het orgel begon te spelen en zette een lied in over Gods grote getrouwheid. Annie probeerde het te geloven, met alles wat in haar was. Maar het enige wat ze kon denken was: als God getrouw is en er geen verandering bij Hem is, hoe komt het dan dat Josh in die houten kist ligt en niet in de kerkbank zit bij de rest van zijn familie?

Ze sloot haar ogen en probeerde zich de nieuwe zegeningen van elke ochtend voor te stellen, terwijl ze elke dag van de rest van haar leven wakker zou worden met dezelfde gedachte: haar enige zoon was dood. *God, ik kan dit niet. Ik kan niet zonder hem leven. Alstublieft, laat me naar huis gaan zodat ik hem nog één keer kan omhelzen.*

De dienst was snel voorbij. Een dominee van het studenten-pastoraat hield een korte preek, aangezien hij de laatste persoon was met wie Josh ooit contact had bij de kerk, toen het er nog op leek dat hij zijn studie zou afmaken en leraar zou worden, in het voetspoor van zijn vader.

'Het is nooit makkelijk als iemand ons in de bloeitijd van het leven ontvalt,' zei de voorganger. 'In dergelijke tijden moeten we meer dan ooit op God steunen.'

Annie kroop dichter tegen Nate aan. Ze wist de naam van de voorganger niet meer. Aaron of Andy. Ze sloeg de liturgie open en nam de lijst met namen voorin door. Daar stond het, naast de namen van de dragers: dominee Allen Reynolds. Natuurlijk. Dominee Allen had Josh in de herfst na de middelbare school een paar keer opgezocht. Hij had geprobeerd hem ervan te overtuigen dat hij de universiteit een kans moest geven en meer betrokken moest raken bij de studentengemeenschap. Maar de twee jaar dat Josh op een universiteit rondliep, had hij weinig adviezen van dominee Allen opgevolgd.

'Gods wegen zijn niet de onze.' De voorganger aarzelde terwijl hij de aanwezigen in ogenschouw nam. 'Als dat wel zo was, wat voor soort God zouden we dan dienen?'

Annie knipperde met haar ogen en twee tranen liepen over haar wangen. *Goede vraag*, hield ze zichzelf voor. *Wat voor God zou mijn enige zoon wegnemen voordat zijn leven zelfs maar een kans had om te beginnen?* En waarom was het met Becky verkeerd gelopen? Het meisje was de hele middelbare school lang verliefd geweest op Josh en de twee droomden ervan om samen te gaan studeren. Waarom was dat niet gebeurd? Hoe kwam het dat die plannen, net als zoveel andere dingen in Josh' leven, in duigen waren gevallen?

Een van haar broers las een Bijbelgedeelte uit 1 Korintiërs, maar Annie luisterde niet echt. Ze keek alleen maar naar de kist en bedacht dat haar jongste daarin opgesloten zat. De pasgeborene die ze achtentwintig jaar eerder in het ziekenhuis in haar armen had gehouden, de jongen die met drie maanden naar haar lachte en haar hart veroverde. De peuter die in zijn vaders schoenen door de kamer sjouwde en een kikker voor haar verjaardag had gevangen toen hij vier jaar oud was.

Het kind dat ze zo had liefgehad, voor wie ze een schitterende toekomst had gedroomd, lag in de kist en zou er nooit meer uitkomen. Haar lichaam maakte een plotselinge beweging om op te staan, naar voren te lopen en de afstand tussen haar en de houten kist weg te nemen. Ze kon hem misschien niet openmaken, maar ze kon op zijn minst haar hand op de kist leggen, zodat Josh zou weten dat ze dicht bij hem was. Maar op het moment dat haar benen zich spanden en ze probeerde op te staan, dwong ze zichzelf te blijven zitten. Dominee Allen praatte nog steeds. Mensen stonden niet op tijdens een begrafenisdienst, zelfs niet wanneer hun enige zoon tien meter verderop in een kist opgesloten was.

Na de Schriftlezing volgde er weer een lied. Tenslotte zei de voorganger dat de aanwezigen uitgenodigd werden de stoet naar de begraafplaats te volgen en vervolgens mee te gaan naar het huis van de Warrens. Zijn stem en de stemmen van de aanwezigen om haar heen bij het verlaten van de kerk klonken veraf en zacht, alsof iemand het volume van een paar geluidsvervormende luidsprekers lager had gezet.

Op een of andere manier vonden zij en Nate hun weg terug naar de auto. Lindsay omhelsde haar voordat ze instapte. 'Het is niet eerlijk.' Lindsay huilde nog steeds even intens als voordien. 'Ik mis hem zo verschrikkelijk.'

Annie hoorde de muziek die uit de kerk opklonk, weer over Gods getrouwheid. Ze verdrong het geluid en kuste haar dochter op haar wang. 'Ik mis hem ook.'

Nate omhelsde Lindsay. Daarna stapten ze in hun eigen auto's en stelden zich op achter de lijkwagen. Weer werd Annie overvallen door de vreemdste, verdrietigste gedachten. Sinds Josh was opgehouden met hardlopen in zijn eerste jaar op de middelbare school, was hij nooit meer ergens eerste in geweest. Bij alle wedstrijden, kansen of mogelijkheden was er altijd iemand die iets sneller, iets sterker of iets geschikter was. Maar hier niet. Hier was hij weer de eerste, voorop in de stoet, op weg door de stad naar de begraafplaats.

Toen ze daar aankwamen, sprak Nate een paar woorden voor de familieleden en vrienden die waren meegekomen. 'Wij rouwen om het verlies van ons jongste kind, onze zoon, Josh. Maar we weten dat we hem terug zullen zien in de hemel.' De oprechte uitdrukking op zijn gezicht werd onderstreept door de toon van zijn stem. 'Dank u voor uw komst. We hopen u bij ons thuis te zien als de plechtigheid hier beëindigd is.'

Er werd weinig gepraat terwijl de mensen in stilte de laatste eer betuigden en terugliepen naar hun auto's die langs de weg stonden die midden over de begraafplaats liep. Becky vertrok als een van de laatsten. Ze liep naar de kist en raakte het hout met haar vingers aan. Zo bleef ze lange tijd staan, haar ogen gesloten en haar wangen nat van tranen.

Misschien als jij bij hem was gebleven, dacht Annie. Maar ze kon haar niets verwijten, niet het meisje dat voor haar zoon de liefde van zijn leven was geweest. Ze voelde niets anders dan een immense oceaan van verlies en verdriet, want deze dag had zo heel anders kunnen zijn als zij bij elkaar waren gebleven.

Toen Becky naar hun huis was vertrokken, kreeg het moment iets onherroepelijks. Alleen zij waren er nog, Annie, Nate, Lindsay en haar gezin. Een voor een namen ze een paar ogenblikken de tijd naast de kist van Josh, totdat het Annies beurt was. Ze bewoog haar voeten nauwelijks door het pas gemaaide gras tot ze naast de kist stond. Daar werd ze door een plotselinge en ingrijpende gedachte overvallen. Josh had haar toen hij opgroeide heel vaak bloemen gegeven. Hij was snel met een omhelzing of een vriendelijk woord, maar vaak als hij zijn liefde wilde laten blijken, gaf hij haar bloemen. Ze zag hem nog door de deur naar binnen komen in de lente toen hij tien jaar was. Hij had een handvol paardenbloemen meegebracht. 'Hier, mama. Die heb ik voor jou geplukt.'

Zij wist nog hoe ze de bloemen aanpakte, eraan rook en naar hem glimlachte, terwijl ze dacht: *Ik hoop niet dat iemand hem ooit vertelt dat het onkruid is.*

Elk jaar kreeg ze bloemen voor haar verjaardag, en de laatste paar jaar op moederdag een wildboeket dat hij van een veld plukte, niet ver van zijn appartement. Ze keek naar het grote aantal rode anjers op zijn kist. Voorzichtig pakte ze er drie op en hield ze onder haar neus. Ze roken naar de late zomer en warme zonneschijn. Annie bedacht waar zij ze zou drogen en voor altijd bewaren.

Het waren de laatste bloemen die ze ooit van hem zou krijgen.

Niet meer dan twintig mensen kwamen naar de achtertuin voor de late lunch die Annie had voorbereid. De gesprekken werden gelardeerd met vrolijke verhalen over de kindertijd van Josh en weemoedige fantasieën over hoe het gelopen had kunnen zijn als hij het ongeluk niet had gehad. Becky bleef tot het einde. Ze zei niet veel en zonderde zich een beetje af. Voordat ze vertrok nam ze Annie terzijde, omhelsde haar en hield haar stevig vast. 'Ik ben altijd van hem blijven houden.' Ze fluisterde de woorden met een stem die dik was van emotie. Na nog een snelle omhelzing was ze verdwenen.

Het was Annie nog steeds niet duidelijk wat er was gebeurd waardoor Josh en Becky jaren eerder uit elkaar waren gegaan, maar dit was niet het moment om erover te praten. Bovendien was het nu toch te laat om er nog over na te denken. Josh had het leven met Becky misgelopen, evenals de schadevergoeding die hij zo verdiend had. Hij had ook geen vader mogen zijn om het leven te leiden waarvan hij droomde. Zijn hele leven leek één grote, gemiste kans.

Toen de laatste gast vertrok en Nate naar bed was gegaan, liep Annie de veranda aan de voorzijde op en keek door de toppen van de dennen naar de sterren. De begrafenisdienst van Josh was geweest als zijn leven – klein en weinig opmerkelijk. Het was maar beter dat Babette was weggebleven. De dienst zou haar weer een mogelijkheid aan de hand hebben gedaan om Josh met haar eigen zoon te vergelijken, waarbij Josh er bekaaid afkwam.

Een briesje streek langs Annies voorhoofd en ze dacht aan nog een droevig detail. Ook de dochter over wie Josh altijd praatte, het meisje van wie hij zeker wist dat het van hem was, had zijn begrafenis niet bijgewoond. Zij was zijn dochter niet, absoluut niet. Maar toch deed iets diep van binnen pijn bij haar. Het meisje aan wie hij dacht, voor wie hij bad en naar wie hij verlangde, wist niet dat hij gestorven was. Maar er was iets dat nog triester was dan dat: bij wie ze ook behoorde, het meisje had niet alleen Josh' dood gemist.

Zij had zijn leven gemist.

13

Freddy had het bericht voor haar bewaard en zondagochtend had Maria het vier keer afgeluisterd. Elke keer vormden de woorden van de advocaat een groter reservoir van hoop en mogelijkheden. Een schadevergoeding? Van een bekende advocaat? Misschien had ze toch de juiste vent opgepikt in die nacht in Las Vegas. Josh was de laatste keer dat ze met elkaar hadden gesproken niets waard geweest, maar hij moest op een of andere manier aan een fortuin zijn geraakt, want nu stond er een schadevergoeding op het spel.

Haar Savannah was de enige erfgenaam van de man. Dat was wat je noemde een gelukstreffer.

Als ze aan de mogelijkheden dacht die zich plotseling aandienden, werd ze duizelig. Ze liet Savannah haar beste spijkerbroek en T-shirt aantrekken, het shirt met de bloemen erop, en nam haar mee in de metro naar Central Park. Maar deze keer was ze niet van plan om geld te bedelen bij mensen. Vandaag was de omkering waar zij op had gewacht. Ze zouden door het park wandelen en over moeder-dochterzaken praten, zoals ze altijd hadden moeten doen. En zij zou dromen van alle manieren waarop ze het geld kon uitgeven.

De timing was vreemd. Ze had op vrijdagavond opgebeld naar de kinderbescherming en gevraagd of het mogelijk was een kind af te staan als je het niet langer kon opvoeden. Ze had haar naam niet genoemd, maar de vrouw met wie ze gepraat had, zei dat het zeer zeker mogelijk was. Eerst zouden ze de ouders een cursus over opvoeden geven en dan was het nodig dat de ouder een aantal therapeutische sessies zou doen en bla-

bla-bla. Maar waar het op neer kwam, was dat de kinderbescherming haar zou opnemen. Maria dacht er serieus over na
om Savannah die week voorgoed af te staan.

Freddy wilde niet meer met haar slapen en er deden zich
mogelijkheden voor in het financiële district. Kerels met veel
geld en niemand om het aan uit te geven. Ze zag zichzelf al in
een penthouse als de maîtresse van een bankmanager of een
beursspeculant. Maar niet met Savannah op sleeptouw, absoluut
niet.

Ze had Savannah zelf op vrijdag over haar plannen verteld.
'Mijn dagen als mama van jou zouden wel eens voorbij kunnen
zijn.' Ze had heel lief gepraat en had Savannah haar vriendelijk-
ste glimlach getoond. 'Ik hou te veel van je om je nog langer
op deze manier te laten leven. En bovendien liggen er een paar
grote mogelijkheden voor je moeder in het verschiet.' Maria
had bijna een hele fles van Freddy's Franse wijn op, en waarschijnlijk had ze meer gezegd dan ze gewild had. 'Dat begrijp
je toch wel?'

Savannah schudde haar hoofd. 'Nee, mama. Ik wil niet bij
jou weg.'

Maar het meisje moest begrijpen dat haar leven zou gaan
veranderen. 'Maak je geen zorgen, Savannah. Er is daar iemand
die jou veel liever wil hebben dan ik. Iemand die beter voor
je is.'

'Mijn papa, bedoel je?'

Maria had alleen gelachen. 'Ja, natuurlijk, meisje. Misschien
is het jouw papa.' Het maakte niet uit wie Savannah opnam,
als Maria eindelijk maar van haar verlost was. Zo dacht ze er
althans vrijdag en zaterdag over. Maar dat veranderde allemaal
op het moment dat Maria naar de boodschap van de advocaat
luisterde.

'Vandaag is een feestdag,' zei ze tegen Savannah toen ze uit
de metro stapten. Ze gaf haar dochter een hand en besefte hoe

fijn het was om op deze manier contact met haar te hebben. 'Mama's schip is eindelijk binnen.'

'Welk schip?' Savannah was in de war en wist niet wat haar moeders nieuwe houding te betekenen had.

'Het schip met geld.'

'Ligt dat in de haven?'

'Nee.' Maria lachte en voelde zich voor het eerst net als andere moeders, de vrouwen die ze bij de dierentuin, de speeltuin en de fontein zag. De vrouwen die altijd met hun dochters wandelden, praatten en lachten. Ze glimlachte naar Savannah. 'Dit schip was vroeger van je papa, maar nu – nu is het van mij.'

'Van jou?'

Maria maakte zich plotseling zorgen over dat antwoord. Stel dat de advocaat met Savannah zou gaan praten en hoorde dat Maria dacht dat het geld van haar zelf was? Ze schraapte haar keel en ging langzamer lopen. 'Eigenlijk is dat schip van – van ons beiden.' Ze glimlachte weer. 'Is dat niet fantastisch?'

Savannah haalde een schouder op, maar haar ogen keken gelukkiger dan ze in lange tijd hadden gedaan. Maria had het wel uit willen zingen. Ze had nog steeds een beetje geld uit de tijd met de rijke kerel in Central Park, die vent met zijn gouden kettingen. Bij het hotdogkraampje haalde ze een tiendollarbiljet uit haar zak en kocht hotdogs en popcorn voor hen beiden. Samen gingen ze op de dichtstbijzijnde lege bank zitten.

Maria genoot van elke hap van haar maaltijd en ademde diep de lucht van verandering rondom haar in. Ze had uitgekeken naar het volgende hoofdstuk in haar leven, waarin ze haar rol als moeder zou neerleggen en door zou stoten naar de wereld van het grote geld. Maar ze zou aan dit leven kunnen wennen: gewoon moeder zijn zonder met iedereen te hoeven slapen om te kunnen overleven. Als de schadevergoeding hoog genoeg was, zou ze zich geen weg hoeven te banen naar de wereld van de rijkdom.

Ze stond op het punt om zelf rijk te worden.

Maandagochtend liep Maria te ijsberen en op haar horloge te kijken om de uren af te tellen totdat het eindelijk negen uur zou zijn in het westen. Om één minuut over negen belde ze naar Thomas Flynn, advocaat.

Het toestel werd onmiddellijk opgenomen. 'Flynn Advocaten, waarmee kan ik u van dienst zijn?'

Maria was ademloos. Ze rechtte haar rug en leunde tegen de keukenmuur in Freddy's appartement. 'U spreekt met Maria Cameron. Ik bel naar aanleiding van een telefoontje van Thomas Flynn.'

'Een ogenblik, alstublieft.'

Haar hart bonkte zo enorm dat ze hoopte dat die Flynn het niet aan de andere kant van de telefoonlijn zou horen. Savannah zat naar de televisie te kijken en Maria had het geluid zacht gezet, zodat ze elk detail kon horen van al het goeds dat hun kant op zou komen.

Er klonk een klik op de lijn. 'U spreekt met Thomas Flynn.'

'Hallo.' Maria wist niet zeker hoe formeel ze moest praten. 'Meneer Flynn, mijn naam is Maria Cameron. U hebt vrijdag een boodschap voor mij achtergelaten.'

'Ja.' Er viel een korte pauze en er veranderde iets in de stem van de man. 'Ik heb gebeld over een cliënt van mij – Josh Warren. Zegt die naam u iets?'

'Ja, natuurlijk. We waren, nou ja, we waren heel goed bevriend.' Maria feliciteerde zichzelf in stilte met haar toneelspel. Bovendien, die paar dagen in Vegas waren zij en Josh inderdaad heel goed bevriend geweest. Ze zou bij hem zijn ingetrokken als hij eerlijk was geweest over zijn financiële situatie. Ze bracht meer bezorgdheid in haar stem. 'Is… is er iets met hem gebeurd?' Maria wist wat het antwoord zou zijn, anders zou er geen noodzaak zijn om te spreken over het feit dat Savannah zijn erfgename was.

'Ja.' De advocaat zuchtte, alsof het nieuws nog steeds moeilijk was voor hem. 'Meneer Warren is een week geleden overleden.'

Maria liet haar adem stokken. 'Dat is vreselijk. Was het een ongeluk?'

'We weten niet zeker wat er is gebeurd. Hij is in zijn slaap overleden.'

'Nee.' Ze stelde zich de sterke jongeman voor met wie ze ongeveer acht jaar eerder het bed had gedeeld. Zijn dood was inderdaad zonde. Als hij lang genoeg had geleefd om het geld te incasseren dat hem toekwam, zou hij een geweldige vangst zijn geweest. Haar stem werd zachter. 'Dat is afschuwelijk.'

'Ja, nou ja…' De advocaat klonk een beetje zorgelijk, en misschien een beetje wantrouwig. 'De reden dat ik u belde, mevrouw Cameron, is dat meneer Warren in de laatste fase van een grote rechtszaak verwikkeld was toen hij overleed.' Hij vroeg of Maria een dochter van zeven jaar had die Savannah heette en toen zij hem verzekerde dat dat het geval was, ging hij verder. 'Binnenkort zal er een aanzienlijke schadevergoeding worden toegevoegd aan de nalatenschap van de heer Warren, en, nou ja, hij vertelde de rechtbank dat uw dochter zijn enige erfgename was.'

'Dat is waar, althans voor zover ik weet.' Haar treurige toon verhulde de opwinding die in haar begon op te wellen. 'Neem me niet kwalijk dat ik het vraag, maar – hoeveel is die schadevergoeding?'

'Dat is nog niet vastgesteld.' Deze keer was de afkeer van Flynn jegens haar duidelijk te horen. 'Het punt is dat het ouderschap eerst vastgesteld dient te worden, voordat we uw dochter als de rechthebbende erfgenaam van de heer Warren kunnen beschouwen. Bent u bereid uw dochter aan een ouderschapstest te onderwerpen?'

Maria had vanaf het begin geweten dat Savannah van Josh

was. Haar man sliep in die tijd zelden met haar en Maria vermoedde dat hij onvruchtbaar was omdat hij haar nooit zwanger had gemaakt. Niet dat ze zo graag kinderen wilde. Ze wilde vooral de alimentatie, die was in elk geval beter dan een baan. Toen Savannah werd geboren, had ze Josh van het begin af aan in haar herkend. Het meisje had zijn ogen en vorm van gezicht, en na een paar maanden was ze er volkomen zeker van. Ongeacht wat mensen van haar dachten, in de periode waarin ze zwanger werd, had ze het bed met niet meer dan een paar mannen gedeeld, en Savannah leek meer op Josh dan op een van de anderen. Ze keek naar haar dochter, die in kleermakerszit naar de televisie zat te kijken. 'Ja, meneer, natuurlijk. Ik heb geen medische verzekering, maar als u het organiseert, breng ik haar waar u maar wilt voor een ouderschapstest.'

'Heel goed.' De man klonk vermoeid. 'Ik regel de details en bel u terug.'

'Dank u, meneer Flynn.' Ze klonk nog steeds als de treurige vriendin. 'Ik zal het nieuws aan Savannah vertellen.'

'Laten we daar nog mee wachten. Ik denk dat we eerst de testresultaten moeten kennen.'

'Goed.' Maria klonk gekwetst. 'Maar ik kan u verzekeren dat Savannah de dochter van Josh Warren is. Als u wilt dat we wachten op de test voordat we erover praten, is dat in orde wat mij betreft.'

'Dank u. Dat is het minste wat we kunnen doen, lijkt mij.'

Maria verbrak de verbinding en een moment lang voelde ze spijt om Josh. Hij was een aardige jongen geweest, een beetje aan de zware kant, maar knap. En in de paar dagen dat ze elkaar hadden gekend, was hij als een blok voor haar gevallen. Er was iets treurigs aan het feit dat hij dood was – vooral omdat hij echt Savannahs vader was. Maar aan de andere kant…

Voor het eerst van haar leven kwam er iets goeds op haar pad en ze zou niets doen om het in de war te sturen. Deze keer niet.

Zodra het resultaat van de ouderschapstest binnen was, zouden zij en Savannah het geld incasseren en het soort leven leiden waarvan Maria alleen had kunnen dromen. Ze moest glimlachen om de gedachte terwijl ze een zak macaroni en kaas uit Freddy's keukenkast pakte.

Arme Josh. Tot nu toe was hij net geweest als alle andere mannen. Maar als de ouderschapstest eenmaal binnen was, zouden zij en Savannah de buit binnenhalen. Dat betekende in zeker opzicht dat de dood van Josh niet tevergeefs was geweest.

Dat alles bij elkaar maakte dat Maria zich beter over zichzelf voelde dan ze lange tijd had gedaan.

Thomas had het gevoel dat hij moest douchen nadat hij maar vijf minuten met de vrouw had gepraat via de telefoon. Aan de toon van haar stem en haar haast om uit te vinden hoe hoog de schadevergoeding zou zijn, kon hij merken dat Maria Cameron precies was zoals hij zich haar had voorgesteld. Josh Warren kon haar niets schelen – behalve dan dat ze hem door een gunstige wending van het lot gestrikt had als de vader van haar kind. Als ze tenminste gelijk had en Josh inderdaad de vader van het meisje was.

De ouderschapstest zou de doorslaggevende factor zijn en die zou hij organiseren in een ziekenhuis in New York City. Zij had geen verzekering en dus zouden de kosten ten laste komen van Josh' nalatenschap. Hij zuchtte diep. De vrouw had zo zeker geklonken dat hij geen keus had: hij moest de ouders van Josh waarschuwen.

Hij koos het nummer van Annies mobiele telefoon en toen ze opnam, hoorde hij hetzelfde als alle vorige keren dat hij haar belde sinds de dood van Josh. De holheid van iemand met een gebroken hart, van iemand die nooit meer dezelfde zou zijn.

'Hallo, Thomas. Hoe gaat het met jou?'

'Dag Annie, met mij gaat het goed.' Hij wilde dat hij kon zeggen dat hij alleen maar even belde om te kijken hoe het met haar ging en dat hij geen nieuws had over de rechtszaak. Hij wilde dat hij haar wat dan ook kon vertellen behalve de waarheid. 'Er is, eh, er is nieuwe informatie naar voren gekomen in de rechtszaak.'

Ze lachte triest. 'Het is al drie jaar geleden. Hoe kan er nu nog iets nieuws naar voren komen?'

'Het is allemaal nog niet zeker, maar ik wilde je laten weten dat ik aan de zaak werk en dat ik een paar hobbels ben tegengekomen.' Zijn maag kromp ineen toen hij aan de alternatieven dacht. 'Als ik meer weet, bel ik je of kom ik je opzoeken.'

'Gaat het over de schadevergoeding?' Het woord 'schadevergoeding' klonk bitter.

'Nou…' Hij keek nog steeds uit het raam naar het centrum van Denver en vroeg zich af welk goed nieuws hij haar zou kunnen geven. 'Het gaat meer om Josh' nalatenschap, hoe de schadevergoeding zal worden uitbetaald.' Thomas vond het vreselijk om eromheen te draaien, maar hij had geen keus. Hij moest haar voorbereiden op de mogelijkheid van een probleem, maar hij kon haar nog niets vertellen, niet voordat het resultaat van de ouderschapstest bekend was.

'Zijn nalatenschap?' Annie was een intelligente vrouw. Haar stem vertelde hem al dat ze rekening hield met slecht nieuws, ook al had ze geen idee wat de details daarvan precies waren.

'Ja.' Thomas stond op en liep naar zijn raam. Hoeveel pijn kon de vrouw hebben? 'Ik vertel het je wanneer ik meer weet, Annie. Dat beloof ik.'

Het bleef even stil aan de andere kant van de lijn. 'Mag ik je iets zeggen?'

'Natuurlijk.'

'Mijn man en ik geven niets om het geld van Josh, niet zoals sommige mensen misschien om een grote schadevergoeding zouden geven.' Haar stem klonk gespannen, alsof ze op het punt stond in huilen uit te barsten. Ze sprak elk woord met grote nadruk uit. 'Maar mijn zoon verloor zijn leven door dat ongeluk, doordat die chauffeur zich laveloos dronk en achter het stuur ging zitten. Wat deze nieuwe informatie ook is en wat er ook met de nalatenschap van Josh gebeurt, wij vertrouwen erop dat jij, Thomas, ervoor zorgt dat er gerechtigheid geschiedt.' Ze zweeg even. 'Net zoals Josh jou vertrouwde.'

Haar woorden waren als even zovele gewichten op zijn schouders. 'Dat waardeer ik.' Hij probeerde zich voor te stellen hoe zij zich zou voelen als de ouderschapstest positief zou blijken, maar hij verdrong die mogelijkheid voorlopig. 'Elke dag vraag ik God om mij de wijsheid te geven om datgene te doen wat juist is met het oog op Josh' erfenis.'

'Dank je.' Ze snikte zacht. 'Nate en ik doen hetzelfde en bidden voor jou. Geen enkele schadevergoeding zal Josh terugbrengen, maar wij hebben ideeën over hoe het geld dat hem toekwam, besteed zou kunnen worden. De goede doelen en familieleden die met zijn nalatenschap geholpen kunnen worden. Een studiefonds voor de neef en nicht van Josh. Dat soort dingen.'

'Ik begrijp het.' Thomas slikte moeilijk. 'Goed. Zoals ik al zei, ik bel je wanneer ik meer weet.'

Na het gesprek liet Thomas de telefoon zakken. Hij kende Maria Cameron niet, maar hij kon zich haar voorstellen, een alleenstaande moeder die haar enig kind in New York City moest opvoeden. Wat voor getrouwde vrouw reisde er alleen naar Las Vegas om een man te versieren voor in bed? Dat had ze gedaan, zonder enige twijfel. Hij hief zijn ogen naar de wazige hemel. Hij had horen zeggen dat de zon altijd achter de wolken scheen, ook als de nevel boven de stad niet helemaal wegbrandde.

Deze dag had hij er zijn twijfels over.

God, U weet alles en ik geloof in U, ook wanneer het leven volstrekt niet te volgen is. Maar ik wil U zeggen dat ik hiermee worstel. Als de ouderschapstest positief is, verliest iedereen – zelfs het kleine meisje. Zij zal nooit een cent van al het geld zien als het in de handen van haar moeder komt. Hij had weer hoofdpijn en dwong zichzelf vertrouwen te hebben. *Als alle dingen inderdaad ten goede werken voor hen die van U houden, zorg dan alstublieft in deze situatie dat het juiste gebeurt voor de familie van Josh. Alstublieft.* Na het gebed voelde hij de onbetwistbare verzekering dat zijn gebed gehoord was – ongeacht wat er zou gaan gebeuren.

Voor dit moment moest dat genoeg zijn.

14

Onderweg naar het appartement van Josh kon Lindsay het ellendige gevoel dat haar had bevangen niet van zich af zetten. Sinds ze het nieuws over haar broer had gehoord, was het alsof ze in een roes leefde. Ze liep hele dagen in een soort trance, deed alles op de automatische piloot, ademde in en uit, maar zonder er zeker van te zijn of ze nog een dag kon overleven.

Haar man steunde haar geweldig. Hij zorgde voor de kinderen en gaf haar alle tijd om samen met haar ouders de begrafenis van Josh te regelen. Deze week was het tijd om naar de woning van haar broer te gaan en zijn spullen op te halen. Het was een bizar idee: het leven van haar broer werd gereduceerd tot een paar dozen met persoonlijke bezittingen.

Lindsay reed de parkeerplaats op en zette haar auto zo dicht mogelijk bij de voordeur van het appartement. Haar moeder had haar een van de sleutels gegeven en de verhuurder had haar de rest van de maand de tijd gegeven om Josh' spullen uit te zoeken. De huur was al betaald tot eind oktober. Lindsay had een spijkerbroek en sweatshirt aan en vanuit de laadbak van haar pick-up pakte ze dozen en een aantal zwarte vuilniszakken.

Ze had geen idee wat ze zou aantreffen, maar haar gevoel zei haar dat ze Josh de komende twee weken beter zouden leren kennen dan voorheen. Het voelde vreemd om naar zijn voordeur te lopen, alsof ze inbreuk maakte op zijn privacy. Ja, ze was hier eerder geweest, onlangs zelfs nog, maar om nu te komen zonder dat hij er was... de hele onderneming gaf haar een ongemakkelijk gevoel.

Eenmaal binnen werd ze overvallen door een golf van emoties. De geur van zijn aftershave hing nog in de kamer, en bij de voordeur stonden zijn nette schoenen, die hij waarschijnlijk droeg als hij naar Denver moest voor zijn verklaringen in de rechtbank. Ze kreeg de trieste drang om hem te roepen, voor het geval iedereen het mis zou hebben en hij nog gewoon hier zou zijn om de roes van zijn pijnstillers weg te slapen.

Lindsay had in het appartement afgesproken met haar moeder, en ze hoopte dat ze snel zou komen. Dit was geen karwei dat ze alleen wilde uitvoeren. Ze pakte de schoenen van haar broer op en veegde het dunne stoflaagje weg voordat ze ze weer neerzette. De keuken was keurig opgeruimd, zoals hij die had achtergelaten, en op de schoorsteenmantel stonden nog steeds de drie foto's – van zijn familie, van het kleine meisje dat al of niet zijn dochter zou kunnen zijn, en van de twee tienermeisjes. Ze voelde een loodzware last van pijn op haar schouders toen ze naar de derde foto liep. Ze had haar broer ernaar gevraagd toen ze hier de laatste keer was, maar hij had geen details prijsgegeven. Hij had gezegd dat de foto hem een reden gaf om te geloven dat er wel iets goeds kon voortkomen uit het rijden op een sleepwagen.

Lindsay had zichzelf voorgehouden dat ze later meer over dat verhaal te horen zou krijgen, als ze minder haast had. Maar nu zou dat gesprek nooit meer plaatsvinden. Ze greep de schoorsteenmantel vast en liet haar hoofd hangen. *God, ik wil graag weten waarom deze meisjes zoveel betekenen voor mijn broer. Help me alstublieft de reden te achterhalen.*

Op een of een andere manier zou ze het verhaal over de meisjes achterhalen, voelde ze. Ze liep door de kamer naar het computerbureau. Twee grote dossierkasten stonden rechts van de bureaustoel. Lindsay ging zitten en trok de bovenste lade open.

Eerst leken de dossiers weinig meer te bieden dan oude rekeningen van gas, water en licht en afschriften van de afbetaling op zijn auto. Lindsay haalde de map met Josh' bankafschriften uit de la en nam ze met een schuldig gevoel door. Ze had zijn cheque van zeshonderd dollar nog steeds niet geïnd. De cijfers verbijsterden haar, Josh leefde van bijna niets, gemiddeld soms van minder dan een paar honderd dollar per maand. Al die tijd had ze gedacht dat hij hetzelfde salaris kreeg van de sociale dienst, maar kennelijk niet. Het bedrag dat elke maand op zijn rekening werd gestort, was minder dan duizend dollar. Er stond nu net iets meer dan zevenhonderd dollar op zijn rekening – net genoeg om de cheque te dekken die hij voor haar had uitgeschreven.

Geen wonder dat hij nu en dan geld van haar ouders had geleend.

Ze stopte de bankafschriften terug in de dossiermap en zag achter in de lade een dikke envelop waarop maar één enkel woord stond: *Ongeluk*. Lindsay haalde de envelop uit de la en legde hem op haar schoot. Hier waren de details van de gebeurtenis die alles veranderde voor Josh. De gebeurtenis die hem het leven kostte. Haar ogen waren nat toen ze de envelop openmaakte.

Er zat een bundel brieven in die met paperclips bij elkaar werd gehouden. Waarschijnlijk de eerste correspondentie met Thomas Flynn, zijn advocaat. Verder waren er notities over hoorzittingen en details van zijn rechtszaak tegen de verzekeringsmaatschappij van de dronken chauffeur. Achterin de envelop waren nog een bundeltje brieven en een krantenartikel te vinden.

Voorzichtig haalde ze de brieven en het artikel uit de envelop. Ze bekeek de laatste pagina van een handgeschreven brief van drie kantjes die ene Karla Fields aan Josh had geschreven. Voordat ze ging lezen, bladerde Lindsay de volgende brief door, afkomstig van Bill Sedwick. Het krantenartikel zat achteraan in het bundeltje. Lindsay maakte het voorzichtig los en legde het bovenop.

Het was een geprint artikel van een online krant en Lindsay voelde haar hart sneller kloppen toen ze de foto's zag die bij het verhaal hoorden. Eén ervan was een portret van haar broer, waarschijnlijk van zijn werkpasje. Maar haar aandacht werd vooral getrokken door de andere foto waarop de persfotograaf kennelijk de plaats van het ongeluk van Josh had vastgelegd.

De gezichten waren dezelfde als op de foto op de schoorsteenmantel.

Lindsay fronste haar wenkbrauwen en las de kop boven het verhaal: *Sleepwagenchauffeur geëerd als held*. Haar handen begonnen te trillen. Held? Wat betekende dit en waarom hadden zij en haar ouders dit artikel nooit gezien? Ze begon te lezen.

De chauffeur van een sleepwagen trok zaterdagavond twee tienermeisjes voor de auto van een dronken chauffeur weg en liep hierdoor zelf zware verwondingen op, aldus de politie.

Josh Warren, 25, wees de meisjes de weg toen hij zag hoe de dronken chauffeur de controle over het stuur verloor en recht op de tieners afreed.

Het artikel noemde de dronken chauffeur bij zijn naam en vermeldde dat hij al drie keer eerder was veroordeeld voor het rijden onder invloed.

'Er is geen twijfel aan dat de snelle en moedige actie van de heer Warren de levens van die twee meisjes heeft gered,' verklaarde een politieagent ter plaatse. 'Josh Warren is in alle opzichten een held.'

De twee meisjes, Sarah Fields en Susan Sedwick, beiden zeventien, bleven ongedeerd, maar Warren kon een botsing met het voertuig niet voorkomen. Hij sloeg door de klap tegen de grond en liep zware verwondingen op aan zijn rug en nek. Hij ligt in kritieke toestand in het ziekenhuis.

Lindsay staarde naar de woorden en probeerde opnieuw te begrijpen waarom haar broer hun niets had verteld. Ze wisten dat hij door een dronken chauffeur was aangereden, maar niet dat hij twee meisjes had gered. Waarom had hij dat in vredesnaam niet verteld? Het verhaal had de krant van Springs niet gehaald, en dus konden ze dit niet weten als Josh het hun niet vertelde.

Lindsay las verder.

Getuigen ter plaatse verklaarden dat de chauffeur over zijn stuur hing toen zijn wagen van de weg raakte en Warren aanreed. De politie constateerde op de plaats van het ongeluk dat de chauffeur driemaal zoveel alcohol in zijn bloed had dan wettelijk is toegestaan. Er wordt een aanklacht tegen de chauffeur ingediend, die wellicht vijf jaar de gevangenis ingaat vanwege recidive na zijn vorige veroordelingen.

Lindsay knipperde met haar ogen en keek nog eens naar de foto's. Dat was dus de verklaring voor de foto op zijn schoorsteenmantel. Hij had zijn gezondheid, zijn mobiliteit, zijn werk en het vermogen om in zijn levensonderhoud te voorzien verloren, maar twee meisjes leefden nog en bleven ongedeerd dankzij zijn ingrijpen. De dronken chauffeur was tot vier jaar veroordeeld, maar Thomas Flynn dacht dat hij elk moment kon vrijkomen. Geen wonder dat de foto van de meisjes een houvast voor hem was. Lindsay kon zich voorstellen dat het plaatje Josh zelfs op de pijnlijkste dagen een reden gaf om trots te zijn op zichzelf en zijn daden.

De tranen liepen over haar wangen en druppelden op het artikel, dat ze snel op het computerbureau legde om het niet natter te laten worden. Dit was het eerste wat ze haar moeder zou laten zien. Ze pakte de brief van Karla Fields. Het was een lang en breedsprakig verhaal, maar Lindsay las elk woord.

Zij zou niet meer leven als u er niet was geweest, schreef de vrouw.

Ik bid dat God u rijk mag zegenen voor uw opoffering. Ik zal Hem elke dag blijven danken voor uw daad van dienstbaarheid.

De brief van de vader van het andere meisje was gelijk van toon. De man schreef ergens: *In onze cultuur van op zichzelf gerichte, egoïstische jonge mensen geeft u mij een reden om hoop te koesteren voor onze toekomst. Ik heb een foto van de meisjes bijgevoegd als aandenken aan wat uw heldhaftige daad voor ons allemaal betekent. Wij kunnen u nooit genoeg bedanken.*

Lindsay huilde onophoudelijk terwijl ze de twee brieven las, tot in het diepst van haar wezen geraakt, maar niet verbaasd dat haar broer iets dergelijks had gedaan. Had hij ook niet op haar gepast op de middelbare school en in de jaren daarna, ook al was zij ouder? Hij besteedde altijd meer zorg en aandacht aan de levens van de mensen om hem heen dan dat hij zich om zichzelf bekommerde.

Natuurlijk had hij de foto van de meisjes op zijn schoorsteenmantel staan.

Ze leunde achterover in zijn computerstoel en herinnerde zich een paar gesprekken die ze met haar broer had gehad – vooral in het jaar nadat hij als sleepwagenchauffeur was gaan werken.

'Ma en pa zijn er niet zo gelukkig mee,' had hij haar een keer gezegd toen ze in Denver uit eten gingen. 'Zij willen dat ik de universiteit afmaak en ergens leraar word.'

Lindsay had het voor hem willen opnemen, hem willen helpen zodat hij zich na het gesprek niet de mindere zou voelen vanwege zijn werk. 'Ze denken dat je een fase doormaakt en dat je uiteindelijk terug zult gaan naar de universiteit.'

'En als dat niet gebeurt?'

'Dan zullen ze ermee leren leven.' Lindsay legde haar hand op de zijne. 'Bovendien, je ziet er geweldig uit in een sleepwagen.'

Maar het gesprek kwam een aantal keren terug en Josh kon

er nooit van overtuigd worden dat zijn ouders trots waren op zijn werk, ook al reed hij voor een van de officiële politiegarages van Denver. Zijn bezorgdheid over wat ze dachten, nam na het ongeluk alleen maar toe. Niet alleen was de betrekking niet lucratief of perspectiefrijk, ze had hem ook zijn gezondheid gekost.

Ze herinnerde zich nog iets wat hij had gezegd. Het was ongeveer zes maanden na het ongeluk. 'Als de schadevergoeding erdoor komt, begin ik mijn eigen zaak, iets waar ma en pa achter kunnen staan.'

Lindsay had altijd met hem te doen wanneer het onderwerp van zijn baan aan de orde kwam, en dus viel ze hem bij en probeerde zelfs enthousiast te zijn. Maar het deed haar pijn dat Josh altijd in de schaduw van haar ouders' stilzwijgende afkeuring verkeerde. Het werd haar nu duidelijk waarom hij het verhaal over de redding van de meisjes niet had verteld. Dat hij de meisjes voor de auto van de dronken chauffeur had weggesleurd, zou niet genoeg zijn om hun respect voor zijn werk te verdienen. Het zou moeten wachten totdat hij ander werk had gevonden – dat was althans zoals Josh het inschatte.

Dat haar broer zich wellicht te veel schaamde om zijn familie over de redding te vertellen, bracht een nieuwe tranenvloed bij Lindsay teweeg. De arme Josh, die elke dag met zijn rugpijn worstelde en zich niet goed genoeg voelde om over zijn heldendaad te vertellen. Voordat ze in de onderste la kon kijken, kwam haar moeder binnen. Ze hield zich aan het deurkozijn vast en leek door dezelfde emoties overrompeld te worden als Lindsay een halfuur eerder.

'Het klopt niet om hier te zijn zonder hem.' Lindsay pakte het artikel en de twee brieven en hield ze op haar schoot.

'Toen ik naar binnen liep, had ik het vreemde gevoel dat hij nog steeds hier zou zijn.' Haar moeder kwam de kamer binnen en ging op een stoel dicht bij het computerbureau zitten. 'Alsof het niet mogelijk is om hier zonder hem te zijn.'

'Precies.' Lindsay wilde haar net over Josh' reddingsactie inlichten toen er hard op de deur werd geklopt. Lindsay liet de documenten op het bureau liggen en ging opendoen. De buren van Josh stonden voor de deur, het stel met het syndroom van Down.

'Hallo.' De jongeman duwde zijn bril hoger op zijn neus. Hij had een plastic doosje met eieren bij zich, dat hij Lindsay toestak. 'Ik zag uw auto.' Naar voren leunend keek hij naar Lindsays moeder. 'Die van u ook.' Er volgde een halve buiging. 'Ik ben Carl Joseph. Dit is Daisy.'

'Hallo.' Lindsay deed een stap achteruit en nodigde de twee naar binnen. 'Kenden jullie Josh?'

'Hij was onze allerbeste buurman.' De ogen van Carl Joseph werden vochtig.

Lindsay zag dat haar moeder niet wist wat ze precies moest zeggen, en dus nam zij de leiding. 'Carl Joseph, Daisy, ik ben Lindsay, de zus van Josh.'

'Ja.' Daisy had een fel oranje strandtas aan haar ene arm, terwijl ze met de andere bij Carl Joseph inhaakte. 'Josh zei dat u zijn beste vriend was.'

De pijn in Lindsays hart verdubbelde. 'Hij was ook mijn beste vriend.' Ze wees naar het eierdoosje. 'Heb je eieren meegenomen?'

'Josh had ze ons geleend.' Hij keek met een trillende kin naar Daisy. 'Voordat hij overleed.'

'We wilden goede buren zijn, en goede buren brengen terug wat ze lenen.' Daisy pakte de eieren van Carl Joseph aan en gaf ze aan Lindsay. 'Jullie zijn de familie van Josh, dus ze zijn voor jullie.'

'Bedankt.' Lindsay wilde niet huilen, maar ze verloor de strijd. Snel zette ze de eieren in de keuken op het aanrecht. 'Hartelijk dank.'

Daisy wiegde een paar keer heen en weer op haar voeten, keek naar Carl Joseph en daarna naar Lindsay. 'Kent u het verhaal over het kleine meisje?'

'Het kleine meisje?'

'Boven de haard.' Carl Joseph wees langs hen heen naar de woonkamer. 'Dat kleine meisje.'

'Als we hier kwamen…' Daisy dacht even na, '… want goede buren bezoeken elkaar,' ging ze met de knikje naar Carl Joseph verder, 'dan vertelde Josh elke keer het verhaal over de twee oudere meisjes.'

'Want hij is een held.' Carl Joseph legde grote nadruk op dit punt.

'En ik ken in totaal maar drie helden.' Daisy keek naar Lindsays moeder. 'Uw zoon is een van hen.'

Lindsay keek naar haar moeder en zag hoe haar verwarring plaatsmaakte voor een vertederde uitdrukking op haar gezicht. Ze knipperde twee keer met haar ogen. 'Was hij een held?'

'Vanwege de twee meisjes en het gevaarlijke verhaal.' Er klonk grote bewondering door in de stem van Daisy.

'Josh vertelde ons het verhaal alleen als we erom vroegen.' Carl Joseph liep voorzichtig langs Lindsay en haar moeder naar de haard. Hij pakte de foto van de tienermeisjes op. 'Dat was ons beste zaterdagmorgenverhaal, is het niet zo, Daisy?'

'Ja, vanwege het mooie einde.'

Lindsay begon het te begrijpen. Deze twee kwamen kennelijk vaker op zaterdagochtend op bezoek, en als ze dat deden, vroegen ze Josh het verhaal over de twee meisjes te vertellen – een verhaal dat Lindsay nog maar een paar minuten eerder had ontdekt.

'Welk verhaal vertelde hij jullie?' Haar moeder kwam naast Carl Joseph staan. Daisy en Lindsay liepen ook naar hem toe en gingen aan de andere kant naast hem staan.

'Het was oudejaarsavond, drie jaar geleden.' Carl Joseph

duwde zijn bril weer hoger op zijn neus.

'In Denver.' Daisy knikte beslist. 'Josh sleepte auto's weg en twee meisjes hadden een vraag. Zij waren beste vriendinnen.'

'Ja, het waren aardige meisjes en ze probeerden de weg naar de Verenigde Staten te vinden, dacht ik. Toch, Daisy?' Carl Joseph hield zijn hoofd schuin. 'Ik geloof dat het de Verenigde Staten was.'

'Nee.' Daisy glimlachte en klopte Carl Joseph op zijn schouder. 'Niet de Verenigde Staten. Ze probeerden State Street te vinden.' Ze keek Lindsay aan. 'Het was echt State Street.'

'Het is tegen de wet om dronken te rijden, maar dat was wat die andere man deed.' Hij dacht een paar tellen na. 'En hij had zijn hoofd naar beneden, wat niet de beste manier is om te rijden.'

'Bewusteloos.' Daisy schudde haar hoofd.

'Ja, bewusteloos. En Josh trok de meisjes opzij, zodat ze veilig waren.'

'En Josh werd tegen zijn schouder geraakt, maar hij was niet al te erg gewond en de meisjes waren veilig.' Daisy glimlachte weemoedig toen ze aan die laatste details dacht. 'Het liep dus goed af.' Ze trok haar wenkbrauwen op en keek Lindsays moeder aan. 'Dat is een reden waarom Josh een held was. Omdat God hem gebruikte voor een goed einde.'

Lindsay zag een doosje tissues op een tafeltje staan en gaf er een aan haar moeder, die de foto nu vasthield terwijl de tranen over haar gezicht liepen. 'Waarom heeft hij ons dat niet verteld?' fluisterde ze. De woorden waren voor Lindsay bedoeld, niet voor de buren van Josh.

Maar Daisy gaf toch antwoord. 'Hij vertelde het ons alleen omdat we ernaar vroegen.'

Lindsay drukte haar papieren zakdoekje afwisselend tegen haar beide ogen. Deze twee vriendelijke onbekenden hadden Josh naar de foto met de tienermeisjes gevraagd, maar niemand van zijn familie had de tijd genomen om over zijn heldendaad te horen of meer te weten te komen omtrent het ongeluk. Ze hield het zakdoekje voor haar neus en deed haar ogen dicht. In haar borst voelde ze haar hart haast letterlijk breken voor haar vriendelijke en goedmoedige broer. Tegelijkertijd wilde ze niet dat Josh' buren het gevoel kregen dat ze haar en haar moeder overstuur hadden gemaakt. Ze deed haar ogen weer open en glimlachte met een behuild gezicht. 'Dank jullie voor dit verhaal.'

'Ik ben blij dat het goed afloopt.' Daisy leek een beetje nerveus vanwege alle droefenis in de kamer. 'Vind je niet, CJ? Het loopt goed af.'

'Heel goed.'

Het liep goed af? Lindsay onderdrukte een reeks snikken die haar letterlijk zouden kunnen vloeren. Haar broer had twee tienermeisjes het leven gered, jazeker, maar hij had er een levensbepalende verwonding bij opgelopen die hem uiteindelijk fataal was geworden.

'Ziet u dat kleine meisje?' Carl Joseph pakte voorzichtig een van de andere ingelijste foto's van de schoorsteenmantel. 'Onze goede buurman heeft ons dat verhaal nooit verteld.'

Daisy trok haar neus op. 'Het liep niet goed af, dat is wat Josh zei.'

'Kent u dat verhaal? Over het kleine meisje?' Carl Joseph keek Lindsays moeder nieuwsgierig aan, en vervolgens Lindsay zelf.

'Josh had gelijk.' Lindsay nam de foto voorzichtig aan van Carl Joseph. 'Dat verhaal heeft niet zo'n mooi einde.'

'Ik heb een cadeautje voor haar gekocht.' Daisy was een beetje onzeker over haar geschenk. Ze haalde de strandtas van haar schouder, rommelde er in en haalde er de nieuwe Minnie-Mouse-oren uit. Ze keek Carl Joseph vragend aan. 'Vertel jij het maar, CJ.'

Hij keek naar de muizenoren, naar Lindsay en haar moeder en duwde zijn bril weer hoger op zijn neus. 'Ik en Daisy zijn naar Disneyland geweest.'

'Onze lievelingsplek.' Daisy glimlachte.

'En we droegen onze oren. Ik had Mickey Mouse en Daisy had Minnie.'

Daisy zette haar tas neer en hield de oren voor haar gezicht. 'Met deze oren hadden ik en CJ de gelukkigste dag van ons leven.'

'Met een heel mooi einde.'

'En toen was ik in de winkel en zag ik deze nieuwe Minnie-oren.' Daisy's verlegenheid verdween naarmate ze meer in haar verhaal opging. 'En ik dacht, als ik deze oren voor het kleine meisje op de foto bij Josh koop, dan loopt het voor haar misschien ook goed af.'

Lindsay hield de papieren zakdoek tegen haar gezicht gedrukt. Deze twee hadden duidelijk van Josh gehouden. Alles wat hem aanging was bijzonder belangrijk voor hen. 'Dus je kocht de Minnie-oren voor het meisje op de foto?' Lindsay raakte Daisy's arm aan. 'Je weet wie dat kleine meisje is, toch?'

'Nee.' Carl Joseph gaf snel antwoord. 'Josh zei dat het verhaal kon wachten omdat het niet goed afliep.'

Maar Daisy keek langer naar de foto en haar ogen verrieden dat ze het begon te begrijpen. 'Ze lijkt heel veel op onze goede buurman.'

'Ja.' Lindsay snikte en had moeite om te praten. 'Dat kleine meisje is de dochter van Josh. Ze heet Savannah.'

'Savannah?' Carl Joseph leek verbluft over de onthulling. 'Hij heeft nooit gezegd dat ze Savannah heette.'

'Dat is een mooie naam voor een mooi meisje.' Daisy's ogen glinsterden van de tranen toen ze Lindsay aankeek. 'Waarom woonde ze niet hier bij Josh?'

'Ja, waarom alleen maar een foto?' Carl Joseph sloeg zijn arm om Daisy. 'Want dat is waarom het geen mooi einde was: omdat ze niet hier woonde.'

Lindsay zag haar moeder van de foto wegkijken en zich omdraaien naar de balkondeur. Haar schouders schokten van de stille snikken. Lindsay veegde weer tranen weg en schraapte haar keel. 'Dat is het trieste deel. Savannah woont ergens anders.'

'O.' Daisy liet de Minnie-oren zakken, maar een moment later hield ze ze aan Lindsay voor. 'Ik denk dat ze deze toch leuk vindt, als u haar ziet. Want als ze de Minnie-oren heeft, komt het goed met haar, net als met mij en CJ.'

Lindsay nam de oren aan en hield ze tegen haar borst. 'Dank je, Daisy. Ik denk dat zij ze heel mooi zal vinden.'

'Het is geen Disneyland.' Carl Joseph haalde zijn schouders op. 'Maar het komt in de buurt.'

Daisy keek haar vriend aan. 'En we zullen ook voor Savannah bidden. Dat ze uit de foto mag komen en in uw armen.'

Lindsay keek met ontzag naar de jonge vrouw. Uit de foto en in haar armen? Wat een prachtige manier om voor Savannah te bidden. Ze bedankte Carl Joseph en Daisy nogmaals en zei hen dat ze de komende twee weken elk moment konden langskomen als zij en haar moeder bezig waren het appartement van Josh uit te ruimen.

'Laat het ons weten als jullie iets nodig hebben.' Lindsays moeder huilde nog steeds, maar ze hield zich nu beter dan tevoren. 'Dank jullie dat jullie Josh' vrienden waren.'

Carl Joseph kreeg tranen in zijn ogen. Hij sloeg zijn armen voor zijn borst over elkaar en staarde een paar seconden naar zijn voeten. 'Josh... Josh was een held en een heel goede buurman.'

Daisy knikte. 'We missen hem heel erg. Dat zeggen we steeds tegen God, hè, CJ?'

'Ja.' Hij omhelsde Lindsay en haar moeder snel, en Daisy

deed hetzelfde. Arm in arm vertrokken de twee, met hangende hoofden en tranen op hun wangen.

Lindsay keek hen na en omhelsde haar moeder. Lang bleven ze zo staan en hielden elkaar vast om niet te verdrinken in de zee van verdriet die hen omspoelde. En ze dankten God voor het geschenk van Carl Joseph en Daisy – twee gehandicapte volwassenen die meer over Josh wisten dan zijn eigen familie.

Alleen maar omdat zij de tijd hadden genomen om te luisteren.

15

Annie was nog ontdaan van het bezoek, maar ze moest antwoorden vinden. Ze maakte zich los van haar dochter en keek haar indringend aan. 'Dat verhaal over die meisjes? Is dat waar?'

'Ja.' Lindsay liep terug naar het computerbureau en pakte de papieren op. 'Ik vond deze hier net voordat jij binnenkwam. Een krantenartikel over het ongeluk en brieven van de ouders van de meisjes.' Lindsays stem was verstikt van verdriet. 'In het verhaal wordt hij een held genoemd.'

'En dat hebben wij nooit geweten?' Annie worstelde met allerlei emoties. Ze was trots op Josh, maar haar trots werd getemperd door boosheid en gekwetstheid. Ze gebaarde naar de deur. 'Hij vertelde wel aan vreemdelingen wat er was gebeurd, maar niet aan ons?'

Lindsay gaf zacht antwoord. 'Zij vroegen erom.' Ze gaf haar moeder de documenten. 'Elke zaterdag, kennelijk.'

Annie voelde zich afschuwelijk, omdat ze een fantastische gelegenheid had gemist om met iets groots en goeds in het leven van haar zoon mee te leven. Er was in zijn laatste jaren zo weinig goeds geweest. Ze keek naar de kop van het geprinte krantenartikel, met de foto van Josh en de twee meisjes. *Sleepwagenchauffeur geëerd als held.*

'Hij wist dat jullie zijn werk niet waardeerden.' Lindsay klonk niet beschuldigend, alleen maar eerlijk. 'Hij dacht waarschijnlijk dat het weinig uitmaakte hoe of waarom hij die dag was aangereden. Hij deed zijn werk en het kostte hem zijn gezondheid. Dat maakte dat het werk een vergissing leek, hoe het ongeluk ook gebeurde.'

Annie liet zich in de dichtstbijzijnde stoel zakken met het artikel en de brieven in haar hand, terwijl ze naar het portret van haar zoon staarde. *God, ik heb nog één kans nodig, één maar. Alstublieft.* Kon ze de laatste drie jaar maar over doen. Ze zou meer vragen over het ongeluk hebben gesteld of vaker naar zijn appartement zijn gekomen en de foto op de schoorsteenmantel hebben opgemerkt. *Vertel me eens over die meisjes,* zou ze gevraagd hebben. En hij zou haar vertellen hoe hij die twee had gered en zelf de klap had opgevangen, zoals hij het zijn buren had verteld.

Maar geen van zijn dierbaren had het verhaal over zijn moedige daad gehoord.

Annie had het gevoel dat er stukjes van haar afbrokkelden en door de kamer stuiterden, zonder dat zij ze weer kon samenvoegen. Ze had de kans gemist om Josh binnen de familie en in hun vriendenkring te eren, om zijn moedige daad door te vertellen en hem de waardering te doen toekomen die hij verdiende. *God, waarom moet ik het nu ontdekken, nu ik er niets meer aan kan doen?*

Nog tien minuten, dat was alles wat ze wilde. Tien minuten om hem te omhelzen, in zijn ogen te kijken en hem te vertellen dat ze de waarheid wist over het ongeluk en wat hij had gedaan. Tien minuten om hem te zeggen hoe trots ze op hem was in plaats van teleurgesteld te zijn, ongeacht hoe ze zich in het verleden had gedragen. Niet meer dan tien minuutjes.

Lindsay begreep dat haar moeder tijd nodig had om zichzelf te hervinden. Ze raakte haar schouder aan. 'Ik ga verder met zijn dossierkast.'

Annie knikte maar keek niet op. Terwijl Lindsay zich met de spullen van Josh bezighield, vroeg Annie zich af of er nog meer was wat ze niet wist van haar zoon. Hij was een held geweest, zonder dat zij het had geweten. Wat was er nog meer? Plotseling wist ze hoe ze de volgende twee weken zou besteden. Niet in een waas van verdriet om de restanten van het leven van Josh in dozen te stoppen, maar met een zoektocht om alles te achterhalen wat ze in de loop van de tijd had gemist.

God, hoe kon ik het feit missen dat Josh de levens van die meisjes had gered? Wat voor moeder ben ik eigenlijk? Ze kneep haar ogen dicht en dwong zich de stukjes te verzamelen, om zich te vermannen, zodat ze aan haar zoektocht kon beginnen. *Help me alstublieft alles over hem te ontdekken, God. Hij was mijn enige zoon. Ik hou zoveel van hem, maar ik kende hem niet echt. Laat me hem nu alstublieft leren kennen.* Ze hield een nieuwe tissue voor haar gezicht en liet de tranen komen. *Vergeef me dat ik hem nooit heb laten weten hoe trots ik op hem ben.*

'Mam, kijk eens.' Lindsay liep naar haar toe en gaf haar een volgeschreven blad. Het was het handschrift van Josh. 'Het is gedateerd op tien jaar geleden, de zomer nadat Josh eindexamen had gedaan.'

De tranenvloed werd minder en Annie begon aan haar taak. Ze pakte het blad aan en zag dat het een fotokopie was van een brief die Josh aan Becky Wheaton had geschreven. Ze keek Lindsay aan. 'Heb jij hem gelezen?'

'Ja.' Ze leunde tegen de rand van het computer bureau. 'Het is hartverscheurend.'

Annie stond op en liep met de brief naar de balkondeur. Ze leunde tegen het koele, metalen kozijn en begon te lezen.

Lieve Becky,

Het is nu twee weken geleden dat je het uitmaakte met mij, en ik kan het je nog steeds niet verwijten. Ik moet de zaken op een rij krijgen, daar heb je gelijk in. Je belde gisteravond en vertelde me dat je van me hield en dat je voor me bad. Ik ben de hele nacht opgebleven en heb nagedacht over wat je zei. Ik heb besloten je een belofte te doen.

Ik, Josh Warren, beloof jou, mijn eerste en enige liefde, dat ik zal ophouden met roken. Ik heb mijn oom aan longkanker zien overlijden, en zo zal het met mij niet gaan – dood voordat ik veertig

ben, mijn leven verkwist aan een of andere vreselijke verslaving. Ik
beloof je ook dat ik stop met drinken en dat ik mijn leven serieus
ga aanpakken. Wat er ook gebeurt, ik wil de universiteit afmaken.
Ik wil succesvol worden, zodat ik op een dag met jou kan trouwen,
je kan onderhouden en een gezin met je kan stichten.
Geloof me, Becky, jij verdient iemand die succesvol is, en die persoon
zal ik zijn. Dat beloof ik je hier en nu.
Deze zomer wordt moeilijk, omdat ik begrijp dat je wat ruimte
nodig hebt. Ikzelf misschien ook. De ruimte en de tijd die ik no-
dig heb om deze veranderingen door te voeren. Maar ze zullen er
komen, dat zul je zien. En op een dag zullen jij en ik het leven
hebben waarvan we beiden droomden.
Ik zal nooit meer van iemand houden dan ik van jou hou, Becky.
Bid voor mij, dat ik de man kan zijn die je nodig hebt.
Voor altijd de jouwe,
Josh

Annie las de brief keer op keer, verscheurd door de oprechtheid van Josh' grote voornemens en de tragedie van alles wat
bij hem mislukte. Hij had willen stoppen met roken, maar dat
gebeurde pas vier jaar later. Het drinken met zijn maten bleef
die hele zomer, en de volgende, doorgaan. Hij ging de universiteit, maar alleen omdat hij indruk wilde maken op Becky en op
hen, zijn ouders. Zijn cijfers waren het eerste jaar zwak en het
tweede jaar dramatisch. Tegen die tijd ging Becky met iemand
anders. Josh verhuisde naar Denver, nam een baantje bij een
garage, en de jaren begonnen op te tellen.

'Ik moet naar haar toe en haar deze brief laten zien.' Annie
zei de woorden meer tegen zichzelf dan tegen haar dochter.

'Dat moet je doen.' Lindsay zat aan het bureau en doorzocht
de papieren van Josh. Ze keek op en blies losse haarlokken weg.
'Ik vraag me af wat er gebeurd zou zijn als Becky meer geduld
had gehad.'

'Of wanneer Josh het leven iets serieuzer had genomen.' Annie vouwde de brief op en legde hem bij het krantenartikel en de brieven van de ouders van de geredde meisjes. Nate zou alles wat zij die dag had ontdekt met eigen ogen willen zien.

De uren verliepen en Annie bleef bij haar besluit dat ze in deze twee weken alles te weten wilde komen over haar zoon wat ze kon achterhalen, alles wat ze nooit geweten had, goed of slecht. Vooral wilde ze alles uitvinden wat ze kon over de vrouw die Josh in Las Vegas had ontmoet, Maria Cameron. En ze zocht naar documenten of bewijzen die verklaarden waarom Josh er zo zeker van was dat haar kind zijn dochter moest zijn.

Samen met Lindsay vond ze foto's van Becky en Josh en stapels documenten met verklaringen die verband hielden met de rechtszaak. De verklaringen sneden Annie door haar ziel vanwege de manier waarop de advocaten van de verzekeringsmaatschappij Josh in de getuigenbank kwelden. Nadat ze anderhalf uur gelezen had, was Annie in staat om Thomas Flynn op te bellen en hem te vragen een volgende rechtszaak te beginnen – tegen de advocaten van de verzekeraar, wegens smaad en laster jegens haar zoon.

Ze ging door met een gehavende doos op de bovenste plank van de kledingkast in de slaapkamer. Er zaten oude jaarboeken in, en medailles voor deelname aan rugby- en honkbalwedstrijden. Bovenop lag een bedankje van Keith, de beste vriend van Josh op de middelbare school.

Annie las wat hij erin geschreven had:

Hé, Josh… nog bedankt voor de airmiles. Jij hebt me iets gegeven wat ik anders gemist zou hebben – een kans om mijn vader te zeggen dat ik van hem hield, voordat hij overleed. Jij bent de beste, Josh, zoals jij is er niet één.
Keith

Weer had Annie het gevoel dat ze iets ontdekte over een jongeman die ze nooit had gekend. Ze herinnerde zich dat de vader van Keith een aantal jaren geleden overleden was, en ze wist dat vader en zoon niet erg goed met elkaar overweg konden. De man joeg Keith genadeloos op bij het sporten en schold hem ten overstaan van alle andere ouders uit als hij een fout maakte. Dat soort dingen. Als tiener zat Keith vaak bij de Warrens en vertelde hun in vertrouwen dat hij ervan overtuigd was dat zijn vader niet van hem hield.

Hoewel zij en Nate een paar pogingen ondernamen om Keith en zijn vader dichter bij elkaar te brengen, leken de inspanningen nooit veel op te leveren.

Wat ze niet wist, tot dit moment, was dat Josh zijn vriend met airmiles had geholpen. Josh vloog niet, dus hoe ter wereld had hij genoeg miles kunnen verzamelen om Keith naar huis te laten vliegen vanuit Ohio, om afscheid te nemen van zijn stervende vader? Hoe hij het ook had gedaan, Josh had een manier gevonden om zijn vriend te helpen. Dankzij hem had Keith de onbetaalbare kans gekregen om zich met zijn vader te verzoenen.

Je was een dubbele held, mijn dierbare zoon. En ik heb nooit de kans gekregen om dat van jou te weten. Ik heb je nooit kunnen zeggen hoe trots dat me maakt. Ze drukte de kaart tegen haar hart en had een kostbaar moment lang het gevoel dat ze Josh vasthield – zoals ze hem als kleine jongen tegen zich aan drukte, toen zijn toekomst nog een onafzienbare keten van eindeloze mogelijkheden was.

De zoektocht ging verder totdat Annie emotioneel te uitgeput was om nog een volgende envelop, dossiermap of stoffige schoenendoos door te nemen. Later zouden ze verdergaan. Misschien zouden ze dan aanwijzingen vinden dat Josh gelijk had en dat het meisje inderdaad zijn dochter was. Maar Annie betwijfelde of dat zou gebeuren: als het zijn kind was, zou Josh het zo langzamerhand definitief hebben geweten.

Gezien alles wat Josh hoopte voor zijn toekomst, gaf het kind hem waarschijnlijk wat Becky Wheaton hem gaf, namelijk een reden om te geloven dat de pijn en de kwellingen van zijn ongeluk op een dag ten einde zouden zijn. Hij zou een nieuwe carrière beginnen, financiële vrijheid kennen en het leven kunnen leiden waar hij altijd naar verlangde. Dat was alles wat het kleine meisje op de foto in werkelijkheid was: een reden voor Josh om te geloven dat het morgen beter zou zijn dan vandaag.

16

Savannah wist niet wat er was gebeurd of waarom haar leven nu zo anders was, maar ze geloofde dat de verandering iets met haar papa te maken had. Haar mama pakte haar niet meer bij haar arm, zoals eerst, en ze liet Savannah zelfs twee keer naast zich in het grote bed slapen, in plaats van onder het bureau.

'De goede tijd gaat beginnen, Savannah,' zei haar mama deze ochtend, toen ze onderweg waren naar een plek die de kliniek heette. 'Nog een paar weken en we hebben een groot huis met een dienstmeisje en het beste eten, kleding in overvloed en auto's.'

Savannah luisterde met haar ogen wijd opengesperd, en soms vroeg ze zich af of haar moeder was doorgedraaid of alleen maar grapjes maakte. Maar waar ze geen grapjes over maakte, was de kliniek. Ze liepen van de metro naar het kleine gebouw, waar haar moeder een formulier invulde. Het rook er net als in de toiletten van Central Park en Savannahs maag draaide zich om. Waarom moesten ze hier eigenlijk naartoe? Was dit de plaats waar haar papa haar zou opzoeken?

Ze had het kleine plastic kruis van opa Ted in haar zak en ze voelde ernaar door haar spijkerbroek, om er zeker van te zijn dat het er nog was. Haar mama had het blaadje ingevuld en samen zaten ze in een kleine kamer vol mensen die er triest, ziek of gewond uitzagen. Een oude man naast hen had een snee in zijn arm en het bloed kwam door zijn verband heen. Savannah probeerde er niet naar te kijken. Ze boog zich naar haar moeder toe. 'Waarom zijn we hier?'

'Voor de test.' Haar mama leek een beetje zenuwachtig. Niet

zo blij als ze was geweest toen ze de hotdogs in het park hadden gegeten of toen ze gisteren naar de dierentuin gingen.

'Wat voor test?' Savannah legde haar voeten over elkaar en liet ze heen en weer schommelen. Ze had dorst, maar ze wilde niet te veel water drinken. Haar mama had gezegd dat ze geen tijd had om naar het toilet te gaan tot na de test.

'Een bloedtest.' Ze pakte een tijdschrift van het tafeltje naast haar en begon erin te bladeren.

Een bloedtest? Savannah kreeg een weeïg gevoel, want wat voor soort test was dat? Ze keek even opzij, naar de man met zijn rode verband. Was hij hier ook voor een bloedtest? Want ze wilde er niet zo uitzien als ze weer vertrokken. Ze dacht aan het kruis in haar zak en aan Jezus, die altijd bij haar was. *Jezus, ik ben het, Savannah. Ik ben een beetje bang voor die bloedtest. Kunt U alstublieft bij me blijven?*

Ze wachtte op een antwoord in haar hart toen een dikke vrouw in een strak, wit uniform het kamertje binnenstapte. 'Savannah Cameron?'

'Hier.' Haar moeder stond op en streek de kreukels in haar korte rokje glad. Ze pakte Savannahs hand en trok haar overeind. 'Dit is Savannah.'

De vrouw keek in haar aantekeningen. 'Loopt u maar mee.'

Savannah probeerde niet aan de man met zijn bloedende arm te denken. Ze bleef dicht bij haar mama en de dikke vrouw bracht hen naar een kamer die niet groter was dan een kast. De vrouw en haar mama praatten erover hoe alles was 'georganiseerd' en gebruikten nog meer woorden die Savannah niet begreep. Daarna rolde de vrouw een mouw van Savannahs sweatshirt omhoog en wreef met een nat, wit bolletje over haar arm. 'Hij doet niet echt pijn, hoor.' Ze maakte een kleine, witte tas open en haalde er een scherpe naald uit en een plastic buisje zo groot als een pen. 'Goed stilhouden.'

'Heel stil.' Haar moeder hief een elleboog zoals ze altijd deed wanneer Savannah maar beter kon luisteren, of anders…

De vrouw stak de naald in Savannahs arm en hield hem vast. 'Je hoeft niet te kijken, hoor lieverd.'

Maar Savannah keek wel, want beetje bij beetje liep er bloed uit haar arm in het buisje. De vrouw had gelijk, de naald deed niet veel pijn toen hij er eenmaal in zat. Toen het buisje vol was, trok de vrouw de naald uit haar arm en plakte een verbandje op de plek – een veel kleiner verband dan dat van de man in het kamertje vol mensen. 'Dat was het.'

'Is de bloedtest al afgelopen?' Savannah voelde hoe haar maag een beetje ontspande.

'Helemaal klaar.' De vrouw scheurde een paar smileystickers van een rol aan de muur. 'Die zijn voor jou.'

'Je hebt het goed gedaan, lieverd.' Haar mama lachte naar haar.

Savannah wist niet goed wat ze met de stickers moest doen. 'Dank u wel, mevrouw.' Ze haalde de plaatjes los en plakte ze op de rug van haar handen. Telkens als ze de smileys daar zag, zou ze eraan denken dat ze het goed had gedaan bij de bloedtest. De dikke vrouw vertelde haar moeder dat er over een paar dagen iets zou worden opgestuurd.

Toen ze weer buiten in de zon stonden, gaf haar mama haar een blij kneepje in haar wang. 'Savannah, ik heb een goed gevoel bij die bloedtest. Ik denk dat dit het begin is van een heel gelukkige tijd voor ons.'

Savannah voelde zich een beetje vreemd en verlegen omdat haar mama zo anders tegen haar deed. Ze knikte en glimlachte. Daarna keek ze naar de vrolijke stickers op haar handen.

'Kom, meid, pak mijn hand.' Ze stak haar arm naar haar uit.

Savannah deed wat haar mama zei en samen liepen ze weg. 'Gaan we naar het park?'

'Ja. Het wordt een prachtige dag in het park, denk je niet?'

'Gaan we om geld bedelen?'

'Ja.' Haar mama leek even minder blij, maar daarna brak de grote grijns weer door. 'Maar niet lang meer. Jouw papa gaat heel goed voor ons zorgen. Dan hoeven we nooit meer om geld te bedelen.'

Savannah voelde zich plotseling licht en vrij, alsof ze een van de vogels van Central Park was die boven op de fontein landden en weer wegvlogen wanneer ze dat maar wilden. Haar papa ging voor hen zorgen! Vanaf het moment dat haar mama veranderde, had ze in stilte gehoopt dat het met haar papa te maken zou hebben. Ze ademde heel diep in en hield haar hoofd omhoog. Eindelijk zouden de goede dingen gaan gebeuren! Zij zou haar papa zien en hij zou voor hen zorgen. Na al dat wachten, hopen en praten met Jezus zouden al haar dromen eindelijk uitkomen.

Haar mama bleef de hele dag blij, zelfs toen ze om geld bedelden. Ze wachtte tot ze in de metro op weg naar huis zaten. Dat was het juiste moment om een paar vragen te stellen. 'Het komt door papa dat die goede dingen gaan gebeuren, hè?'

Haar mama lachte een beetje. 'Ja, lieverd. Het komt allemaal door jouw papa.'

Savannah voelde een rilling van opwinding. 'Wanneer zie ik hem? Vandaag of morgen? Of later deze week?'

Haar moeders glimlach verstrakte. 'Je... je krijgt hem niet echt te zien.' Ze kreeg een bezorgde blik in haar ogen, maar daarna lachte ze weer. 'Maar hij stuurt ons wel een cadeau. Een heel, heel mooi cadeau.'

Savannah wilde geen cadeau. Ze had al het plastic kruis van opa Ted en het ingelijste portret van haar papa, dat was alles wat ze nodig had. Wat ze wilde, was haar papa, geen cadeautje van hem. Ze voelde tranen in haar ogen branden en veegde ze heel snel weg, zodat haar mama niet zou denken dat ze ondankbaar was. 'Zie – zie ik hem dan later?'

'Veel later.' Haar moeder legde sussend een hand op haar

hoofd. 'Maak je geen zorgen, Savannah. Je vaders cadeau is genoeg voor nu.'

Ze vroeg niets meer onderweg naar huis. Voor nu? Ze liet zich achteroverzakken tegen de harde, gebarsten rugleuning en keek door het raam naar de muren die voorbijsuisden. Ze was de hele dag blij geweest omdat ze binnenkort misschien haar papa zou zien. Ze zou hem nog steeds zien, maar 'veel later' was nog heel lang. Een hele week of een maand, misschien. Ze begreep haar papa niet want zijn ogen en glimlach waren heel lief, en hij wilde haar een cadeau sturen, wat ook heel lief was. Maar wist hij niet dat ze alleen hem maar wilde? Een papa die haar kon vasthouden en rondzwieren en voor haar kon zorgen, zodat haar mama de rust zou krijgen waar ze altijd over praatte. Haar eigen papa de droomprins.

Een mooier cadeau was er niet.

17

Na een week sorteren en opruimen in het appartement van Josh had Annie veel over haar zoon geleerd, en ze had het sterke gevoel dat haar zoektocht nog niet ten einde was. Ze praatte met Thomas Flynn en hoorde dat Josh contact met hem had opgenomen over zijn vriend Keith, die een ticket nodig had.

'Ik had een miljoen extra airmiles,' vertelde Thomas haar. 'Het was geen probleem om er een paar aan de vriend van Josh te geven, zodat hij naar huis kon om zijn zieke vader op te zoeken.'

Maar die reis was er nooit gekomen als Josh niet had opgebeld, als hij niet genoeg om zijn vriend had gegeven om zijn eigen trots opzij te zetten, ter wille van diens grotere nood.

Op de tweede dag dat ze aan het opruimen was, kwam Ethel, de oude vrouw die in het appartement boven dat van Josh woonde, naar beneden. Ze bleef een uur met Annie en Lindsay praten.

'Ik heb geen familie,' legde de vrouw uit. 'Josh was als de kleinzoon die ik nooit had. Lopen is moeilijk voor mij, en Josh vroeg op een keer, jaren geleden, of hij een paar boodschappen voor me kon meenemen.' De tranen stonden in haar ogen terwijl ze het vertelde. 'Daarna werd het gewoonte. Elke zaterdag haalde hij alles wat ik nodig had om de volgende zeven dagen door te komen, en soms nam hij een extra kleinigheidje mee – een doosje verse koekjes van de bakker of een klein boeketje voor op mijn keukentafel.'

Annie hing aan haar lippen en was soms jaloers dat Josh zijn zorg zo ruimhartig aan deze vreemdelinge had besteed, terwijl hij haar de bloemen ook had kunnen brengen. Maar ze verdrong de gedachte snel en voelde alleen nog maar een grote trots dat haar zoon een naaste zo hielp. 'En dan betaalde u hem als hij de boodschappen afleverde?'

'Nooit.' Ze wreef de tranen onder haar ogen weg. 'Josh liet me nooit ergens voor betalen.'

Het verhaal van de vrouw trof Annie in haar hart. Haar zoon moest van extreem weinig geld rondkomen, zo weinig dat hij regelmatig een beroep moest doen op haar en Nate om een voorschot op zijn schadevergoeding. Maar met het weinige dat hij had, betaalde hij elke week ook nog de boodschappen van de oude vrouw.

Annie dacht aan de mensen in haar kringen, de netwerkers en politici. Nog onlangs had de inspecteur van Nates schooldistrict vijfduizend dollar van zijn eigen geld gedoneerd aan de plaatselijke oudervereniging. Voor de gelegenheid hield hij een groot feest voor de hele oudervereniging, compleet met een gratis barbecue en een toespraak midden op de avond. De man legde zelf contact met de media en Lindsay kreeg opdracht om het verslag te maken: *Onderwijsinspecteur doet privéschenking aan oudervereniging.*

Niemand leek op te kijken van de inspanningen van de man om publiciteit te krijgen, maar Annie had toentertijd tegen Nate opgemerkt dat de schenking wel erg het eigenbelang diende. 'In de Bijbel staat over schenkingen dat je rechterhand niet mag weten wat de linker- doet.'

Nate lachte. 'Reken maar dat elke linker- en rechterhand van de oudervereniging op de hoogte was van deze schenking.'

Maar dat gold niet voor het geschenk dat Josh aan zijn oude buurvrouw gaf. Het was alsof hij van nature wist dat het alleen voldoening schonk om iets weg te geven op een manier dat niemand anders het wist. Het was een les die hij ongetwijfeld jarenlang en keer op keer had gehoord in de zondagsschool, maar tot voor kort was Annie ervan overtuigd geweest dat haar zoon alle goede en waardevolle lessen uit zijn jeugd was vergeten.

Nu wist ze wel beter.

Alles wat ze ontdekte, vertelde ze aan Nate. De vorige avond, toen ze over de airmiles voor Keiths vlucht vertelde, kreeg haar man tranen in zijn ogen en zweeg lang. Toen hij weer kon praten, pakte hij haar hand. 'Zoals ik al zei, niet iedereen is een grote uitblinker in sport of in een carrière. Maar dat betekent niet dat Josh een mislukkeling was.' Zijn kin trilde en zijn gezicht vertrok terwijl hij voor zijn zelfbeheersing vocht. 'Ik heb altijd in Josh geloofd en gezegd dat het een goede jongen en een goede zoon was.' Hij schudde zijn hoofd en bedwong zijn emoties. 'Ik ben blij met deze verhalen, maar ze verbazen me niet, Annie. Niet zoals ze jou verbazen.'

Ze wilde iets tegenwerpen, maar kon het niet. Hij had gelijk en in plaats van te ontkennen dat de ontdekkingen voor haar nieuw licht op de herinnering aan haar zoon wierpen, zoog ze alle informatie in zich op. Dat gold ook voor de meer pijnlijke ontdekkingen die ze deed, zoals de brief van Maria Cameron. Ze had geschreven dat Josh geen bezoekregeling of enig ander recht op Savannah kon doen gelden als hij niet een manier vond om haar vierduizend dollar per maand te sturen.

Jouw honderd dollar zet geen zoden aan de dijk, schreef de vrouw. *Ik hou Savannah van je weg totdat je je financiën op orde hebt. Savannah heeft geld nodig, niet een of andere sentimentele vaderfiguur. Je hoort geen woord meer van ons totdat je het geld hebt. En anders vertel ik haar dat je een even grote sukkel bent als alle andere mannen.*

De brief was in gal gedoopt. Annie werd al misselijk bij het idee dat ze de brief moest aanraken, alsof alle venijn van de vrouw nog aan de randen van het papier zat. Nadat ze hem gelezen had, legde ze het schrijven apart voor de advocaat. Haar overtuiging dat de vrouw niets meer was dan een gelukzoekster die een man probeerde te strikken om haar uit het moeras te trekken, werd nog eens bevestigd door deze vondst. Het meisje was niet het kind van Josh. Tegelijkertijd betreurde ze het feit dat haar zoon zich had laten verleiden om met een vrouw als Maria Cameron naar bed te gaan. Hij wist beter. Behalve de lessen over het helpen van je naaste, had hij ook over zuiverheid en kuisheid geleerd.

Na het lezen van Maria's brief had Annie zich twee uur lang afgevraagd waar zij en Nate hadden gefaald, dat hun zoon uitgerekend naar Las Vegas was gegaan om het bed te delen met zo'n vrouw. Maar langzamerhand voelde ze haar hart ontdooien en ze betrapte zich erop dat ze verzachtende omstandigheden begon aan te voeren voor de slechte beslissing die Josh dat weekeinde had genomen.

Hij had Becky Wheaton net verloren. Ze was het moe om te wachten totdat hij zou ophouden met roken en drinken en zijn leven serieus zou gaan nemen, en dus raakte ze bevriend met een medestudent op de universiteit. Daar kon Josh niet mee concurreren, en nadat hij naar Denver was verhuisd en de baan in de garage had aangenomen, moest hij zich erg eenzaam hebben gevoeld. Het weekend in Las Vegas was waarschijnlijk een impulsieve beslissing geweest, een manier om vergetelheid te zoeken voor de leegte in zijn hart die Becky's afwezigheid had achtergelaten.

Wie weet wat Maria hem had verteld? Misschien had ze een triest verhaal opgehangen en gezegd dat ze net als hij eenzaam was. Als ze een vriend, een luisterend oor of een plaats om te overnachten nodig had, zou Josh haar helpen. Ze dacht aan het stel met het syndroom van Down en aan Ethel die boven hem woonde. Ja, Josh zou haar zeker hebben geholpen. Hij was niet wereldwijs genoeg om de val te herkennen die de vrouw onmiskenbaar voor hem had opgezet.

De hele kwestie was te triest om er lang over na te denken,

en dus had Annie zich op andere dozen geconcentreerd, andere herinneringen die deel uitmaakten van haar zoons verleden.

Het was nu dinsdag en ze was alleen in het appartement. Nate en Lindsay zouden later die dag langskomen met grote zakken voor het beddengoed. Ze verhuisden het grootste deel van de meubels naar een lege achterkamer van hun huis in Black Forest. De kamer zou een gastenverblijf worden, een plek waar de herinnering aan Josh kon voortleven.

Annie sleepte twee dozen naar de hal van het appartement en bleef even staan om weer op adem te komen. Haar oog viel op de computer van haar zoon en ze besefte dat ze dat terrein nog niet verkend hadden. Ze ging achter het bureau zitten en zette de computer aan. Even later kwam het scherm tot leven en Annie vroeg zich af waar ze moest beginnen. Nadat ze het tekstverwerkingsprogramma had geopend, liep ze zijn lijst van documenten na.

Een van de documenten heette eenvoudig 'Savannah'.

Annies hart sloeg over en ze voelde het bloed uit haar gezicht wegtrekken. Was hij zo overtuigd dat het meisje zijn dochter was dat hij een document over haar had gemaakt? Triest dat hij iemand als die Maria Cameron kennelijk voldoende geloofde om zich zo druk te maken. Ze dubbelklikte op het icoontje en even later verscheen het document op het scherm.

Lieve Savannah, begon de laatste toevoeging. *Het is drie dagen geleden dat ik aan je geschreven heb, dus ik moet je nodig bijpraten…*

Het was alsof er een steen in Annies maag viel. Had haar zoon een dagboek voor het meisje bijgehouden? Alsof ze werkelijk zijn dochter was en op een dag alles zou lezen wat hij voor haar had opgeschreven? Ze keek onderaan in het scherm naar de informatie over het document. Wat ze zag, deed haar adem stokken. Drieënvijftig bladzijden? Josh had het dagboek kennelijk bijgehouden vanaf het moment dat hij over het meisje had gehoord.

In dit dagboek stond alles wat hij gezegd zou kunnen hebben als hij lang genoeg had geleefd om vader te worden. De foto op de schoorsteenmantel, het document in zijn computer, dat alles maakte het hem mogelijk te denken, te handelen en te voelen zoals hij gedaan zou hebben als hij kinderen had gehad. En aangezien hij die kans nooit had gekregen, was Annie ervan overtuigd dat elk woord haar diep zou raken, op het plekje dat Josh altijd in haar hart zou houden.

Ze controleerde of er genoeg papier in de printer zat en zette het apparaat aan. Een paar tellen later gleden de bladen van het dagboek soepel in de opvangbak. Tijdens het printen las Annie de laatste toevoeging:

Lieve Savannah,
Het is drie dagen geleden dat ik aan je geschreven heb, dus ik moet je nodig bijpraten. Ik weet dat ik je het de laatste tijd al vaak heb verteld, maar ik voel me tegenwoordig veel dichter bij God. Hij helpt me door deze bezoeking, deze fase in mijn leven heen, en ik weet dat Hij ook jou, waar je ook bent, door moeilijkheden heen helpt.
Ik heb een Bijbelvers gevonden dat ik je graag wil meegeven, lieverd. Het is Psalm 119:50, waar staat: Dit is de troost in mijn ellende: dat Uw belofte mij doet leven. *Ik heb je over mijn ongeluk verteld en over de pijn die ik heb gehad. Maar de laatste tijd heb ik meer in de Bijbel gelezen en gemerkt dat deze belofte waar is. Meer dan waar, zelfs. Gods woord laat me herleven, Savannah, en op een dag, als ik mijn schadevergoeding krijg, zoek ik je op. Dan kunnen we samen leren over Jezus en de beloften in Zijn Woord.*

Annie voelde de tranen over haar wangen lopen en pakte een tissue. De laatste dagen zorgde ze steeds dat het doosje in de buurt stond. Dat hij een dagboek bijhield voor een kind dat waarschijnlijk niet zijn dochter was, kon ze nog plaatsen. Maar wanneer was Josh dichter tot God gekomen? En waarom hadden zij en Nate daar niets over gehoord? Ze bladerde het dagboek door en zag dat hij in de weken voor zijn dood vaak over Jezus sprak.

Ze vond een passage van twee maanden geleden, en haar ogen vielen op een alinea halverwege het blad.

Ik keek op een avond naar countryvideo's en zag Wynonna Judd die een lied zong over de hemel, I can only imagine. *Savannah, ik kan je alleen maar zeggen dat ik me in die paar minuten realiseerde dat ik zo lang voor God was weggelopen. Het was alsof het eindelijk tot me doordrong wat het betekende om een relatie met Hem te hebben. Ik voelde hoe Hij wilde dat ik volkomen op Zijn kracht vertrouwde. Sindsdien ben ik elke week naar de kerk gegaan en ik kan voelen hoe God mij verandert. Ik hou meer van Hem dan van het leven, Savannah. Dat zal jij ooit ook doen.*

Annie leunde achterover en herinnerde zich iets. Het was de week voordat Josh overleed. Lindsay was langsgekomen om te praten. Maar zij was druk geweest met een telefoontje en moest zich vervolgens haasten om het volgende etentje te regelen, de zoveelste actie om Nates herverkiezing in het bestuur van de Onderwijsraad te promoten. Lindsay had iets opgemerkt over Josh die een lied had gevonden over de hemel. Hij ging naar de kerk en zou veranderd zijn. Toen Annie bedacht hoe ze had geantwoord, was het alsof ze een stomp in haar maag kreeg. Ze had alles wat Lindsay haar probeerde te vertellen afgedaan als de zoveelste loze belofte van Josh.

Maar hier was het bewijs dat Lindsay gelijk had gehad, dat Josh werkelijk een nauwere band met God had gevoeld in de laatste weken voor zijn dood. Dat verklaarde ook iets wat Carl Joseph had gezegd tijdens zijn tweede bezoek van de afgelopen week. Hij zei dat Josh met hem en Daisy en zijn familie naar de kerk ging. Weer had Annie het idee niet serieus genomen, in de veronderstelling dat Carl Joseph voornemens met daden verwarde. Ze keek nog eens naar de passage in het dagboek. Kennelijk niet.

Terwijl ze zich in haar hart verheugde over wat Josh in zijn hernieuwde geloof vond, werd ze tegelijkertijd haast verteerd door schuldgevoel. Wat voor moeite zou het zijn geweest om iets beter te luisteren, om Josh op te bellen om hem te feliciteren of vragen te stellen over de verandering in zijn hart? Sinds zijn dood was Annie gebukt gegaan onder alles wat haar zoon had gemist. Maar dit gemis was alleen het hare.

Weer wenste ze dat ze nog eens tien minuten bij hem zou kunnen zijn. Behalve over al het andere, zou ze zo graag met hem praten over zijn geloof en over wat de verandering in zijn houding teweegbracht. Wat zou het heerlijk zijn geweest om dat moment met hem te delen, na alle pijn die hij had moeten doorstaan. Maar Annie had haar kans gemist en die werkelijkheid was droeviger dan al het andere. *Josh, mijn zoon. Het spijt me zo.* Ze liet haar hoofd hangen. *God, ik heb zoveel gemist. Welke moeder mist zulke momenten nu?*

Het enige antwoord dat ze kreeg, was wat Josh had opgeschreven in zijn laatste toevoeging aan het dagboek: *Dit is de troost in mijn ellende: dat Uw belofte mij doet leven.* Gods Woord. Ja, daar zou ze haar troost en heling vinden in de weken, maanden en jaren die voor haar lagen, in haar verdere leven waarin het gemis van Josh een dagelijkse realiteit zou zijn. Ze zou meer tijd besteden aan Gods Woord en de reis voortzetten die Josh in de weken voor zijn dood begonnen was, om troost te vinden in de waarheid van de Bijbel.

Haar verdriet ebde voldoende weg om haar weer vrijer te laten ademen. Het dagboek was uitgeprint en ze nam de rest van de lijst met documenten door. Ze zouden allemaal bekeken moeten worden om na te gaan of er nog meer details over het leven van haar zoon in te vinden waren. Maar eerst wilde ze nu het internet controleren.

Ze opende de browser en keek naar de lijst van bladwijzers bovenaan op het scherm. Facebook stond bovenaan en Annie klikte het programma open. Onmiddellijk kwam ze op de persoonlijke website van Josh, een pagina met meer informatie dan ze in één oogopslag kon verwerken. Vrijwel direct verscheen er een venster rechtsonder op het scherm. Er stond een reeks berichten in van iemand die zich Miss Independent noemde. Het laatste bericht luidde: *<J, ik meen het. Wat is er met je aan de hand? Ik heb al meer dan een week niets van je gehoord! Het is alsof je me uit je leven hebt verbannen of iets in die geest. Alsjeblieft! Schrijf me terug!>*

Annie kreeg een vreemd gevoel toen ze door de berichten bladerde. Dit was een vriendin van wie ze niets wist, iemand die kennelijk dagelijks in contact stond met haar zoon. Was zij een nieuwe Maria Cameron, of misschien nog erger? Het begon Annie te duizelen, maar toen ze de berichten beter doornam, ontdekte ze een mooie en onschuldige vriendschap. De vrouw heette Cara Truman. Ze was een alleenstaande moeder uit Arizona.

Blijkens de berichten had Cara haar leven aan God gegeven omdat ze had gezien wat God met Josh had gedaan. Hier en daar zag Annie iets van romantiek door de berichten heen schemeren, maar niets openlijks, geen plannen in de maak. Weer voelde ze het gewicht van het verlies. Weer een detail van zijn leven waar zij geen weet van had gehad, een aspect van haar zoon waarvan ze zich niet bewust was. Hij was niet alleen een geweldige buurman, een vrijgevige jongeman, een held en een herboren, oprechte volgeling van Christus. Hij was ook een ware vriend.

In geen van de berichten die Annie zag, stond een telefoonnummer vermeld. Ze liet haar vingers over het toetsenbord gaan. <*Hallo. Dit is de moeder van Josh, Annie. Bel me alsjeblieft zo snel mogelijk.*> Daarna typte ze het nummer van haar mobiele telefoon in en drukte op de verzendknop.

Toen ze een uur later nog steeds de computerbestanden van Josh doornam, ging haar telefoon. Ze herkende het nummer dat op het schermpje verscheen niet. 'Hallo, met Annie.'

'Hallo. Met Cara Truman. U had een boodschap achtergelaten.' Er klonk angst en aarzeling door in haar hese stem.

'Cara, ik ben bang dat ik slecht nieuws heb over Josh.' Annie verwachtte dat het gesprek snel en zakelijk zou zijn, zoals met de andere oude vrienden en kennissen die in de telefoonlijst van Josh' mobiele telefoon stonden. Maar Cara Truman was anders. Het nieuws kwam bij haar hard aan, alsof het verlies van Josh een van de grootste tragedies van haar leven was.

'Hij… hij was de beste vriend die ik ooit heb gehad,' zei ze met een gebroken stem. 'Niemand gaf ooit zo veel om mij als hij.'

De jonge vrouw vertelde hoe ze Josh tijdens een online-pokerwedstrijd was tegengekomen en contact met hem kreeg toen het spel voorbij was. 'Hij was niet als de andere mannen. Hij wilde niets van mij.'

'Dat klinkt als Josh.' Ze deed haar ogen dicht en stelde zich haar zoon voor en alles wat ze over hem had geleerd. 'Ik ben heel erg trots op hem.'

Toen het gesprek ten einde liep, beloofde Annie contact te houden met Cara. Ze waren het erover eens dat Josh dat gewild zou hebben. Voordat ze ophing, had Cara nog een vraag. 'Hoe gaat het met zijn dochter?'

Annie voelde haar hart overslaan. 'Zijn dochter?' Wat had Josh Cara over het meisje verteld?

'Savannah. Hij praatte altijd over haar.' Haar stem verdronk in nieuwe tranen. 'Dat was alles wat hij wilde, zijn schadevergoeding innen en dan zijn kleine meisje opzoeken, een huis kopen en een thuis voor haar creëren – zoveel mogelijk tijd met haar doorbrengen.' Ze slikte. 'Gaat iemand contact met haar zoeken?'

Voor het eerst sinds Annie over het kleine meisje had gehoord, schaamde ze zich over haar houding. Hoe verkeerd het ook was van Josh om naar Las Vegas te gaan en het met Maria Cameron aan te leggen, er bestond een reële mogelijkheid dat er ergens een meisje rondliep dat de dochter van Josh was. Haar hoofd duizelde toen ze deze nieuwe mogelijkheid eindelijk onder ogen zag. 'We, eh, we zijn er niet zeker van of het zijn dochter is.' Terwijl ze de woorden uitsprak, voelde ze hoe slap en verontschuldigend ze klonken.

'O.' Cara's toon bleef vriendelijk maar werd beslist. 'Josh was er wel zeker van. Dat kan ik u verzekeren. Iemand zou er toch achteraan moeten gaan, want Josh leefde voor dat meisje. Het enige wat hem soms moed gaf om vol te houden, was de hoop dat hij een vader voor haar zou kunnen zijn.'

Er leek geen einde te komen aan de tragedies van haar zoon. Annie zuchtte om haar pijn een uitweg te geven – een golf van pijn. 'Daar zullen we rekening mee houden,' zei ze ten slotte. 'Dank je, Cara, dat je zijn vriendin was.'

'Het is precies omgekeerd.' Er klonken een paar onderdrukte snikken. 'Dank u voor uw fantastische zoon.'

Annie verbrak de verbinding en liep naar de schoorsteenmantel. Hoe vaak moest haar zoon niet precies op die plek hebben gestaan om naar de foto van de twee tienermeisjes te kijken, in de wetenschap dat hij, ongeacht hoeveel pijn hij had, twee levens redde. En hoe vaak zou hij ook niet naar de gezinsfoto hebben gekeken en hebben verlangd naar een tijd dat zijn ouders trots op hem zouden zijn? Om vervolgens zijn ogen te richten op de foto van het kind. Savannah. Ze wilde het eerder niet zien, maar er was iets in haar gezicht dat haar aan Josh deed denken. Of misschien was ze te overweldigd door schuldgevoel om nog langer te ontkennen dat het meisje van Josh zou kunnen zijn. Ze pakte de foto op en bekeek hem nauwkeurig.

Savannah Cameron.

Als dit Josh' dochter was, dan zou het ook haar kleindochter zijn. Het was meer dan ze aankon en met trage handen en een bezwaard hart zette ze de foto terug op de schoorsteenmantel. In één ding had Cara gelijk. Ze moesten de spullen van Josh verder doorzoeken voor het geval er ergens informatie te vinden zou zijn omtrent de verblijfplaats van de moeder van het meisje.

Annie liep terug naar de slaapkamer van haar zoon. Met al dat verlies wist ze niet of ze nog een dag van deze zoektocht, deze ontdekkingstocht, zou overleven. Ze troostte zichzelf met de gedachte aan het ene schitterende stukje informatie dat de zoektocht vandaag aan het licht had gebracht. Josh had de weg teruggevonden naar het geloof dat hij als kind had gehad. De vreugde over dat feit gaf Annie de kracht om diep adem te halen en nog een keer in een doos met bezittingen van haar zoon te kijken. Hij was zijn schadevergoeding en het succes waarop hij hoopte, misgelopen. Hij liep een diepe vriendschap met zijn vriendin Cara mis en kreeg geen kans om de vader te worden die hij wilde zijn.

Maar de hemel was hij niet misgelopen.

18

Thomas hing op en gaf zijn secretaresse opdracht al zijn telefoontjes tegen te houden. Hij had een paar minuten nodig om te verwerken wat er zojuist was gebeurd. De uitslag was hem via de e-mail toegestuurd, maar om zeker te zijn had hij de kliniek zelf opgebeld. Het nieuws kwam niet als een donderslag bij heldere hemel, maar het definitieve karakter ervan benam hem de adem. De ouderschapstest was positief.

Josh was de vader van Savannah, daar was geen twijfel meer over mogelijk.

Hij sloeg zijn handen voor zijn gezicht en stelde zich Josh voor, die met zijn ernstige blik in de stoel tegenover hem, in ditzelfde kantoor, over Savannah praatte alsof hij de testresultaten al had gezien. Zij was zijn dochter, daar had hij geen enkele twijfel over. Dat was de reden waarom hij over haar sprak in de getuigenbank en waarom hij met slechts één verlangen zijn graf inging: de kans om de vader van Savannah te zijn.

Thomas haalde diep adem en leunde achterover in zijn stoel. Was dit nieuws maar gekomen toen Josh nog leefde, toen hij de plaats tegenover hem nog vulde. Zijn pijn zou naar de achtergrond zijn gedrongen door de opwinding over het feit dat Thomas het meisje had gevonden, en dat ze officieel zijn dochter was.

Maar nu was er zoveel oneerlijks aan het bericht. Josh kreeg de kans niet om haar te leren kennen en Maria Cameron zou er met het geld van de schadevergoeding vandoor gaan. Het geld waarvoor Josh zijn leven had gegeven. Hij stond op, maar kon zijn schouders nauwelijks rechten onder de last van het nieuws. Hij moest Annie en Nate nu opbellen, voordat er nog een uur verstreek.

Hij belde naar Annies mobiele telefoon en was niet verbaasd dat zij en Lindsay in het appartement waren. Het was dinsdag, de derde week na Josh' overlijden en Annie had bijna elke minuut gebruikt om de spullen van haar zoon te doorzoeken. Ze klonk als een ander mens door alles wat ze over hem te weten kwam. Het was alsof de onthullingen niet alleen haar visie op Josh, maar ook haarzelf veranderden. Ze werd zachter en vriendelijker, minder ambitieus met betrekking tot de dingen die er niet werkelijk meer toe deden nu Josh overleden was.

'Ik heb weer iets ontdekt vandaag,' vertelde ze. 'Ik heb contact gehad met een vriendin van hem die ik in zijn computer vond. We hebben een uur lang gepraat. Ze zegt dat Josh haar tot geloof bracht. Is dat niet fantastisch?'

Thomas zette zijn ellebogen op zijn bureau. 'Dat is het zeker.'

'Ze vertelde me dat ze een alleenstaande moeder was en dat Josh haar de moed had gegeven een betere moeder te zijn die haar kinderen op de eerste plaats zette, en…'

'Annie.' Haar woorden herinnerden hem eraan dat hij die avond op tijd wilde zijn voor het piano-optreden van zijn zoon. Josh had evenzeer indruk op hem gemaakt. 'Ik wil je niet onderbreken, maar we moeten praten. Is het goed dat ik langskom?'

Annie zweeg en haar stem kreeg een gealarmeerde ondertoon. 'Is het goed nieuws, Thomas?'

'We kunnen er beter persoonlijk over praten.'

'Goed. Ik wacht op je.'

Thomas pakte zijn aktetas en autosleutels en zei tegen zijn secretaresse dat hij de rest van de dag afwezig was. Het liefst had hij Nate er ook bij gehad, maar Annie zou de informatie

kunnen doorgeven. Het belangrijkste was dat ze het nieuws zo
snel mogelijk hoorden.

Ook al zou hun leven daarna nooit meer hetzelfde zijn.

Iets in zijn stem verried Annie dat er zich een dramatische en misschien afschuwelijke ontwikkeling had voorgedaan in de rechtszaak van Josh tegen de verzekeringsmaatschappij. Onmiddellijk
na het gesprek belde ze Nate en vroeg hem zo snel mogelijk van
zijn werk naar het appartement te komen. Wat het nieuws ook
zou zijn, ze wilde het niet zonder hem erbij aanhoren.

Lindsay kwam naast haar staan toen ze nog met Nate in
gesprek was en begon vragen te stellen zodra Annie de verbinding had verbroken. 'Wat is er aan de hand?'

'Thomas Flynn heeft gebeld. Hij is onderweg hiernaartoe.'
Ze voelde zich verdoofd. 'Hij heeft nieuws.'

'Slecht nieuws?'

'Dat heeft hij niet gezegd.' Lindsay hoorde aan haar stem
wat Thomas niet direct had willen zeggen. Het kon geen goed
nieuws zijn.

'Misschien is er een schaderegeling getroffen, of ligt er op
zijn minst een voorstel.' Lindsay ging in de stoel naast haar
moeder zitten en trok haar benen op. 'Die kan er toch elk moment doorkomen?'

'Dan zou Thomas het gezegd hebben. Hij zou gezegd hebben dat er een beslissing was gevallen, ook al zou hij er niet via
de telefoon over willen praten.'

'En dat heeft hij niet gezegd?'

'Nee.' Ze speculeerden nog een paar minuten over de mogelijkheden. 'Een week geleden zei hij dat er een paar hobbels
waren te nemen met betrekking tot de nalatenschap van Josh,
een of andere vraag.'

Aangezien ze er geen van beiden een touw aan konden vastknopen, wachtten ze af en praatten ondertussen over Cara Truman, Keith en Ethel en de goede jongen die Josh was geweest. Nate kwam als eerste bij het appartement aan. Hij kwam met grote ogen naar binnen lopen en zag bleker dan normaal.

Weer praatten ze verder over kleinigheden, nerveuze en lege woorden om de tijd te vullen. Een paar minuten later werd er op de deur geklopt. Lindsay deed open en het gezicht van Thomas verried Annie al dat ze niets goeds te horen zouden krijgen. Ze zetten zich schrap en zochten hun plaatsen op, Annie en Nate op de bank van Josh en Lindsay in de bijpassende fauteuil. Thomas trok de bureaustoel dichterbij en keek hen een paar tellen lang alleen maar aan. Hij had een dossiermap in zijn hand, maar sloeg die niet open.

Ten slotte richtte hij zich tot Nate. 'Annie vertelde me dat jullie de afgelopen tien dagen veel over Josh te weten zijn gekomen.'

'Ja.' Nates stem klonk geduldig, hoewel iedereen in de kamer de voor de hand liggende vraag wilde stellen: wat was er gebeurd dat de advocaat alles liet vallen wat hij in handen had en regelrecht naar het appartement kwam? Nate vouwde zijn handen en leunde voorover. 'God is… heel goed voor ons geweest en heeft ons een kant van onze zoon laten zien dat we anders wellicht gemist hadden.'

Thomas knikte langzaam en keek een paar tellen naar zijn handen. Toen hij weer opkeek, drukten zijn ogen een dieper verdriet uit dan Annie tot nu toe bij hem had gezien. 'Ik ben bang dat ik nog meer informatie heb over Josh.'

Alle drie zwegen ze en wachtten gespannen af, zonder met hun ogen te knipperen. De enige geluiden waren het zoemen van de koelkast en het zachte tikken van de secondewijzer van de keukenklok. Dat, en het bonken van Annies hart. Ze wist zeker dat iedereen in de kamer het kon horen.

Thomas zuchtte diep. 'Tijdens de laatste verklaring die Josh een dag voor zijn dood aflegde, vertelde hij de rechtbank dat hij een dochter had. Dat zou haar tot zijn enige erfgename maken.'

Annie voelde hoe de kamer begon te draaien. Ze kroop dichter naar Nate toe en steunde op zijn arm om niet van de bank te glijden en flauw te vallen op het beige tapijt. Nog steeds zwegen ze alle drie.

'Vanwege de verklaring van Josh was ik verplicht mijn best te doen om de moeder van het meisje te vinden, ene Maria Cameron uit New York City.' Hij perste zijn lippen op elkaar. 'Ik vond haar de vrijdag na Josh' overlijden en stuurde haar later die dag een bericht. Volgens de wet was ik verplicht haar te vertellen dat het meisje wellicht de erfgename was van een uit te keren schadevergoeding.' Zijn minachting klonk door in zijn stem. 'Ik hoef niet uit te leggen dat ze de maandag daarop onmiddellijk contact zocht.'

'Waarom heb je ons dat niet verteld?' Nate klonk niet kwaad, alleen maar verbaasd.

'Omdat ik wilde geloven dat de zoektocht nergens toe zou leiden.' Thomas snoof licht. 'Ik wilde niet dat jullie je zorgen zouden maken om niets.'

'Maar…' Nate hoefde het niet te vragen want iedereen in de kamer kon aanvoelen waar het gesprek op zou uitdraaien.

'Ik eiste dat het meisje aan een ouderschapstest onderworpen zou worden. We hadden de gegevens van Josh al. Dat is standaard in een zaak als deze, waarin hij vermoedde dat hij de vader was van een kind, zonder dat het ouderschap was bevestigd.'

Zijn woorden begonnen door elkaar te lopen en Annie voelde hoe haar wereld instortte.

'De vrouw werkte uiteraard bijzonder goed mee en was er volkomen van overtuigd dat Josh de vader was van haar dochter.' Hij hield de dossiermap in zijn hand omhoog en liet hem weer zakken. 'De resultaten kwamen net voordat ik Annie belde binnen.' Hij maakte achtereenvolgens oogcontact met alle drie. 'Het meisje is zonder twijfel Josh' dochter.'

Annie hield Nate vast en greep met haar andere hand de rand van de bank. Nee, nee, dat was niet mogelijk. Had Josh al die tijd gelijk gehad? Had hij een dochter gehad en was het hem niet toegestaan om haar te zien, vast te houden of te leren kennen? Snel haalde ze een paar keer adem, stond op, liep naar de balkondeur en terug. 'Weet je het zeker?'

'De test is eenduidig.' Thomas gaf haar de map. 'Daar staan alle details in.'

Ze liet de map op de bank vallen en sloeg haar armen over elkaar. De resultaten zouden wellicht talloze implicaties hebben, maar het allereerste feit, het feit dat haar als een dolk in haar hart trof, was dit: Josh had een dochter, maar het was hem nooit gegund een vader te zijn.

Thomas ging verder en zei iets over de schadevergoeding en het meisje dat de enige erfgename van Josh was. Het hele bedrag minus de schulden die Josh had opgelopen, zou naar de dochter van Josh gaan, en…

'Wacht eens even.' De kamer hield op met draaien en Annie boorde haar blik in de ogen van de advocaat. 'Wil je zeggen dat wij geen zeggenschap krijgen over de nalatenschap van Josh?'

'Dat klopt.'

'Het hele bedrag van de schadevergoeding gaat naar… naar dat kind?' Nates stem klonk ongelovig.

'Ja. Maar haar moeder zal de nalatenschap beheren totdat Savannah achttien wordt.'

'Maar mijn ouders zijn de executeurs van mijn broers nalatenschap. Kunnen zij niet bepalen of het meisje werkelijk een erfgenaam moet zijn in deze situatie?' Lindsay was overeindgekomen en haar stem klonk opgewonden. 'Ik heb verhalen over dergelijke zaken geschreven.' Ze keek Annie en Nate aan. 'We kunnen dit aanvechten.'

'Dat kun je zeker proberen.' Thomas ging iets meer rechtop zitten. Hij knikte en speelde het spel verder, nog niet bereid om zijn kaarten op tafel te leggen. 'Jullie zaak zou sterker staan als Josh niet in de getuigenbank had verklaard dat hij een dochter had, als hij haar dus niet had erkend.'

Annie herinnerde zich iets. Ze haastte zich naar de slaapkamer en kwam terug met de brief van Maria Cameron, waarin ze dreigde om Josh het kind nooit te laten zien als hij niet duizenden dollars per maand zou betalen. 'Moet je dit eens horen.' Ze las een paar van de gemeenste passages uit de brief voor. 'Die vrouw chanteerde Josh. Ze weigerde hem zelfs het meisje te laten ontmoeten. Het geld van de schadevergoeding mag absoluut niet naar haar gaan, of naar een dochter die hij nooit heeft gezien.'

'Helaas,' zei Thomas, die eerder vermoeid dan hoopvol klonk. 'De wet is tamelijk helder in dit geval. Al het geld van de overledene gaat volgens de wet op het erfrecht automatisch naar de erfgenaam. Alleen wanneer de overledene in een geschreven verklaring voor getuigen heeft vastgelegd dat hij of zij niet wil dat de hele of gedeeltelijke nalatenschap aan die erfgenaam vervalt, gebeurt dat niet.'

'Met andere woorden, als Josh schriftelijk had vastgelegd dat hij niet wilde dat zijn geld naar dit meisje ging, of liever gezegd naar haar moeder, dan zou er geen probleem zijn.' Nate zat nog steeds op de bank, maar hij was naar het randje opgeschoven, met zijn rug stijf rechtop. Hij deed zijn best om te begrijpen in welke situatie ze plotseling verzeild waren geraakt.

'Exact.' Thomas keek alsof hij niet zeker wist hoe hij het volgende moet zeggen. 'Ik heb dit gesprek een aantal keren met Josh gevoerd. Ik heb hem geadviseerd het meisje niet te noemen in de getuigenbank, aangezien er nooit een ouderschapstest was uitgevoerd en omdat hij geen idee had waar ze zich bevond of hoe ze was.'

Annie wist waar Thomas heen wilde met zijn verhaal. Ze sloot haar ogen en kon hem nog horen. Ze hoorde de smeektoon in de stem van haar zoon terwijl hij haar en Nate ervan probeerde te overtuigen dat het kind werkelijk zijn dochter was.

'Josh wilde er niets van weten. Hij zei me dat Savannah zijn dochter was en dat hij dat feit nooit zou ontkennen, niet in de rechtszaal of waar dan ook.'

Annie deed haar ogen weer open en keek naar de foto op de schoorsteenmantel. Voor het eerst in al die jaren zag ze de gelijkenis duidelijk. Het was alsof ze in het gezicht van haar zoon keek, op die leeftijd. Ze hadden dezelfde ogen. Ze moest het al die tijd al gezien hebben, gezien en ontkend, omdat haar verstand niet toestond dat haar hart het overduidelijke feit zou erkennen. Dit meisje was de dochter van Josh, hun kleindochter.

'Ik duik morgenochtend onmiddellijk in de jurisprudentie.' Thomas perste zijn lippen weer op elkaar.

'Ik kan het verhaal opzoeken dat ik geschreven heb over een soortgelijk geval,' zei Lindsay. 'Die vrouw heeft Josh al een keer in de luren gelegd.' Ze keek Annie en Nate aan. 'Ik denk niet dat wij rustig kunnen toekijken hoe ze hem nog een keer bedriegt. Niet met die schadevergoeding die zoveel voor hem betekende.'

Het gesprek ging nog vijf minuten door, waarna Thomas vertrok en beloofde om de volgende dag rond het middaguur te bellen. Als ze wilden aanvechten dat het kind de rechtmatige erfgename van Josh was, dan moesten ze zo snel mogelijk met een strategie komen.

Toen Thomas vertrokken was, trok Nate Annie in zijn armen. 'Ik moet nog een paar uur naar kantoor.' Hij kuste haar op de wang. 'Maak je geen zorgen. We laten iedereen in de kerk bidden en God zal ons helpen. Ik twijfel er niet aan of het juiste zal gebeuren.'

Annie knikte, te bezorgd en vermoeid om te praten. Het nieuws had haar de adem benomen en na de aanvankelijke uitbarsting van verontwaardiging was er nog maar één heel duidelijke emotie die ze voelde: twijfel.

Lindsay moest ook vertrekken en ze vroeg Annie mee te gaan. 'Kom mee naar mijn huis, mam. We halen onderweg wat te eten op en dan kun je een poosje bij Ben en Bella zijn.' Lindsay boog naar haar toe en kuste haar op haar voorhoofd. 'Ze missen je.'

'Ik heb geen honger.' Annie keek langs haar dochter naar de dozen die ze nog niet had uitgezocht. 'Ik kom wat later. Over een uur of zo.'

Lindsay vertrok met tegenzin, en pas nadat haar moeder had beloofd dat ze niet langer dan een uur in het appartement zou blijven. Annie begreep haar bezorgdheid, maar om hier te zijn, omringd door de spullen van Josh, zijn woorden, muziek en grootste schatten, was bijna prettig geworden. Het was een methode om Josh weer deel van haar leven te maken.

Toen ze alleen was, liep Annie naar de foto op de schoorsteenmantel. Savannah was de dochter van Josh en zij noch Nate had dat feit ooit willen toegeven. Maar als ze dat wel hadden gedaan? Stel dat ze een detective in de arm hadden genomen om Maria Cameron op te sporen? Dan zouden ze een ouderschapstest hebben kunnen afdwingen, gebaseerd op Maria's eigen uitspraken dat het meisje van Josh was. En met een positief resultaat in handen, zou Maria geen keus hebben gehad. Ze zou Josh een rol in het leven van het meisje hebben moeten geven.

Op die manier zou Josh toch zijn dochter hebben kunnen krijgen. Als zij en Nate hem maar voor deze ene keer hadden geloofd.

De tranen kwamen in ongecontroleerde snikken en maakten het haar onmogelijk om helder te denken. Wat hadden zij gedaan? Wat maakte het uit dat de vrouw met anderen had geslapen? Deed het er werkelijk toe dat ze getrouwd was toen ze haar avontuur met Josh begon in Las Vegas? Al was ze die maand met honderd mannen naar bed geweest, er was altijd een mogelijkheid dat Josh de vader zou zijn. Een mogelijkheid die het waard was geweest om uit te zoeken. Had Josh dat niet op zijn minst verdiend? Hij beschikte niet over de middelen om een dergelijke speurtocht te verrichten, of de degens te kruisen in een gevecht over de voogdij. Hij had het alleen gekund als hij hulp had gekregen.

De hulp die Annie en Nate hem ondubbelzinnig hadden geweigerd.

O God, wat hebben we gedaan? Ze pakte de foto op en liet zich langzaam, met pijn in het hart, op haar knieën zakken. Het kleine meisje op het plaatje had haar vader nooit gekend en nu was het te laat.

Josh had zijn pasgeboren dochter nooit kunnen vasthouden, nooit tegen haar kunnen praten met de zachte en lieve geluidjes die tussen een vader en zijn kind werden uitgewisseld. Hij had nooit de kans gekregen haar hand vast te houden terwijl ze als peuter door de kamer stapte en hij had haar niet kunnen wegbrengen voor haar eerste dag op school.

Zij had haar vaders omhelzingen en zijn sterke armen nooit leren kennen. Ze was nooit naar hem toe gerend in de gang van hun huis als vreemde geluiden haar midden in de nacht bang maakten. Ze was nooit hand in hand met hem naar het park gewandeld en had nooit uit volle borst gelachen terwijl hij haar hoger en hoger duwde op een schommel, tot haar voeten de lucht raakten.

Josh had geweten dat ze zijn dochter was, maar hij had er niets aan kunnen doen. Dus had hij het dagboek bijgehouden en de rechtszaak aangespannen. En op het moment dat hij de schadeloosstelling zou krijgen, zou hij doen wat hij al wilde sinds hij voor het eerst van haar bestaan hoorde. Hij zou een zaak aanspannen tegen Maria Cameron om de voogdij. Annie dacht terug aan een keer toen het onderwerp ter sprake kwam. Ze zag de ernstige blik in de ogen van Josh en dacht aan de hartstocht waarmee hij over het kind had gepraat.

'Ook al krijg ik maar een week per jaar, ik wil dat ze me leert kennen. Ik wil dat ze weet dat ze een vader heeft die van haar houdt.'

Annie slikte een volgende snik weg. Wat had ze gedaan toen Josh dat zei? Was ze over iets anders begonnen? Had ze hem gevraagd of hij nog spaghetti wilde? Niets met betrekking tot het kind leek zelfs maar een beetje realistisch. Mensen gingen niet naar Las Vegas om na een nacht met een getrouwde vrouw de vader van haar kind te worden. Annie kon zichzelf er niet toe brengen die mogelijkheid onder ogen te zien.

En nu was het te laat.

Ze hield de foto dicht tegen haar hart. 'Het spijt me, Josh. Ik wist het niet.'

Het eerdere gesprek speelde weer door haar hoofd – het nieuws van Thomas en haar reactie, haar onmiddellijke overtuiging dat ze het gevecht met de moeder van het meisje wilde aangaan. En ze dacht aan Nates commentaar, dat voor Josh niets belangrijker was dan die schadevergoeding te ontvangen.

Op dat moment stopte ze. Ze kwam moeizaam overeind en bleef het meisje op de foto aankijken. Geen wonder dat ze zich door twijfel overmand voelde, zowel toen als nu. Ze had de waarheid zeven jaar lang ontkend; ze had zelfs ontkend dat het theoretisch mogelijk was dat het kind wel van Josh zou zijn. Ze pakte zichzelf aan en dwong zich anders naar het meisje op de foto te kijken. Ze was niet *dat meisje*, of *dat kind*. Ze was Savannah, de dochter van Josh. *Vanaf nu denk ik alleen nog aan haar met haar naam*, nam Annie zich voor. *Dat ben ik op zijn minst aan Josh verplicht.*

Als Annie er zeker van kon zijn dat het geld naar Savannah zou gaan, hoefde er geen strijd gevoerd te worden. Josh hield van haar, al had hij haar nooit gezien, en hij zou willen dat er voor haar gezorgd werd. Maar dat zou niet gebeuren. Dat zei Thomas ook. Het geld zou naar Maria Cameron gaan, die de voogdij over Savannah had. Tegen de tijd dat Savannah achttien zou worden, zou het verzekeringsgeld verdwenen zijn, verkwist door de vrouw die alles had gedaan wat in haar vermogen lag om het leven van Josh kapot te maken.

Dat was de moeite van een gevecht waard.

Maar allereerst vroeg Annie God om wijsheid en inzicht die groter waren dan die van haarzelf. *Alstublieft, God, wijst U de weg in deze juridische nachtmerrie. Ik heb de laatste zeven jaar zelfs de kleinste kans ontkend dat Savannah de dochter van Josh zou zijn, maar ik zat ernaast. Ik wil er niet weer naast zitten. Alstublieft, God, leid ons.*

'Josh, ik beloof je dat ik nooit zal vergeten dat je Savannahs vader bent. Nooit meer.' Ze fluisterde de woorden door een nevel van pijn en verdriet en ze bad in stilte dat God ze aan haar zoon zou laten horen.

Zij, Nate en Lindsay zouden een team vormen en voor de schadevergoeding strijden. Ze was ervan overtuigd dat het de juiste weg was, de enige weg om het geld uit handen te houden van een vrouw die niets anders had gedaan dan Josh kwellen. Maar ze konden niet volhouden dat er niets belangrijker was voor Josh dan de schadevergoeding. Dat was niet waar.

Natuurlijk was het geld belangrijk, evenals de uitspraak dat de verzekeringsmaatschappij van de dronken chauffeur moest opdraaien voor de verliezen die hij had geleden. Hij wilde het geld graag hebben om een huis te kopen en een toekomst voor zichzelf op te bouwen. Maar zijn grootste zorg was niet het geld. Die plek was gereserveerd voor maar één persoon. Cara Truman had dat feit in hun gesprek eerder die dag keer op keer bevestigd. Het antwoord was duidelijk voor iedereen die Josh kende en liefhad. Wat hem het meest ter harte ging was niet de rechtszaak, maar zijn dochter, Savannah Cameron.

En nu zou Savannah ook de zorg voor de rest van hen moeten worden, op welke manier ook.

19

Cody Gunner kon het gevoel niet van zich afzetten dat hij contact moest zoeken met de ouders van Josh Warren. Het was woensdag, meer dan drie weken na de dood van Josh, en elke dag na die gebeurtenis had de gedachte hem achtervolgd. Hij had niet goed geslapen sinds hij het nieuws had gehoord, want hij was op de hoogte van iets dat de ouders misschien ook moesten horen. Maar aan de andere kant was de situatie niet echt zijn zaak. Hij twijfelde tussen zeggen of niet zeggen, en die tweestrijd putte hem elke dag een beetje meer uit.

Hij zat op de veranda voor de boerderij die hij samen met zijn vrouw, Elle, bewoonde, en voor de zoveelste keer gaf hij lucht aan zijn gevoelens. 'Ik blijf mezelf maar voorhouden dat het mij niet aangaat.' Hij pakte Elles hand en keek uit over hun land. 'Ik bedoel, stel dat zijn familie niet eens op de hoogte is van het bestaan van dat meisje.'

'Wat zei Josh precies tegen jou?'

'Het was een gesprek dat we onderweg naar huis uit de kerk voerden, de laatste keer dat hij met ons meeging. Jij liep achteraan met Carl Joseph en Daisy, en Josh zag eruit alsof hij het gewicht van de hele wereld op zijn schouders torste.'

'Dat klopt. Ik dacht dat hem iets mankeerde.'

'Ik zag het ook, en dus vroeg ik het hem. Ik zei dat hij er uitzag alsof hij veel aan zijn hoofd had.' Cody herinnerde zich het gesprek letterlijk. Hij kon de stem van Josh horen en zag de rimpels in zijn voorhoofd nog voor zich.

'Mijn advocaat blijft me steeds naar Savannah vragen,' zei hij.

'Je dochtertje?' Cody kende haar naam omdat Josh al eerder over haar verteld had.

'Ja. Hij denkt dat het onderwerp binnenkort in de rechtszaal aan de orde kan komen. Als de andere advocaten ernaar vragen, wil hij dat ik zeg dat ik bij mijn weten geen kinderen heb.' Bezorgd kneep hij zijn ogen half dicht onder het praten. 'Omdat er nooit een ouderschapstest is gedaan of iets in die geest, begrijp je?'

Cody had met Josh te doen gehad. Hij en Elle waren iets meer dan twee jaar getrouwd en zij was in verwachting van hun eerste kind – een jongetje, als de echo het bij het rechte eind had. Nu al was het beschermende gevoel dat hij voor hun eerstgeborene koesterde sterker dan alle andere emoties die hij ooit had gekend. Hij kon zich nauwelijks voorstellen hoe het voor Josh voelde om zeker te weten dat het kind van hem was en van zijn advocaat te horen te krijgen dat hij zijn relatie met haar in de rechtbank moest ontkennen. Cody had een beetje doorgevraagd naar de bedoelingen van de advocaat. 'Waarom wil hij niet dat je vertelt dat je de vader van Savannah bent, voor zover je weet?'

'Vanwege de schadevergoeding.' Josh kneep zijn ogen dicht tegen het felle zonlicht. 'Als ik de rechtbank vertel dat ik een dochter heb, krijgt Savannah al het geld als mij iets overkomt.'

'Alles?' Die gedachte had Cody zorgen gebaard, vooral omdat er geen echt bewijs was dat Savannah een dochter was van Josh.

'Mijn schulden zouden eerst worden afgelost, zodat mijn ouders en mijn zus alles wat ze ooit aan mij uitleenden, zouden terugkrijgen. En er zou een ouderschapstest afgenomen moeten worden voordat Savannah ook maar een stuiver zou krijgen, dat soort dingen.' Hij haalde een schouder op. 'Maar inderdaad, zij zou de rest van het geld krijgen.'

'Is dat wat jij ook wilt?'

'Als ik sterf voordat de schadevergoeding komt? Ja, dan zou ik dat willen.' Hij had nooit eerder zo'n stellige uitspraak gedaan sinds Cody hem had ontmoet. 'Dat kleine meisje heeft haar papa al die jaren niet gekend. Als mij iets overkomt, wil ik op zijn minst financieel voor haar zorgen. Ze moet opgroeien in de wetenschap dat ik heel veel om haar gaf. Begrijp je?'

Cody begreep het beter nu hij op het punt stond vader te worden. Hij kwam terug in het heden uit zijn herinnering en keek Elle diep in de ogen. 'Ik liet het gesprek toen voor wat het was, zonder er nog over na te denken. Ik bedoel, Josh had wel veel pijn, maar ik had niet het idee dat hij zou sterven.'

'Natuurlijk niet.' Hij zag aan het gezicht van zijn vrouw dat ze zijn dilemma begreep. Ze legde haar hand op haar buik. 'De baby is hard aan het schoppen vanavond.'

'Ja?' Het was de derde week van oktober en het werd koeler 's avonds. Hij legde zijn arm om Elles schouders.

'Ik denk dat hij gaat paardrijden, net als zijn vader.'

'Op stieren, bedoel je?'

'Paarden.' Ze trok haar wenkbrauwen tegen hem op. 'We hebben een afspraak.'

'Ik weet het.' Cody glimlachte. Hij schoof naar haar toe en kuste haar teder totdat ze beiden buiten adem waren. 'Geen stieren voor deze baby. Ik beloof het.'

Ze kusten elkaar weer en Elle trok zich als eerste terug. 'Wat ga je nu doen?'

'Je bedoelt met dat gesprek met Josh?'

Ze knikte. 'Zijn ouders moeten weten wat de wensen van hun zoon waren.'

'Je hebt gelijk. Ik zal ze morgen opbellen.' Hij dacht aan Carl Joseph. 'Mijn broer heeft het er erg moeilijk mee.'

'Daisy ook.'

'Gisteren belde hij me op en vroeg me naar de hemel.' Cody kon zich het gesprek nog precies voor de geest halen.

'De hemel is waar Ali is, toch, broer?' De stem van Carl Joseph klonk onzeker.

'Klopt. Ali is daar al bijna vijf jaar.'

'Dat is lang.'

'Inderdaad.' Cody had het verlies van Ali goed verwerkt, maar op dat moment was de pijn weer zo nieuw als op de dag dat zijn eerste vrouw was bezweken aan taaislijmziekte. Hij slikte zijn verdriet weg. 'Dat is heel lang.'

'Denk je dat mijn goede buurman Ali misschien leert kennen in de hemel?'

Cody had geglimlacht bij het beeld. 'Dat zou fijn zijn, vind je niet?'

'Ja, want Josh was echt een heel goede buurman, broer. En als Ali in de hemel een goede buurman nodig heeft, hoop ik dat God hun huizen direct naast elkaar zet.'

'Dat hoop ik ook.'

'Maar het liefst wilde ik dat Josh nog steeds aan de overkant van de parkeerplaats in appartement J-8 woonde, want we kunnen hem niet op zaterdagen in de hemel opzoeken.'

'Nog niet.'

'Op een dag wel?' Carl Joseph liet een klein beetje hoop doorklinken in zijn stem.

'Ja. Op een dag, als we allemaal in de hemel zijn, is Josh vast en zeker weer jouw buurman.'

'Dat hoop ik, broer.' Carl Joseph zuchtte. 'Hij was een heel goede buurman, hij gaf ons eieren voor het late ontbijt en hij deed ze niet eens allemaal in één mandje. In plaats daarvan gaf hij een plastic eierdoos.'

Cody was aangedaan door de beschrijving van zijn broer. 'Josh was een goed mens.'

'Ja, de mensen in de hemel mogen blij zijn dat ze hem hebben.'

Cody trok Elle tegen zich aan. 'Die broer van mij heeft een

goed hart. Hij was het die me op de begrafenis van Ali zei dat hij hoopte dat God haar een paard zou geven in de hemel. Omdat ze zo'n goede ruiter was. En nu hoopt hij dat Josh weer een goede buurman kan zijn in de hemel, zoals hij het hier ook was.'

'Ik ben gek op die jongen.' Elle drukte haar wang tegen de zijne. 'Daisy heeft me de afgelopen week al drie keer in tranen opgebeld. Ze zegt dat ze zich zorgen maakt dat Carl Joseph ook dood zal gaan, omdat sterven misschien besmettelijk is.' Elle zuchtte. 'Behalve onze vader, is Josh een van de weinige mensen die Daisy tot nu toe is kwijtgeraakt. Het was erg moeilijk voor haar.'

Cody kon zich alleen maar proberen in te denken hoe moeilijk de afgelopen weken voor de familie van Josh waren geweest. En als die familie inderdaad ook Savannah omvatte, dan was er ergens een klein meisje dat haar papa was kwijtgeraakt. Of ze het wist of niet. Hij kon niets doen aan de pijn die het verlies van Josh de mensen om hem heen bezorgde, maar wel kon hij vertellen over het gesprek dat hij met Josh had gehad, toen ze uit de kerk kwamen. Hij zou de volgende ochtend vroeg opbellen.

Misschien dat hij na dat besluit weer van een goede nachtrust kon genieten.

Annie en Nate namen die avond thuis het dossier door dat de advocaat hun had gegeven. Thomas had uitleg gegeven over de documenten waarin de positie van Savannah als de erfgename van Josh werd aangevochten, en nu moesten ze de papieren ondertekenen. Als ze dat deden en de documenten de volgende dag teruggaven aan Thomas, zou het gevecht officieel beginnen.

Er zou een hoorzitting plaatsvinden en er zou bewijsmateriaal worden gepresenteerd. Annie vond nog een brief van Maria, waarin ze eenduidig aangaf dat het Josh flink wat zou kosten als hij ook maar een middag met zijn dochter wilde doorbrengen. Die brieven zouden worden ingebracht, net als de verklaringen van een aantal getuigen die konden bevestigen hoe vastbesloten Josh was om Savannah te vinden en als zijn dochter te erkennen, wat echter nooit lukte vanwege Maria's voornemen om dat te allen tijde te voorkomen.

Althans tot het moment dat Josh met geld op de proppen zou komen.

Bovendien zouden ze een privédetective in de arm nemen die de rechter zou laten zien wat voor persoon Maria was, en hoe ze Josh ertoe verleidde met haar te slapen terwijl ze getrouwd was. Als dat allemaal boven water zou zijn gehaald, zou de detective precies weten met hoeveel mannen Maria het bed had gedeeld en aldus geloofwaardigheid verlenen aan het feit dat elke willekeurige man met wie Savannahs moeder had geslapen, de vader had kunnen zijn. Het punt waar het om ging, was dat Maria Cameron niet geïnteresseerd was geweest om het vaderschap van Josh vast te stellen totdat er geld in het spel kwam. En aangezien ze tegelijkertijd weigerde Josh toegang te geven tot zijn dochter, dacht Thomas dat ze een kans hadden om de zaak te winnen.

Als de situatie anders was geweest, als Maria contact had gehad met Josh en zich een geschikte moeder had betoond, zouden Annie en Nate het niet erg vinden om de erfenis naar Savannah te laten gaan. Maar het karakter en de hebzucht van de vrouw waren al bevestigd, en Annie en Nate zaten nu tegenover elkaar aan de keukentafel te praten over het gevecht voor de rechtbank.

'Wat zei Thomas over het opzetten van een studiefonds?' Het duizelde Annie van de juridische haken en ogen bij deze aanvechting van het systeem. En ondertussen kwamen de advocaten van de verzekeringsmaatschappij elke dag dichter bij een definitieve regeling. Thomas zou zijn zaak om Savannah als erfgename aan te vechten snel in elkaar moeten zetten, anders zou het geld zonder enige belemmering naar Maria Cameron gaan. Als zij het eenmaal in handen had, was de kans om het terug te halen vrijwel nihil.

Nate vouwde zijn handen achter zijn hoofd en leunde achterover. 'Dat is mogelijk. We kunnen de rechter vertellen dat we graag een bedrag, zeg honderdduizend dollar, in een fonds willen storten voor Savannahs latere studie. Misschien zelfs tweehonderdduizend. Haar moeder zou er niet aan kunnen komen omdat het geld niet bedoeld zou zijn voor de verzorging van Savannah, maar uitsluitend voor haar studiekosten.'

'Dan doen we dat. Op die manier wint iedereen erbij.' Ze dacht even na. 'Bovendien zal de rechter de kwestie eerder vanuit ons perspectief bekijken als hij weet dat we bereid zijn om Savannah te helpen. Het is haar moeder die we proberen te omzeilen.'

Ze waren al uren thuis, maar pas toen Nate opstond om een glas water te halen, zag hij het knipperende lampje van het antwoordapparaat. Hij drukte een aantal knopjes in en een dun stemmetje vulde de kamer. 'Dit is Marybeth Elmer, beheerster van het appartementencomplex van uw zoon. We hebben elkaar al eerder gesproken. Ik moet u vertellen dat ene Cody Gunner met u wil praten. Hij heeft zijn telefoonnummer achtergelaten.' De vrouw sprak het nummer tweemaal langzaam in. 'Misschien kunt u hem even opbellen om te horen wat hij wil. Zijn broer is een van onze huurders.'

Nate speelde de boodschap nogmaals af en schreef het telefoonnummer van Cody Gunner op. Annie had nog nooit van de man gehoord, maar als hij de broer was van één van de huurders, dan wist hij misschien iets over Josh – weer een detail om het nieuwe beeld dat ze van hun enige zoon hadden gevormd compleet te maken.

'Het is te laat om hem nu nog terug te bellen.' Nate legde het papiertje met Cody's nummer op het aanrecht naast de telefoon.

'Herinner me eraan dat ik hem morgenochtend bel.'

'Goed.' Nate ging weer aan tafel zitten en trok de documenten naar zich toe. Hij bladerde de eerste vijf pagina's door en keek wat langer naar het zesde en laatste blad. 'Ik denk dat we het moeten tekenen. Dat is het enige juiste om te doen, Annie.'

'Josh zou nooit gewild hebben dat die vrouw zijn schadevergoeding zou opstrijken.'

'Absoluut niet.'

Diep in haar hart herinnerde Annie zich haar gebed, haar belofte om God te vragen het haar te tonen als ze op enig punt in het gevecht om de schadevergoeding iets zouden doen wat tegen Zijn plannen in zou druisen. Maar ze had geen innerlijke onrust of waarschuwing gevoeld bij het besluit de zaak aan te spannen. Maria Cameron had Josh al een keer te veel misbruikt om er nu met zijn geld vandoor te gaan.

Het ongeluk had hem ten slotte niet alleen zijn leven gekost, maar ook zijn kans op een toekomst met Becky Wheaton, zijn droom om een nieuwe carrière te beginnen en, het verdrietigst van alles, zijn mogelijkheid om een vader te zijn voor Savannah. Het was aan de familie van Josh om te bepalen waar het geld in zijn naam naartoe zou gaan – en niet aan een vreemde als Maria Cameron.

Annie vroeg zich even af hoe het zou zijn om Savannah te ontmoeten en iets van haar zoon in haar ogen terug te zien. Als ze het gevecht zouden verliezen, was Annie absoluut van plan om een bezoekregeling te vragen. Als de rechtbank oordeelde dat Savannah de rechtmatige erfgename was van Josh, dan zou de toekenning gepaard moeten gaan met een voorwaarde die aan Maria Cameron werd gesteld. Zij zou verplicht moeten worden haar dochter in contact te brengen met de familie van Josh.

Annie hoopte dat dat op zijn minst zou gebeuren als ze de zaak verloren.

Maar wat als ze zouden winnen? Zou dat betekenen dat ze nooit de kans zouden krijgen het kind te ontmoeten of ook maar één keer in hun armen te sluiten, zoals dat Josh ook nooit vergund was? Het gaf Annie een naar gevoel, alsof het winnen van de rechtszaak belangrijker was dan het contact met Savannah. Maar misschien zou God op een of andere manier beide verwerkelijken – hun rechtmatige overwinning in de rechtbank en een ontmoeting met het dochtertje van Josh.

Ze was nergens meer erg zeker van, behalve van het feit dat ze de documenten moest ondertekenen. Nate tekende eerst, daarna was het haar beurt. Toen ze haar handtekening plaatste op de lijn die hun advocaat duidelijk had aangegeven, moest Annie zich met alle kracht voorhouden dat dit gevecht tegen Maria Cameron was gericht, niet tegen Savannah, de dochter die Josh zo dierbaar was geweest.

20

De zenuwtrekjes en hartkloppingen kwamen vaker, als lichamelijke waarschuwingen dat ze het netjes moest spelen. Heel netjes. Althans totdat de schadevergoeding binnen was. Maria keek naar de rode cijfers op het kastje naast haar bed. Zeven uur vijftien. Ze ging op de rand van haar bed zitten en rekte haar armen boven haar hoofd uit. Haar leven had een krankzinnige wending genomen en ze had geen idee hoe ze met de druk moest omgaan. Althans niet in nuchtere toestand.

Ze had nu een advocaat, iemand die Freddy had aanbevolen. De advocaat was zijn idee, nadat Thomas Flynn afgelopen donderdag had opgebeld om haar te vertellen dat de familie van Josh haar aanspraak op het geld aanvocht. Waar haalden ze het lef vandaan? Savannah was het enige kind van Josh, zijn enige erfgename, zoals de advocaat het graag uitdrukte. De zaak zou een hamerstuk moeten zijn, en over drie maanden zouden zij en Savannah een luxeleven moeten kunnen leiden. Dat was wat haar advocaat zei. Hij had de bedragen achterhaald die Thomas haar tijdens het eerste telefoongesprek niet wilde meedelen: een dikke twee miljoen dollar. Dat zouden zij en haar dochter in de wacht slepen als alles goed ging. Twee miljoen. Josh had eindelijk toch fortuin gemaakt. Hij had zichzelf door een rijke, dronken chauffeur laten aanrijden en het geld zou nu binnen een paar weken worden uitgekeerd.

Maria pakte het visitekaartje op dat naast haar wekker lag. 'Harry Dreskin, advocaat en procureur,' stond erop. Harry was een goede vent. Hij had een klein kantoor in de Upper West Side. Maria had hem al twee keer gesproken en voor zover zij kon merken, was Harry apetrots om een respectabele zaak als die van haar te behandelen. Hij hielp zijn cliënten een schadevergoeding binnen te halen voor een kind zonder vader. Wat kon er eerbaarder en beter zijn dan dat?

Harry wilde geen betalingen vooruit, wat hem de ideale advocaat maakte. Maar hij had erop gezinspeeld dat enige slaapkameractiviteit zijn honorarium nog aanzienlijk kon verlagen zodra de schadevergoeding binnenkwam. Maria was wel geïnteresseerd, maar ze wees zijn aanbod af omdat moeders — echte moeders zoals ze die met hun kinderen in het park zag spelen — niet met mannen naar bed gingen om de kosten van juridische bijstand te verlagen, of van de huur, de drugs of wat dan ook.

Maria dacht aan de dag die voor haar lag. Zij en Savannah konden niet in de woning van Freddy blijven zitten. Vandaag niet. Ze moesten de kamers opruimen en verdwijnen. Freddy had een zakelijke afspraak met een aantal figuren die zelfs Maria angst aanjoegen. Maar de tocht die ze de dag daarop naar Denver moest maken, was zo mogelijk nog beangstigender. De eerste keer dat ze ergens anders naartoe vloog sinds haar uitstapje naar Las Vegas, acht jaar geleden.

De reis maakte uiteraard deel uit van het nieuwe gevecht om het geld. Haar advocaat had gezegd dat het even zou duren, omdat Maria zich geen vliegreis kon veroorloven en met een geleende auto naar Colorado zou moeten rijden. Daarop had de advocaat van Josh tickets gekocht voor haar en Savannah. Hij zette hen zelfs in een luxehotel, een Holiday Inn met gratis ontbijt. Voor de reis zelf was ze niet bang. Een of andere rechter in Denver zei dat ze moest komen getuigen dat Savannah de dochter van Josh was en moest uitleggen waarom ze Josh nooit zijn dochter had laten bezoeken.

Vanaf het moment dat ze hoorde dat ze naar Denver moest, had ze de ene leugen na de andere verzonnen. De advocaat zou haar vragen waarom zij Savannah bij Josh had weggehouden, en zij zou met haar zoetste glimlach zeggen: 'Ik heb Josh de kans gegeven om zijn dochter te zien, maar hij was niet geïnteresseerd.' Haar hart begon te bonken. Nee, die leugen zou niet echt werken. De familie van Josh wist waarschijnlijk hoeveel moeite hij had gedaan om Savannah te ontmoeten.

Ze beet op haar lip. Een andere leugen. 'Ik heb Josh de kans gegeven om bij zijn dochter te zijn, maar hij kon zich de reis nooit veroorloven.' Weer zou ze innemend naar de advocaat glimlachen. 'Ik bleef hopen dat hij een weg zou vinden om ons op te zoeken en contact te krijgen met Savannah, maar dat is nooit gebeurd.'

Ze zou voor woensdag – twee dagen later – met een goed en geloofwaardig verhaal moeten komen dat zou aantonen dat ze Savannah niet opzettelijk bij haar vader weghield. Anders zouden er twijfels opgeroepen kunnen worden of Savannah wel zijn rechtmatige erfgename kon worden genoemd.

Ze stak haar been uit en tikte met haar teen tegen Savannahs voet. 'Wakker worden, slaapkop. Een nieuwe dag.' Maria's hart bonkte nog steeds en het zenuwtrekje onder haar rechteroog wilde niet bedaren. Haar hele lichaam schreeuwde om drank of drugs – wat dan ook om de angstige spanning te verdoven die haar van alle kanten bestormde. Maar ondanks dat feliciteerde ze zichzelf in stilte met de manier waarop ze nu met Savannah praatte. Ze klonk bijna als een echte moeder.

Savannah ging rechtop zitten en duwde de dekens in de hoek van de kamer, ver genoeg onder het bureau om ze uit het zicht te houden. 'Goedemorgen, mama.' Ze gaapte en knipperde een paar keer met haar ogen. 'Is er ontbijt vandaag?'

De vraag ergerde Maria. 'Wanneer hebben we voor het laatst geen ontbijt gehad? Al meer dan twee weken geleden, toch?' Maria begon met haar ogen te rollen, maar ze beheerste zich. Harry had haar gezegd dat de advocaten van Josh' familie waarschijnlijk alles en iedereen naar de getuigenbank zouden halen. Dat betekende dat er vreemden konden komen rondneuzen om Savannah te vragen wat voor moeder zij was en of ze het fijn vond om bij Maria te wonen.

Als ze het beheer zou krijgen over de twee miljoen van het meisje, dan wilde Maria er absoluut zeker van zijn dat haar dochter de advocaten zou vertellen dat ze gelukkig was. Gelukkig en weldoorvoed. Ze liep de slaapkamer uit, met Savannah achter zich aan. Ze moesten de woning vandaag opruimen. Bevel van Freddy. Savannah tevreden houden, zorgen voor genoeg eten in de keuken, de huur betalen, de woning opruimen. Zoveel zaken aan haar hoofd. Ze liep naar het keukenkastje en pakte de cornflakes. Alle druk zou een stuk makkelijker te hanteren zijn als ze maar iets kon drinken. Een slok whisky, zo nu en dan.

Ze hadden het ontbijt op en waren aan het opruimen en schoonmaken toen de telefoon ging. Gewoonlijk bleef Maria bij de telefoon van Freddy uit de buurt, maar sinds die hele zaak met de schadevergoeding was opgekomen, miste ze geen enkel gesprek meer. Ze nam op en zette bewust haar beste moederlijke stem op. 'Hallo?'

'Maria, met Harry.'

'Hallo.' Ze ontspande. 'Ik heb het pakketje van Flynn ontvangen. Ik ben klaar voor de tocht naar Denver, morgen.'

'Dat is precies waar ik voor bel. Ik heb een verzoek ingediend bij de rechtbank en de rechter denkt dat hij de zaak kan afhandelen zonder jouw verklaring.'

Maria's zenuwtrek verdween. 'Wat betekent dat?'

'Het betekent dat je niet naar Denver hoeft te vliegen.' Hij praatte snel door. 'Misschien moet je op een ander tijdstip wel naar Denver om een verklaring af te leggen, maar voorlopig kun je thuis blijven. We gaan met de rechter praten en ik bel je later in de week op.'

Een rilling van opwinding en triomf ging door Maria's lichaam. 'Dat is het beste nieuws dat ik vandaag kon krijgen.'

'Dat dacht ik wel. Je hoort nog van mij.' Toen hij ophing, zag ze de whiskyfles die in een hoekje op het aanrecht stond. 'Savannah?'

'Ja, mama?' Haar stem kwam uit de badkamer boven. 'Heb je iets nodig?'

'Ben je al bijna klaar daar?'

'Nee.' Haar stem klonk dichterbij en ze hoorde haar voeten op de trap. Toen het meisje tevoorschijn kwam, keek ze Maria nerveus aan. 'Ik moet de ramen en de wasbak nog schoonmaken.'

'Goed.' Maria lachte opgewekt. 'Ik wilde het alleen maar even weten. Ik wil er zeker van zijn dat we straks veel tijd hebben in het park. En Freddy heeft vandaag die bijeenkomst hier.'

'Ik zal het snel afmaken.' Savannahs ogen waren groot van bezorgdheid toen ze weer de trap op rende.

Maria wachtte totdat ze het meisje weer aan het werk hoorde in de badkamer. Daarop greep ze de whiskyfles en haalde de dop er met een ruk af. Nuchter zijn was tot daar aan toe, maar niemand zou het merken als ze een klein slokje nam. Hoe zou ze het goede nieuws van de advocaat anders moeten vieren? Wat er ook gebeurd was tussen de twee advocaten, Harry Dreskin had de eerste ronde kennelijk gewonnen. Ze hoefde niet naar Denver te vliegen, wat betekende dat ze niet hoefde te liegen over hoe ze Josh met Savannah in contact had willen brengen.

Die rechtszaak was een wassen neus en binnenkort lag er een cheque van twee miljoen in haar brievenbus. Ze hield de fles met de goudkleurige vloeistof onder haar neus en snoof diep. De whisky rook heerlijk en Maria voelde hoe ze alleen al door de bedwelmende geur ontspande. Ze keek nog een keer op naar de trap en wist dat ze moest opschieten. Savannah mocht niet ontdekken dat ze weer had gedronken. Zelfs Harry Dreskin zei dat ze van de drank af moest blijven als ze het geld in de wacht wilde slepen.

Maar dit was iets anders. Ze had een reden om iets te vieren en bovendien, wie zou erachter komen? Ze zette de fles aan haar lippen en nam een klein slokje. De drank was zacht en verleidelijk op haar tong en brandde heerlijk in haar keel toen ze slikte. Ze nam nog een slokje, en nog een. De alcohol vond zijn weg al door haar lichaam, verwarmde haar en liet haar hart rustiger slaan. Ze had dit nodig – ze verdiende het. Maar als ze haar hunkering werkelijk wilde bevredigen, had ze meer nodig dan een paar snelle slokjes. Wie weet wanneer ze weer een kans zou krijgen om te drinken?

Weer keek ze of ze Savannah zag en luisterde ze naar haar voetstappen. Toen ze zeker wist dat het meisje haar niet zou betrappen, hield ze de fles op de kop en werkte een paar flinke slokken naar binnen. Genoeg om het echt te voelen. Daarna draaide ze de dop er snel weer op en zette de fles terug op het aanrecht. Een duizelingwekkende euforie maakte zich van haar meester. Dit was het goede leven, met de hartverwarmende drank in haar maag en de hele dag vóór haar om van het gevoel te genieten.

Ze ruimde de keuken verder op, maakte het aanrecht schoon en veegde de vloer. Ze was niet helemaal vast ter been, maar dat effect zou verdwenen zijn voordat ze het appartement verlieten. Maria herinnerde zich hoe het ging, ook al was het al een poosje geleden.

Savannah kwam even later naar beneden en keek Maria onderzoekend aan. Uiteindelijk lachte Maria nerveus, en waarschijnlijk iets te hard. 'Waar kijk je naar?'

'Mama? Is… is alles goed?'

'Alleen een beetje moe, meisje.' Ze lachte weer, zachter deze keer. 'Ik ben een beetje uitgeput van al dat werken.'

Savannah keek argwanend. Ze nam de keuken op, totdat haar ogen de whiskyfles vonden. 'Heb je gedronken, mama?'

'Natuurlijk niet.' Maria richtte haar aandacht weer op de bezem in haar hand. Hoe kon dat zeven jaar oude kind zo slim zijn?

'Heb je van Freddy's whisky gedronken?'

'Luister!' Maria draaide zich met een ruk om en keek haar dochter woest aan. 'Noem je mij een leugenaar?'

'Nee, mama.' Savannah deed een stap achteruit.

Maria had er een hekel aan als Savannah bang voor haar was. Ze liep snel op haar af en greep haar arm vast. 'Noem mij geen leugenaar, begrepen?'

'Sorry. Sorry, mama.' Het meisje begon te huilen. 'Je zei dat je niet meer zou drinken.'

'En ik heb niet gedronken. Je hebt me niet zien drinken, toch?'

'Nee.' Savannah rukte haar arm los en wreef over de plek met vier rode vlekken. 'Het spijt me.'

'Dat is je geraden.' Maria gaf haar een flinke zet om haar woorden kracht bij te zetten. Die snotneus probeerde een perfecte dag te ruïneren. Ze stond op het punt om dat ook te zeggen, toen ze eraan dacht dat ze Savannah tegenwoordig anders moest behandelen. Beter dan voor die tijd. Ze veegde de andere helft van de keukenvloer aan en was bijna klaar toen ze zich realiseerde hoe duizelig ze was. De whisky liet de keuken om haar heen draaien en Maria was boos op zichzelf dat ze zo veel had gedronken. De vloer was wankel onder haar voeten. Het volgende moment leunde ze verkeerd op de bezem en viel plat op de vloer. Snel kwam ze op handen en knieën overeind en schold zachtjes.

'Mama.' Savannah kwam snel op haar af. 'Heb je je pijn gedaan?'

'Nee.' Ze trok zich aan de schouders van haar dochter omhoog en zette haar liefste glimlach op. 'Het spijt me van daar-net. Ik ben gewoon moe, zoals ik al zei.' Ze haalde haar vingers door Savannahs roodblonde haar. 'We gaan ons klaarmaken voor de dag, goed?'

Savannah was nog steeds gespannen, maar ze knikte. Ze kleedden zich aan en namen de metro naar Central Park, zoals altijd. Toen ze halverwege hun vaste plek waren, pakte Maria een handvol zand en wreef het over Savannahs gezicht.

'Ik vind dit verschrikkelijk, mama. Geen zand meer, alsje-blieft.'

'Ssst.' Maria legde haar hand over haar mond. Het effect van de whisky begon al te slijten en haar lichaam vroeg om een volgende slok, een volgende roes. 'We hoeven niet lang meer te bedelen, meisje. Maar we moeten er smerig uitzien, anders geven de mensen ons niets.'

Ze had de afgelopen week een bord gemaakt met daarop de tekst: *Help me alstublieft mijn dochter te voeden.* Ze droeg het mee in een boodschappentas en toen ze hun plek op een bankje te-genover de ingang van de dierentuin hadden gevonden, haalde Maria het bord tevoorschijn. Het leek te werken. Mensen gooi-den hun zonder erbij na te denken vijfjes en tientjes toe. De vorige dag had ze meer dan honderd dollar opgehaald, waarvan ze het grootste deel aan Freddy gaf, voor de huur. Ze betaalde hem nu gewoon. Dat was eerzamer, meer zoals een moeder het moest doen. Maar vandaag was het geld voor haar – ze kon Sa-vannah op een pizza trakteren of later misschien met haar naar de bioscoop gaan. Dat zou het kind gelukkig maken, en een gelukkige Savannah was nu van het grootste belang.

Dat moesten moeders doen, hun kinderen gelukkig houden. Maar als Maria eerlijk was, moest ze toegeven dat haar pogin-gen om een goede moeder te zijn toch op zijn minst voor een deel verantwoordelijk waren voor haar zenuwtrekken en hart-kloppingen. Ze bedelden vijf uur lang onafgebroken. Daarna gingen ze pizza eten en toen Savannah even naar het toilet moest, bestelde Maria een groot glas bier.

Savannah zag het onmiddellijk toen ze terugkwam. 'Je hebt gezegd dat je geen alcohol meer zou drinken.'

'Dit is een feestje.' Maria hield haar stem vrolijk, maar onder de tafel boorde ze haar vingers in Savannahs arm, om haar te waarschuwen niet nog meer te zeggen. 'We hebben vandaag honderdtweeëntwintig dollar opgehaald, meisje. Ik drink wat ik wil.'

Het ene glas bier volgde het andere op en de wereld ging allengs sneller draaien. Een serveerster zei dat het tijd was om te vertrekken, maar Maria wilde niet. Ze vierde een feestje met haar dochter, wat was daar mis mee? Maar toen kwam de serveerster terug met twee grote kerels, die haar vertelden dat ze haar rekening moest betalen en moest ophoepelen.

'Luister!' Ze stond op en gaf de dichtstbijzijnde man een duw tegen zijn schouder. 'Niemand vertelt mij wat ik moet doen of laten!' Ze schreeuwde, maar het kon haar niet schelen. 'Ik ben miljonair. Ik doe wat ik wil!'

Savannah kromp ineen op haar stoel en sloeg haar handen voor haar gezicht.

'Mevrouw, als u uw rekening niet betaalt en vertrekt, moeten we de politie erbij halen.'

'Mama!' gilde Savannah. 'Betaal hem alsjeblieft.'

'Hou je mond.' Maria was het meisje zat, ze was het beu de perfecte moeder te spelen. Savannah kreeg een harde klap in haar gezicht. 'Ik vind het vreselijk om jouw mama te zijn, begrijp je dat dan niet?'

De man van het restaurant greep haar arm. 'Dat is genoeg,' siste hij tegen haar. Daarop keek hij de andere man aan. 'Bel het alarmnummer.'

Het alarmnummer? De politie mocht niet komen, of alles zou in het honderd lopen. Ze zouden geen twee miljoen dollar geven aan een dronken vrouw die haar dochter sloeg. En als die vent de politie belde, zou iedereen weten dat ze dat had gedaan. 'Nee, dat doe je niet!' Maria schreeuwde in het gezicht van de man. Daarna haalde ze uit en probeerde hem te slaan, maar ze miste. Door de actie belandde ze languit op de grond, waarbij ze onderweg met haar hoofd tegen iets scherps en hards aan sloeg. Misschien de tafel.

Toen ze haar ogen weer opendeed, stonden er politiemannen om haar heen. Ze trokken haar overeind en deden haar handboeien om. Maria vloekte en schopte naar hen, maar ze voerden haar af, zetten haar in een politiewagen en namen haar mee. Pas toen ze de parkeerplaats bij het bureau op reden, dacht ze aan Savannah.

'Mijn meisje!' schreeuwde ze. Ze boog zo ver naar voren als ze kon. 'Waar is mijn meisje?'

'We hebben haar in veiligheid gebracht.' De politieman achter het stuur keek haar woedend aan. 'Achteroverzitten en mond houden.'

Maria besefte hoe erg ze het verbruid had. Ze zou nu harder dan ooit moeten werken om de advocaten en de rechter te laten geloven dat ze een goede moeder was. Haar hoofd deed pijn toen ze zich achterover liet zakken in de patrouillewagen. De goede kant van de zaak was dat ze even van Savannah en haar onophoudelijke vragen en wantrouwen verlost was. Dat kind was meer een spion dan een dochter. Maar ze moest een manier vinden om het meisje gelukkig te maken, zelf nuchter te blijven en nergens over de schreef te gaan. Anders zou ze alles verliezen, wist Maria.

Nadat ze geregistreerd was en haar vingerafdrukken waren genomen, werd ze in een stinkende cel gestopt. De deur sloeg achter haar dicht. Maria voelde zich bang en alleen, dronken en triest over de fouten die ze die avond had gemaakt. Ze krulde haar lichaam op de houten bank tegen de muur van de cel en hoopte dat ze het niet helemaal verknoeid had. Want voor de eerste keer in haar leven had ze redenen om aan te nemen dat alles weer goed zou komen, redenen om te geloven dat ze een huis en een auto zou krijgen, en de toekomst waarvan ze altijd droomde. Met of zonder Savannah. Als ze zich uit deze puinhoop kon redden, had ze redenen te over om in de dag van morgen te geloven.

Twee miljoen fantastische redenen.

Savannah lag in het donker in een vreemd bed en hield het enige wat ertoe deed stevig vast. De foto van haar papa. Na de toestand in het restaurant had een aardige politieman haar naar de woning van Freddy gebracht. Savannah begreep niet helemaal hoe ze wisten waar ze naartoe moesten, maar ze hadden in de portemonnee van haar moeder gekeken en misschien iets gevonden wat hun de weg wees.

Bij Freddy waren de lichten uit en de aardige politieman gaf haar een hand toen ze naar binnen liepen om haar spullen op te halen. Even later kwamen ze bij de slaapkamer die Savannah met haar moeder deelde en de politieman deed het licht aan. Savannah liet zich op de grond zakken en kroop onder het bureau. Achtereenvolgens haalde ze haar kussen, deken en kleding tevoorschijn.

'Is dat jouw bed?' vroeg de agent, die naar het bed wees waarin haar moeder wel eens sliep.

'Nee.' Ze schaamde zich ervoor dat ze geen bed had, want misschien sliepen andere kinderen van haar leeftijd niet op de vloer. Ze wees naar de plek onder het bureau. 'Ik slaap daar.'

Ze kon aan het gezicht van de aardige man zien dat hij niet blij was met dat nieuws. Savannah veegde al haar spullen op een grote berg, maar de agent zei dat ze haar deken en kussen niet nodig had. 'Daar zorgen je pleegouders wel voor, meisje.'

Pleegouders. Had mama niet altijd gezegd dat dat zou kunnen gebeuren? Dat de politie haar naar pleegouders zou brengen als ze te veel klaagde? Ze werd plotseling heel bang. 'Wie zijn die pleegouders?' Haar stem klonk zacht, iel en bang.

'Het zijn heel aardige mensen.' Hij klopte haar zachtjes op haar arm. 'Maak je geen zorgen, Savannah. Het komt allemaal goed.'

'Ik wil naar mama.' Ze wist niet goed waarom ze dat zei, want haar mama wilde haar niet. Dat had ze zelfs hardop gezegd in het restaurant. Maar mama was nu eenmaal alles wat ze had, tot de dag dat haar papa haar zou komen halen.

De politieman keek beter naar haar arm. 'Wat is dat?' Hij liet zijn vingers over de plekken glijden die de vingers van Savannahs moeder hadden achtergelaten.

Ze probeerde dapper te zijn, maar huiverde een beetje omdat de plekken pijn deden. 'Niets.'

'Dat heeft je moeder gedaan, hè?'

'Maar niet expres.'

De agent schudde zijn hoofd en zei alleen maar: 'Ja, ja, dat zal wel.' Daarna nam hij alles van Savannah over, zodat ze alleen maar de kleine zak met het plastic kruis en de foto van haar papa hoefde te dragen.

Ze reden ver en staken twee bruggen over voordat ze voor een mooi huis stopten, mooier dan Savannah ooit van binnen had gezien. Ze hoorde de agent via de radio tegen iemand zeggen dat de pleegouders in Queens woonden, dus daar moesten ze zijn. Ze gingen samen naar binnen. In het huis woonden een oude man en vrouw. Ze namen haar mee naar boven, naar een bed dat precies groot genoeg voor haar was. Ze gaven haar een nieuwe tandenborstel en tandpasta en zeiden dat het tijd was om haar tanden te poetsen. Daarna kreeg ze een nieuw nachthemd en moest ze naar bed.

'Geloof je in Jezus?' vroeg de oude vrouw haar. Ze had lieve ogen.

'Ja.' Savannah dacht aan opa Ted. 'Gaan we met Hem praten?'

'Jazeker.' Het oude stel kwam op de rand van haar bed zitten en de man en vrouw praatten lang met Jezus. 'We weten dat U plannen hebt voor Savannah. We bidden dat U haar wilt beschermen en helpen die plannen te verwezenlijken. Wees alstublieft met haar moeder en laat haar weten dat ze bij U ware en blijvende verandering kan vinden.'

Daarna zeiden ze welterusten en lieten haar alleen. Maar er bleef een klein lichtje branden. 'Voor als je een beetje bang bent,' zei de oude vrouw.

Zodra ze alleen was, schoot Savannah uit bed en haalde de foto van haar papa uit haar tas. Ze had Jezus in haar hart, maar als ze echt bang was, zou ze beter slapen met papa in haar handen. Ze keek naar zijn glimlach en zijn vriendelijke ogen. *Papa, waar ben je? Waarom kom je me niet halen?* Ze kreeg een branderig gevoel in haar ogen en knipperde de tranen weg. *Lieve Jezus, ik ben het, Savannah. Kunt U mijn papa zeggen dat ik op hem wacht?* Ze snikte heel stilletjes, zodat die aardige mensen niet terug zouden komen naar haar kamer. *Zeg hem dat ik in een pleeggezin zit en dat mama me niet meer wil hebben. Het zou nu een goed moment zijn om me op te halen.*

Ze praatte nog een beetje met Jezus, gaapte twee keer en keek weer naar de foto. Haar papa was zo knap en zo sterk. Hij zou niemand ooit pijnlijke plekken op haar armen hebben laten maken. Ze gaapte nog eens en haar ogen begonnen dicht te vallen. De fotolijst had ruwe randen maar dat maakte Savannah niet uit. Ze hield hem stevig tegen haar hart en duwde haar gezicht dieper in het kussen. De stem van haar moeder kwam van alle kanten op haar af, met alle gemene woorden die ze in het restaurant had gezegd.

Hou je mond! Ik vind het vreselijk om jouw mama te zijn!

De woorden kwamen keer op keer terug in haar hoofd, totdat ze tenslotte weer aan Jezus dacht. Omdat opa Ted had gezegd dat Jezus van haar hield, en dat betekende dat Jezus haar papa bij haar moest brengen. Op het moment dat ze in slaap viel, smeekte ze Jezus om dat te doen. Want ze moest direct bij haar papa zijn, voordat de pleegouders haar aan mama terug zouden geven en er iets heel ergs zou gebeuren. Haar papa moest opschieten, want ze had haar droomprins nodig om haar te redden.

Ook al zou ze hem zelf moeten opzoeken.

21

Annie besefte dat ze de eerste ronde had verloren. Maria's advocaat, een gladde jongen uit Manhattan, hield vol dat Maria een alleenstaande moeder was wier leven niet zomaar kon worden verstoord omdat een paar afgewezen ouders niet wilden dat het geld van hun zoon naar diens eigen dochter zou gaan. Althans zo schilderde Thomas het scenario voor hen. Kennelijk was de rechter overtuigd, want hij bepaalde dat er meer bewijs moest worden ingebracht om in redelijkheid aan te tonen dat Savannah louter en alleen de biologische dochter van Josh was, niets meer.

Als ze dat punt hard genoeg zouden kunnen maken, zou de rechter kunnen overwegen om Maria voor verhoor naar Denver te laten komen.

Annie las de documenten op de computer van Josh, en ze was meer vastberaden dan ooit. Hoe waagde die vrouw het een advocaat in de arm te nemen en om het geld van Josh te vechten? Kon zij 's nachts werkelijk slapen, in de wetenschap dat ze om geld vocht dat haar niet toekwam? Ze wreef in haar ogen en keek rond in het appartement. Vorig weekend hadden ze de meubels verhuisd. Nate had een busje gehuurd en de slaapkamermeubels meegenomen naar wat nu de logeerkamer in hun huis in Black Forest zou worden. De rest, de banken en stoelen, zijn potten en pannen, borden en lakens, was naar de kringloopwinkel gegaan.

Toen er alleen nog een bureau met computer en een aantal doorzochte dozen in de woning stonden, had zij het appartement met Lindsay en Nate schoongemaakt. Het was belangrijk om het appartement in dezelfde staat terug te geven als Josh het had ontvangen. Hij zou gewild hebben dat ze dat voor de beheerster deden.

Nu, met nog een paar dagen in oktober te gaan, was Annie blij dat ze bijna klaar waren. Ze hadden nog steeds niet beslist welke dozen met persoonlijke bezittingen ze zouden houden en welke ze bij de kringloop zouden brengen – zoals de doos met tijdschriften over bergwandelen. Als ze even wilde pauzeren met het papierwerk, ging ze achter de computer zitten, opende een document en printte het uit of gooide het weg.

Ze had de muziekverzameling geopend, de favorieten van Josh geselecteerd en op afspelen geklikt. Het meeslepende geluid van Josh' lievelingsnummer vulde de ruimte om haar heen. De piano viel in en de woorden waarvan Josh zo gehouden had, klonken op.

I can only imagine, what it would be like… When I walk by Your side…

Als een oude vriend legde het verdriet een arm om haar schouder en voor de honderdste keer sinds de dood van haar zoon voelde ze tranen branden in haar ogen. *Je hoeft het je niet langer alleen maar voor te stellen, Josh. Nooit meer.* Ze stelde zich haar zoon voor die naast Jezus liep en Hem lang in Zijn ogen keek. Had het hem gekwetst dat zijn eigen ouders hem niet echt hadden gekend? Was hij boos of teleurgesteld in haar, zoals zij ooit, in een vroeger leven, teleurgesteld was geweest in hem?

Ze kende hem nu zoveel beter. Haar ontdekkingen wekten in haar het verlangen om Lindsay het verhaal van zijn leven te laten schrijven voor de *Gazette*. Op die manier zouden de dikdoeners van de bibliotheken, de lerarenvakbond en de oudervereniging kunnen ervaren dat Josh Warren in alle opzichten die ertoe deden succesvol was geweest, ongeacht hoe zijn leven eruit zag voor mensen die hem niet kenden.

Oppervlakkige mensen, zoals Annie was geweest.

Ze haalde diep adem en liet de woorden van het lied tot haar wezen doordringen. Een lichtstraal verwarmde en verlichtte de koude, trieste duisternis in haar. Josh was niet boos of teleurgesteld, hij voelde geen spijt. Met Josh was alles goed en op een dag zou ze de kans hebben om hem weer in haar armen te houden en hem te vertellen wat ze hoopte dat hij al wist.

Dat ze niet trotser op hem zou kunnen zijn.

De muziek bleef spelen, maar ze richtte zich weer op de documenten op de computer. Het volgende document heette *Uren*. Ze opende het en zag een spreadsheet met de uren die Josh per maand waren toegewezen. Naast elke kalenderdag had Josh een markering gezet, kennelijk om aan te geven dat hij de betreffende werktijd had voltooid.

Thomas had haar gezegd dat ze alles moest printen wat verband hield met zijn werk als sleepwagenchauffeur en dus drukte ze op *afdrukken* en wachtte. Terwijl de printer startte, werd er op de deur geklopt. Carl Joseph en Daisy waren al een aantal keren langsgekomen, een keer met zelfgebakken koekjes en de laatste keer met een jong dennenboompje. 'Want als u het ziet, herinnert u zich Josh,' had Daisy haar gezegd.

'En Josh was te goed om hem te vergeten.' De ernst van Carl Joseph was verfrissend.

Ze dacht dat het stel misschien weer voor de deur stond om te horen of ze de koekjes lekker had gevonden of om haar een kan ijsthee te brengen. Daisy had haar de laatste keer gevraagd of ze ijsthee op warme dagen lekker vond. Annie glimlachte toen ze de deurknop omdraaide en de deur opendeed. Maar in plaats van de twee stond er een knappe, donkerharige jongeman voor haar, met uitstekende jukbeenderen en ogen die donker genoeg waren om erin te verdrinken. 'Mevrouw Warren?'

'Ja.' Ze deed een stap opzij. 'Wat kan ik voor u doen?'

'Ik ben Cody Gunner, de broer van Carl Joseph.'

'Aha. Je broer is vol lof over jou.' Annie legde het verband onmiddellijk. 'Kom binnen.' Ze wees naar een paar barkrukken die nog aan het korte aanrecht stonden. 'Ik ben bang dat er niet veel zitplaatsen meer zijn.'

'Dat is geen probleem. Ik blijf niet lang.' Hij lachte vriendelijk naar haar en liep naar de dichtstbijzijnde kruk. Pas toen ze tegenover hem was gaan zitten, begon hij. 'Mijn vrouw en ik hadden het laatst over een gesprek dat ik met Josh voerde, een paar weken voordat hij overleed.' Annie zag het verdriet in de ogen van Cody en begreep dat ook hij om haar zoon had gegeven. 'Ik had een boodschap voor u ingesproken, maar ik weet niet zeker of u die gehoord hebt.'

Pas op dat moment herinnerde Annie zich de boodschap van de beheerster. Ze fronste. 'We hebben de boodschap gekregen en ik had de volgende ochtend willen terugbellen, maar...' Ze keek om zich heen.

'Ik begrijp het, u had andere dingen aan uw hoofd.' Hij glimlachte terug naar haar. 'Ik was bij mijn broer en zag uw auto staan. Daarom besloot ik te kijken of u er was.'

'Daar ben ik blij om.' Annie verbaasde zich over niets meer dat ze over Josh te horen kreeg. Wat Cody ook aan het verhaal van Josh' leven toe te voegen had, Annie was er niet bang voor. Ze koesterde het nieuws zoals vrouwen in oorlogstijd de laatste brieven van hun zoons op het slagveld koesteren. 'Wil je misschien een glas water?'

'Nee, dank u.' Cody legde zijn handen op zijn knieën en keek naar de schoorsteenmantel. De foto's stonden er nog, en zouden er blijven staan tot ze de deur van de woning voor de laatste keer achter zich dichtsloegen. Cody keek haar aan. 'Wat weet u over het kleine meisje op die foto?'

'Veel.' Annie zuchtte. Ze keek naar de foto van haar kleindochter. 'Onze advocaat heeft een ouderschapstest laten uitvoeren, en die was eenduidig. Savannah is de dochter van Josh.'

Ze zweeg een paar tellen. 'Dat was wat Josh ook geloofde, dat ze zijn dochter was.' Cody voelde zich kennelijk ongemakkelijk met wat hij wilde gaan zeggen. 'Mevrouw Warren, ik weet dat het mij niet aangaat, maar de schadevergoeding van Josh... is er vastgelegd waar het geld naartoe zal gaan?'

Annie verbaasde zich over de vraag van Cody. Hij had gelijk, het ging hem absoluut niet aan. Maar als dit iets te maken had met een gesprek dat hij met Josh had gevoerd, lag het misschien anders. Ze voelde zich inwendig verstrakken. 'We werken eraan met de advocaat van Josh. Het geld gaat automatisch naar Savannah, via haar moeder, als onze advocaat de rechter niet op andere gedachten kan brengen.' Ze voelde de vreemde drang om zichzelf te verdedigen. 'Uiteraard bestrijden wij dat Savannah een rechtmatige erfgename is. We proberen een studiefonds voor haar op te zetten, alles om het geld uit handen van haar moeder te houden. We denken niet dat zij ook maar een cent aan Savannah zal besteden.'

'Dat is precies waar Josh en ik het die dag over hadden. We waren uit de kerk onderweg naar huis.'

Weer voelde Annie de pijn van alles wat ze gemist had. Ze had niet geloofd dat Josh de weg naar God had teruggevonden en dus had haar zoon de laatste twee maanden van zijn leven kerkdiensten bezocht met mensen die in wezen vreemden waren. Ze verborg haar pijn en dwong zichzelf te luisteren.

'We hadden het over Savannah en over de advocaat van Josh die niet wilde dat hij haar zou noemen als het onderwerp tijdens een van zijn verklaringen aan de orde zou komen. Dat was voordat iemand zeker kon weten dat Savannah zijn dochter was.'

Annie vroeg zich af of dit alles vermeden had kunnen worden als Josh het advies van zijn advocaat maar had opgevolgd.

'Josh wist waarom zijn advocaat wilde dat hij zou zeggen

dat hij geen kinderen had. Vanwege de schadevergoeding, zodat het geld naar zijn familie zou gaan als hem iets zou overkomen voordat de zaak was afgerond.'

Annie had met haar zoon te doen, verscheurd door het conflict tussen zijn zekerheid dat Savannah zijn dochter was en het aandringen van zijn advocaat om in het openbaar iets anders te beweren, omwille van een berg geld. Ze kon haast raden waar het verhaal van Cody naartoe ging. 'Heeft hij… heeft hij jou zijn wensen kenbaar gemaakt?'

Cody aarzelde. 'Ja, mevrouw. Daarom ben ik hier.'

'Wacht even.' Frisse lucht had ze nodig. Ze stond op, deed de schuifdeur naar het balkon open en ademde diep in. Daarna keerde ze terug en ging weer tegenover Cody zitten. Ze had om Gods wijsheid en leiding gebeden. Nu moest ze goed luisteren, ongeacht hoe zij dacht dat de zaken geregeld moesten worden. Ze keek Cody indringend aan. 'Vertel het me. Alsjeblieft.'

'Hij wilde dat u en uw familie alles zouden terugkrijgen wat u hem ooit hebt geleend.' Hij kneep zijn ogen half dicht en zijn stem verried zijn meeleven. 'Maar verder wilde hij dat al het geld naar Savannah zou gaan.'

'Alles?' Annie voelde zich plotseling licht in haar hoofd, alsof ze in een droom of een nachtmerrie zat. Ze had ideeën over hoe de schadevergoeding gebruikt kon worden als de schulden van Josh waren voldaan. Ze dacht eraan een studiefonds voor Ben en Bella in te stellen, en natuurlijk voor Savannah, en misschien zouden ze het overige geld gebruiken voor de herverkiezing van Nate. Er zou geld naar hun kerk gaan, naar verschillende liefdadigheidsinstellingen en een beetje naar Carl Joseph en Daisy, zodat ze nooit meer voor de bus zouden hoeven te betalen. Zij en Nate zouden hun huis afbetalen, omdat Josh zich zorgen had gemaakt over hun pensioen vanwege het vele geld dat hij van hen had geleend. Hij sprak er vaak over dat sommige mensen na hun pensioen in financiële nood kwamen. Dat soort dingen. Ze stelde de vraag nog een keer, met een gekwelde fluisterstem. 'De hele schadevergoeding?'

Cody knikte. 'Het spijt me. Ik dacht al dat dit moeilijk voor u zou zijn. Ik was ook verbaasd.'

Annie vroeg zich af of Josh kwaad was op hen, dat hij daarom in staat was het hele fortuin aan een kind te geven dat hij nooit had gezien, of het nu zijn eigen dochter was of niet. 'Zei hij… ik bedoel, was hij boos op ons, was het daarom?'

'Hij hield er niet werkelijk rekening mee dat het zou gebeuren. Hij had veel pijn, maar hij dacht niet dat hij nog maar een paar weken te leven zou hebben.' Uit zijn toon begreep Annie dat Cody de hele kwestie al een paar keer doordacht had. 'Zoals ik zei, hij wilde de schulden voldaan hebben. Maar ik denk dat hij gewoon met heel zijn hart van dat kleine meisje hield.'

Annie had het gevoel dat dit nog niet alles was. 'Heeft hij nog meer gezegd?'

'Hij zei me dat Savannah al die jaren haar papa had moeten missen. Als hem iets zou overkomen, wilde hij op zijn minst financieel voor haar gezorgd hebben.' Cody rechtte zijn rug een beetje. 'Hij wilde dat ze zou opgroeien in de wetenschap hoeveel hij om haar gaf, of hij nog leefde of niet.'

Plotseling voelde Annie hoe alles veranderde, hoe de strijdlust uit haar lichaam wegvloeide als water in de goot. Ze had God gevraagd om haar het juiste te tonen, en via Cody's woorden had Hij dat gedaan. Ze hield haar gedachten voor zich terwijl ze nog een paar minuten over het hernieuwde geloof van Josh praatten. Cody vertelde hoe graag Josh zong in de diensten en hoe hij alle woorden van de voorganger opzoog. 'Mijn vrouw en ik hadden het gevoel dat Josh net begon te leven.' Cody keek triest en schudde zijn hoofd. 'Ik leef met u mee in uw verlies, mevrouw Warren.'

Ze liep met hem mee naar de deur en bedankte hem voor

zijn eerlijkheid. Nadat hij vertrokken was, stond ze roerloos in de stilte van de lege woonkamer. De schadevergoeding was van Josh. Tot nu toe hadden ze zichzelf voor kunnen houden dat Josh Savannahs studie zou willen veiligstellen, maar niet haar directe levensonderhoud, niet als dat via Maria moest lopen. Tot nu toe hadden ze zichzelf kunnen wijsmaken dat hij geen stuiver aan Maria Cameron had willen toevertrouwen, niet na wat zij hem had aangedaan.

Maar nu...

Het gesprek met Cody was alles wat Annie nodig had, en als Nate hoorde wat hun zoon over Savannah en het geld had gezegd, zou hij het ook zo zien. Daar was ze van overtuigd.

Ze zette het lied weer op, deed haar ogen dicht en stelde zich Josh voor die in de hemel liep, zonder pijn en zonder zorgen over de afronding van de rechtszaak en de manier waarop hij contact zou kunnen leggen met zijn dochter. Hij had hun de sporen van zijn leven nagelaten om uit te zoeken, en zij zouden zich hem daardoor anders herinneren. Maar hij had ook een dochter nagelaten, en zijn wens was dat zij het geld van de schadevergoeding zou krijgen. Zelfs als haar moeder elke dollar zou besteden voordat Savannah achttien werd.

Annie liep naar de foto op de schoorsteenmantel, pakte het houten lijstje op en keek in de ogen van haar kleindochter. Als Josh wilde dat zij al het geld kreeg, dan moest het zo zijn. Ze zou Nate opbellen en daarna Thomas Flynn. De juridische strijd tegen Maria Cameron zou officieel gestaakt worden. Maar ze zou één ding eisen voordat ze de zaak voor altijd zou laten rusten. Iets wat op zichzelf al bijna twee miljoen dollar waard was.

Een ontmoeting met de dochter van Josh.

22

Het telefoontje naar de advocaat van Josh was een gunst die Lindsay haar moeder verleende zonder erbij na te denken. Haar ouders hadden de afgelopen maand zoveel doorgemaakt dat ze zelfs met haar eigen werkdruk bij de krant probeerde zoveel mogelijk te doen om hen te helpen.

Lindsay koos het nummer van Thomas Flynn en wachtte terwijl het toestel overging. Diezelfde ochtend waren ze al in het appartement van Josh geweest om de rest van zijn spullen in de bak van haar vaders pick-up te laden. De laatste dingen die haar moeder inpakte, waren de drie foto's die op de schoorsteenmantel hadden gestaan. Ze stopte ze in een kussensloop en legde ze op de passagiersstoel van de auto.

Voordat ze voor de laatste keer vertrokken, waren ze in de deuropening blijven staan, waar haar vader een gebed uitsprak. 'God, U hebt ons deze maand zoveel over onze zoon geleerd.' Zijn stem klonk verstikt terwijl hij verderging. 'Dank U dat U ons de tijd en de ruimte gaf om te ontdekken wat we niet wisten over onze zoon.'

Lindsay en haar moeder hadden beiden tranen op hun wangen terwijl Nate God dankte voor de buren die Josh hadden gekend en die de herinneringen hadden kunnen invullen aan alles wat hun zoon voor deze wereld had betekend. 'Je hoeft geen universitaire graad, geen grote rijkdom of een groot huis te hebben om succesvol te zijn, God. Dat hebt U ons de afgelopen maand laten zien, in een periode van rouw en onthullingen die we geen van allen ooit zullen vergeten.'

Toen ze ten slotte de deur dichttrokken en afsloten, brachten ze de sleutels naar de beheerster en liepen terug naar hun auto's. Lindsays ouders zagen er emotioneel uitgeput uit. Ze namen de laatste bezittingen van Josh mee naar hun huis, en Lindsay keerde terug naar haar eigen gezin om nog een paar telefoontjes te plegen. Dit was er een van, om te horen of er een reactie van Maria Cameron was gekomen nadat ze had gehoord dat ze het geld van Josh' schadevergoeding zou krijgen.

Een secretaresse verbond Lindsay door met Thomas Flynn, en ze hield haar vraag zo kort en zakelijk mogelijk. Maar nog voordat ze was uitgesproken, viel de advocaat haar in de rede. 'Ik wilde net je ouders opbellen.' Zijn woorden klonken gehaast en uiterst bezorgd. 'Ik heb nieuws gekregen van de advocaat van Maria Cameron. Ze is gearresteerd en zit twee weken in de cel. Kennelijk was ze dronken en heeft ze een scène geschopt.' Zijn toon werd donkerder. 'Ze heeft geprobeerd een ober te slaan, en ze sloeg Savannah recht in haar gezicht, terwijl alle gasten in het restaurant toekeken.'

Lindsay sprong overeind, liep vanuit haar keuken naar de eetkamer en weer terug. 'En waar is Savannah nu haar moeder in de cel zit?'

'In een pleeggezin. Haar advocaat zegt dat de officier van justitie een hele stapel aangiftes doorneemt om te kijken voor welke feiten ze aangeklaagd wordt.' Flynn nam nauwelijks de tijd om adem te halen. 'Dit zou alles kunnen veranderen. Wat ik voorstel, is het volgende.'

Een kwartier lang luisterde Lindsay, en toen het gesprek afgelopen was, belde ze naar haar ouders. Haar moeder nam vrijwel onmiddellijk op. 'Lindsay? Had hij nieuws?'

Lindsay zocht steun tegen het kozijn van de eetkamerdeur. 'Dat had hij inderdaad. Hoe snel kunnen we elkaar zien?'

'Ik sta op het punt om naar de begraafplaats te gaan.' Haar moeder klonk nog steeds emotioneel uitgeput. 'Ik heb bloemen gekocht voor op het graf.'

Geen van hen was nog naar het graf geweest. Ze waren te druk geweest met het leven van Josh om veel tijd te besteden aan zijn dood. 'Ik zie je daar over een uur.'

In haar hoofd tuimelden de feiten die Thomas Flynn haar had verteld nog altijd over elkaar. Savannah zat in een pleeggezin en Lindsay probeerde te bevatten dat haar moeders gebeden misschien sneller in vervulling zouden gaan dan iemand van hen had verwacht.

Als Thomas Flynn gelijk had, waren ze misschien niet verder dan een vliegtuigticket verwijderd van een bezoek aan de dochter van Josh.

Annie arriveerde het eerst bij het graf van Josh. Ze had geen stoel of deken meegenomen, want het zou geen lang bezoek worden, meer een gelegenheid om haar respect te betonen. Er moesten op zijn minst bloemen op de steen liggen, zodat mensen die langsliepen zouden weten dat hij gemist werd en dat hij ertoe deed. Als Annie van één ding overtuigd was geraakt, dan was het wel van deze ene waarheid.

Het leven van Josh was waardevol geweest.

Ze bekeek de tijdelijke afdekking. Nate had een permanente steen besteld, met een ingebouwde bloemenhouder, maar die kon pas rond Thanksgiving worden geplaatst. Voorlopig lag hier alleen de eenvoudige steen met de naam van haar zoon erin gegraveerd: *Joshua David Warren.*

'Ik mis je, jongen. Ik mis je vreselijk.' Ze sloot haar ogen en hield haar gezicht in de bries die vanuit de bergen waaide. Soms, op dagen als deze, leek Josh haast aanwezig te zijn in de zachte wind, alsof ze hem kon aanraken, zo intens waren de herinneringen. Als ze hem nog één keer zou kunnen spreken, nog één keer, wist ze niet eens zeker wat ze zou zeggen. Carl

Joseph had het eigenlijk allemaal al gezegd. Josh was een held, maar hoe geweldig dat ook was, aan Annie was dat feit voorbijgegaan.

'Mam.'

Een fractie van een seconde leek het de stem van Josh. Niet zoals hij de laatste keer dat ze hem sprak had geklonken, maar zoals hij was geweest toen hij tien of elf jaar oud was en haar een kikker of een bloem wilde laten zien. Voordat de gedachte echter werkelijk tot haar kon doordringen, klonk Lindsays stem zacht naast haar. 'Het spijt me, ik wilde je niet laten schrikken.'

Annie deed haar ogen open. 'Soms kan ik hem voelen.' Ze keek haar aan met die weemoedige, van verdriet vervulde glimlach. De glimlach die haar de rest van haar leven zou kenmerken als ze aan Josh dacht. 'Zo nabij als de wind op mijn huid.'

'Hmm.' Lindsay vouwde haar handen en keek naar de steen op Josh' graf. 'Ik voel het ook. Maar het is niet hetzelfde.'

'Nee.' Ze ademde langzaam in door haar neus en genoot van de geur van dennen die de wind meevoerde. 'Had Thomas nog nieuws?'

'Zullen we even gaan zitten? We zouden in de auto kunnen praten.'

Annie hield haar hoofd schuin en keek weer naar de naam op de voorlopige steen. 'Hoeft niet, ik heb deze tijd hier nodig, deze vreedzaamheid en rust.'

Lindsay wist niet zeker waar ze moest beginnen. 'Hij had nieuws over Maria Cameron. Mam... ze zit in de gevangenis. Openbare dronkenschap en een hele waslijst van aangiftes. En ze heeft Savannah kennelijk geslagen.'

Ze gaf nog meer details, maar Annie bleef bij dit ene punt steken. Ze voelde een felle beschermingsdrang in zich opkomen en midden in Lindsays verhaal stak ze haar hand op. 'Heeft ze Savannah geslagen?'

'Voor de ogen van alles en iedereen.' Lindsay beet op haar lip.

'Flynn zegt dat Savannah blauwe plekken op haar armen had. Ze zit nu voorlopig in een pleeggezin.'

Annie wist niet of ze moest schreeuwen of huilen om deze laatste droevige ontwikkelingen. Steeds had ze niets anders dan minachting gevoeld voor Maria Cameron, maar alleen vanwege de manier waarop ze Josh behandelde. Tot nu toe had ze er geen minuut bij stilgestaan hoe de vrouw de dochter van Josh zou behandelen.

De waarheid bezorgde haar knikkende knieën. Wat voor leven had Savannah tot nu toe gehad? Lindsay vertelde wat de advocaat nog meer had gezegd, en er vormde zich een angstaanjagend beeld. Savannah en haar moeder woonden bij een beruchte drugsdealer en het meisje sliep op de vloer, onder een bureau – wat een hele verbetering was ten opzichte van de drie keer dat de twee door de politie in Central Park werden opgepakt, waar ze soms onder een brug bij de vijver sliepen.

Annie wist niet hoeveel meer ze nog aankon. Als Josh dit geweten had, zou hij een manier hebben gevonden om Savannah te hulp te schieten, ook al had hij het hele land door moeten lopen. Weer werd ze getroffen door de harde werkelijkheid dat zij en Nate te weinig geloof hadden gehecht aan Josh' beweringen dat Savannah zijn dochter was. Anders hadden ze samen misschien eerder ontdekt in welke treurige omstandigheden ze leefde, een ouderschapstest laten uitvoeren en een manier bedacht om haar te redden.

Annies vaste voornemen om haar kleindochter op te zoeken en te helpen, laaide als een bosbrand in haar op. Maria Cameron zou Savannah nooit meer iets aandoen, niet als Annie er iets over te zeggen had. 'Als haar moeder niet deugt, moet Savannah bij ons komen wonen. Wat zei Thomas daarover?'

'Dat is nog het ergste.' Lindsay sloeg haar armen over elkaar. Haar stem dreef op de wind en elk woord woei Annie in het gezicht, of ze het horen wilde of niet. 'Flynn zegt dat Maria

244

meer dan een jaar lang niet is gearresteerd, en haar huisbaas zegt dat ze normaal gesproken een modelmoeder is.'

'Wat duidelijk een leugen is.'

'Maar het systeem moet daar wel acht op slaan. Als haar advocaat de aangiftes kan wegpoetsen, krijgt ze Savannah waarschijnlijk terug. Dat zei Flynn.' Ze pakte haar moeders hand vast. 'Maar hij zei ook dat je Savannah zou kunnen zien zolang ze nog in het pleeggezin zit. Maar dan moet je wel snel zijn.'

'Wat?' Annie had geen verklaring voor het gevoel van vreugde dat onmiddellijk haar pijn verdrong. Ze zou haar kleindochter te zien krijgen. Haar droom om in de ogen te kijken die zo op die van Josh leken, zou uitkomen. God had haar gebeden verhoord en ze zou binnen een paar dagen het meisje zien dat Josh de laatste zeven jaar zo had liefgehad.

Ze belde Nate terwijl ze met Lindsay terugliep naar hun auto's. Nadat hij ermee had ingestemd, belde ze Thomas en daarna de luchtvaartmaatschappij. Lindsay en Nate zouden meegaan, en dus boekte ze drie plaatsen op een vlucht naar vliegveld LaGuardia. Thomas raadde aan dat ze allemaal samen zouden gaan, omdat het niet te voorspellen was wat Maria zou doen als ze de voogdij over Savannah eenmaal terughad – en als ze het geld had. Ze had geen enkele verplichting om contact te houden met de familie Warren, ondanks het feit dat zij de strijd om de schadevergoeding van Josh vrijwillig hadden gestaakt.

Thomas had sterk het gevoel dat Maria, zodra ze het geld had, met het meisje naar een andere staat of een ander land zou verdwijnen, zonder ooit nog iets van zich te laten horen. Dat betekende dat dit misschien de enige kans was om de dochter te ontmoeten die Josh zo graag in zijn armen had willen houden en had willen verzorgen, als hij de kans had gekregen om haar te leren kennen. Annie probeerde zich voor te stellen wat er gebeurd zou zijn als Josh en Becky weer bij elkaar waren gekomen, als hij de universiteit had afgemaakt en als ze met elkaar zouden zijn getrouwd. Dan zou haar kleinkind een andere moeder en een ander leven hebben gehad, en Josh zou die avond nooit voor een politiegarage hebben gewerkt. Hij zou nooit plotseling het pad hebben gekruist van een dronken chauffeur.

Toen ze alleen van de begraafplaats naar huis reed, gonsde het in haar hoofd van de vragen. Hoe zou dat meisje zijn? Als ze mishandeld of verwaarloosd was, zou ze dan stil en teruggetrokken zijn? Zou de ontmoeting met Annie haar bang of verward maken? Hield ze van haar moeder, ondanks het leven dat ze leidde? Werd ze liefdevol behandeld in het pleeggezin? Maar de vraag die Annie het meest bezighield, was de meest voor de hand liggende, de vraag waarover ze had nagedacht vanaf het moment dat de uitslag van de ouderschapstest bekend werd.

Wist Savannah van het bestaan van Josh?

23

Er zouden die dag aardige mensen komen om haar te bezoeken. Dat was alles wat Savannah wist. Haar pleegouders kochten nieuwe kleren voor haar – een zonnejurkje, noemden ze het, en een trui. De trui was wit, het jurkje wit met kleine paarse en groene bloemen erop en, het belangrijkste van alles, het zonnejurkje was gloednieuw!

'Wie zijn die mensen?' vroeg ze haar pleegmoeder.

'Ik heb begrepen dat ze heel aardig zijn, en ze houden van Jezus.'

Die mededeling maakte Savannah minder bang voor de ontmoeting. Maar het was geen antwoord op haar vraag. 'Waar kennen ze mij van?'

'Dat zullen ze je wel uitleggen, lieverd.' Dat was alles wat haar pleegmoeder wilde zeggen. De mensen zouden het zelf vertellen wanneer ze na de lunch kwamen.

En nu was het na de lunch en dus lag Savannah op haar knieën op de bank voor het voorraam en keek naar elke auto die voorbijreed. Ze kwamen met zijn drieën. Dat hadden haar pleegouders gezegd.

Vanaf het moment dat ze wist dat de aardige mensen zouden komen, had Savannah zich steeds iets afgevraagd. Stel dat een van hen haar papa was... Hij leefde ergens daar in de wereld, en haar mama zei dat ze hem later zou ontmoeten. Veel later, maar toch. Het was nu toch ook veel later dan toen? Misschien had haar papa een gezin en bracht hij de anderen mee. Dat deden andere mensen ook, want als zij en haar mama in Central Park waren en andere mensen langsliepen met hun kinderen, was dat soms een hele groep.

Ze had zich altijd afgevraagd hoe het zou zijn om bij zo'n hele groep te horen.

'Alles goed, Savannah?' Haar pleegmoeder keek om de hoek. 'Heb je nog iets nodig?'

Alleen mijn papa, wilde ze zeggen. Maar ze lachte lief naar de oude vrouw. 'Nee, dank u.' Toen bedacht ze dat ze op de bank knielde en dat dat misschien niet mocht. Snel sloeg ze een hand voor haar mond en haar ogen werden groot. 'Wilt u dat ik van de bank af ga?'

De vrouw lachte zachtjes. 'Nee hoor, lieverd. Kniel maar gewoon op die bank. Het is toch al een oud ding.'

Savannah glimlachte. 'Dank u wel.' Ze voelde zich beter. Haar pleegmoeder was lief. Eerst had Savannah eraan gedacht om weg te lopen en haar papa op te zoeken, want hij was wat ze echt nodig had. Dan zou ze haar mama niet meer tot last zijn en zou ze haar pleegouders geen tijd meer kosten. Maar haar pleegmoeder was heel lief, en ze zou waarschijnlijk verdrietig zijn als Savannah zou weglopen. En dus was ze gebleven en had ze Jezus elke dag gevraagd om haar papa zo snel mogelijk bij haar te brengen.

Haar pleegmoeder liep terug naar de keuken en Savannah keek weer uit het raam. Op dat moment stopte er een blauwe auto voor het huis. Haar hart begon te bonken toen er een man uitstapte. Met half dichtgeknepen ogen tuurde ze om hem zo goed mogelijk te zien. Hij leek wel een beetje op haar papa, maar niet echt, want hij had grijs haar.

Vervolgens stapte er een vrouw uit die naast de chauffeur had gezeten, en uit het achterportier kwam een jongere vrouw. Savannahs adem stokte, want de eerste vrouw, die voorin had gezeten, was heel mooi. Als de koningin uit *Doornroosje*, maar met haar tot op haar schouders. De drie praatten even met elkaar en liepen daarna het tuinpad op.

Savannah dook snel weg achter de vensterbank. Waarom kwamen er mensen op bezoek die haar niet kenden? Waren het vrienden van haar mama? Of misschien vrienden van Freddy? Ze hief haar hoofd net genoeg om ze weer te zien. Nee. Het konden geen vrienden van haar mama of Freddy zijn, want ze hadden leuke kleren aan en hun ogen stonden anders. Meer als de ogen van de mensen die geld gaven als ze in het park bedelden.

'Ze zijn er!' Ze riep het nieuws omdat ze wilde dat haar pleegmoeder zou opendoen. Zo hoorde het bij normale mensen, en Savannah wilde dat deze aardige mensen de indruk kregen dat ze normaal was. Als haar mama te veel whisky dronk of te lang wegbleef, moest zij de deur bij Freddy opendoen. Maar dat was helemaal niet normaal.

Haar pleegmoeder liep de kamer in en veegde haar handen af aan een handdoek. Ze liep naar de deur en plotseling kreeg Savannah een warm gevoel van binnen. Wanneer zij en haar mama om geld bedelden, had ze zich heel vaak afgevraagd hoe het zou zijn om met de mensen om te gaan die de vijfjes en tientjes *gaven*, in plaats van altijd aan de kant te zitten van degenen die ze *kregen*.

En nu zou ze dat ontdekken, ook al begreep ze het nog steeds niet.

Annie was nog nooit van haar leven zo stil geweest. Op weg naar het vliegveld van Denver, tijdens de vlucht van O'Hare naar LaGuardia, onder het wachten aan de balie van de autoverhuur en terwijl ze naar Queens reden – geen ogenblik had ze zin gehad om over koetjes en kalfjes te praten. Het enige wat ze steeds bedacht, was dat Josh deze reis eigenlijk had moeten maken. Nu ze Savannah hadden gevonden en zeker wisten dat zij de dochter was van Josh, was deze gelegenheid om haar te leren kennen, hoe kort ook, opgedragen aan haar zoon.

En dus vroeg ze zich af wat hij gedacht zou hebben, en verlangde ze naar het moment waarop ze Savannah voor het eerst zou zien zoals Josh ernaar had verlangd. Dit was zijn enige doel in al zijn pijn en lijden geweest, het moment dat meer voor hem betekende dan alle andere.

Annie gaf Nate een hand. Lindsay liep achter hen. Eindelijk was het moment daar, en Annie vroeg zich af of ze op de been kon blijven. Het was de eerste woensdag in november en de bladeren aan de bomen vertoonden alle schakeringen van oranje, geel en rood. Maar de middag was nog warm. Ze wist zeker dat ze zich twintig jaar later alle details van deze ene minuut nog zou herinneren. Hoe de hand van Nate voelde, de rommel op de veranda van het pleeggezin, de kleur van de bladeren en de geur van de herfst in de lucht. Haar hart bonkte alsof hij uit haar borstkas zou springen. Nate wilde op de voordeur kloppen, maar voordat hij zijn arm kon heffen, deed een oudere vrouw open en glimlachte hen toe. 'Jullie moeten de Warrens zijn.'

'Ja.' Nate deed een stap achteruit en stond weer naast Annie. 'Dank u dat u dit mogelijk maakt.'

'Mijn dag is pas goed als ik iets fijns voor deze kinderen kan doen.' Ze stak haar hand uit. 'Ik heet Marti.' De drie stelden zich voor en Marti legde uit dat Savannah niet wist wie ze waren, of welke banden ze hadden. 'Ik dacht dat ik dat beter aan jullie kon overlaten.'

De vragen keerden in volle gang terug in Annies hoofd. Als ze het nu eens niet begreep? Stel dat ze geen idee had wie Josh was, of dat hij haar vader was? Hoe konden ze zeven jaar zonder enig contact in een enkele middag uitwissen? Nate bemerkte haar bezorgdheid, kneep in haar hand en keek haar aan met een blik die zei dat ze zich geen zorgen moest maken. Alles zou goed komen.

Marti nodigde hen binnen en deed een stap opzij. Daar, aan de andere kant van de kamer, stond Savannah, het meisje van de foto. Ze was ouder en uit haar blik sprak meer waakzaamheid dan toen ze vier was. Maar het waren de ogen van Josh. Annie wist zeker dat Nate en Lindsay dat even goed zagen als zij. Marti trok zich terug in een andere kamer om hun de gelegenheid te geven elkaar te leren kennen.

Annie zag niets anders meer dan het kleine meisje, de dochter van Josh. 'Hallo, meiske.' Ze deed een paar stappen naar het meisje toe en hurkte om op ooghoogte te komen met haar. 'Ik ben Annie.'

'Hallo.' Savannah maakte een klein gebaar met haar hand, maar haar kin bleef op haar borst. Ze was te verlegen om een stap in hun richting te zetten. 'Ik ben Savannah.'

Hoe vaak had Josh er niet naar verlangd om die woorden te horen? Annie drukte haar vinger tegen haar bovenlip en verdrong de tranen die vanuit haar diepste wezen opwelden. 'Fijn je te ontmoeten, Savannah.'

Nate en Lindsay stelden zich ook voor en Annie gebaarde naar de stoelen om te gaan zitten. Savannah bleef in de hoek staan. Nate kuchte een paar keer en Annie wist dat ook hij tegen zijn tranen vocht. 'Wil je niet even gaan zitten?'

'Nee, dank u.' Ze maakte een halve draai naar links en naar rechts, en hoewel ze nog steeds een beetje verlegen keek, speelde er een glimlachje om haar lippen. 'Ik heb een nieuwe zonnejurk en een nieuwe trui.'

Annie wilde haar het liefst onmiddellijk meenemen om alle kleding te kopen die ze wilde hebben. Ze zette de gedachte van zich af. Als dit hun enige kans was om Savannah te ontmoeten, moest ze niet al haar aandacht richten op wat het meisje niet had. Nate knikte naar zijn vrouw en vroeg haar zwijgend het gesprek aan te gaan dat gevoerd moest worden voordat ze de middag met het meisje konden doorbrengen.

Annie ging op het randje van haar stoel zitten en keek haar kleindochter aan, in ogen die haar vertrouwd waren. 'Lieverd, je weet niet wie wij zijn, hè?'

Savannah haalde een schouder op. 'Jullie zijn aardige mensen, dat zei mijn pleegmoeder. En jullie houden van Jezus.'

'Dat klopt.' Annie was blij met de beschrijving van de vrouw. Ze hadden alle hulp nodig die ze konden krijgen om dit meisje te laten begrijpen wie ze waren en waarom ze haar opzochten. Ze ademde uit en smeekte God in stilte om de juiste woorden. 'Wat weet jij over je papa, Savannah?'

Zodra ze de vraag had gesteld, zag Annie het kind reageren. Haar ogen begonnen te stralen en ze klapte in haar handen zoals jonge kinderen doen als ze op hun verjaardag wakker worden en het hobbelpaard, de pop of de modeltrein vinden die ze altijd al wilden hebben. Zo keek Savannah, en ze liet haar blik van Annie naar Nate en Lindsay glijden, en terug naar Annie. 'Kunt u even wachten?'

'Natuurlijk, lieverd.' Annie keek de anderen aan terwijl het meisje door de gang naar de achterkant van het huis rende.

'Ze weet in elk geval wie hij is.' Nate veegde met een knokkel onder zijn ogen. 'Zag je haar opveren? Volgens mij weet ze het, denk je ook niet?'

'Absoluut,' fluisterde Lindsay. 'Het is ongelooflijk hoeveel ze op Josh lijkt.'

'Ze lijkt ook op jou.' Dat was Annie opgevallen op het moment dat het meisje reageerde op het noemen van haar vader. De opwinding liet iets veranderen in haar gezicht en plotseling had Annie het gevoel gekregen dat ze naar een mengeling van Josh en Lindsay op die leeftijd keek.

Ze hoorde Savannah terugkomen door de gang. Het klonk alsof ze zo hard liep als ze kon. *Ademhalen*, hield Annie zichzelf voor. *Haal adem zodat je niet flauwvalt op de vloer. Alstublieft, God, help me ademen.*

Savannah schoot om de hoek en bleef abrupt staan. In haar handen hield ze een ingelijste foto van dertien bij achttien centimeter. Ze hield het plaatje voor haar omhoog en keek ernaar met een blik waaruit pure liefde sprak. Daarna draaide ze het lijstje om zodat zij de foto konden zien.

Annies adem stokte en ze sloeg een hand voor haar mond. Het was een foto van Josh van voor het ongeluk. Met stralende ogen keek Savannah van de foto naar Annie. 'Dit is mijn papa.' Haar glimlach drukte een grenzeloze trots uit. 'Hij is een droomprins.'

Lindsay keek snel een andere kant op, waarschijnlijk om Savannah haar tranen niet te laten zien. Annie voelde de arm van Nate om haar schouders. Hier hadden ze niet op gerekend; geen van hen. Het idee dat Savannah haar vader niet alleen kende, maar ook een foto van hem had en hem zo volkomen liefhad.

Annie kon de woorden nauwelijks uit haar mond krijgen, laat staan uit haar hart. Het beeld van de dochter van Josh die zijn foto vasthield en hem een droomprins noemde, stond voor altijd in haar geheugen gegrift. Ze keek haar kleindochter aan. 'Hoe heb je over hem gehoord, Savannah? Wie heeft het je verteld?'

Een angstige uitdrukking verduisterde het lachende gezicht van Savannah. 'Mijn mama.' Ze bloosde, alsof dat misschien niet helemaal waar was. 'Ik denk dat ze hem heel lang geleden heeft gekend, want zij had deze foto. Ze gooide hem op een dag in de afvalbak toen ze onze kamer opruimde, lang geleden toen ik nog een klein meisje was. Ze zei een keer dat het mijn vader was.' Het meisje slikte moeilijk en keek weer naar Josh op de foto. 'Ze vertelde me dat hij een echte droomprins was. Omdat zij de foto niet meer wilde, heb ik hem gepakt.' Ze drukte het lijstje stevig tegen haar borst. 'Mama weet het niet, maar ik heb hem altijd bewaard.'

Er ging een paar seconden voorbij voordat Annie verwerkt had wat haar kleindochter zei. Het kwam erop neer dat Maria de aanwezigheid van Josh in Savannahs leven had proberen te beëindigen, nadat het meisje de foto had gevonden en ernaar had gevraagd. En wat die droomprins betrof, begreep Annie wel hoe het zat – Maria had de titel sarcastisch bedoeld, maar Savannah was te jong om dat te begrijpen en had haar moeders beschrijving letterlijk genomen. Daarop had ze de foto weer opgezocht en vanaf die dag verborgen gehouden.

Annie wilde het meisje in haar armen sluiten en haar de waarheid over Josh vertellen, dat hij werkelijk een droomprins was. Dat hij niets liever had gewild dan een kans om haar te ontmoeten, maar dat hij die kans voor altijd verloren had. En het ergste van alles – dat haar papa op de foto was overleden.

Nate boog voorover naar Savannah. 'Je moeder weet niet dat je die foto hebt?'

Savannah kreeg een bezorgde trek op haar gezicht. 'Jullie gaan het haar toch niet vertellen?'

'Nee, lieverd.' Nate antwoordde onmiddellijk. 'Absoluut niet.'

'Mama zei me dat ik mijn papa later zou zien. Veel later.' Ze keek door het raam naar de straat. 'Ik dacht dat jullie me misschien naar hem toe zouden brengen.'

'Daarom hebben we jou naar hem gevraagd.' Annie schoof opzij en klopte op de plek op de bank tussen haar en Nate. 'Kom je bij ons zitten?'

Savannah aarzelde, maar met de ingelijste foto stevig onder haar arm liep ze de kamer door, en ging half zitten en half staan op het uiterste randje van de bank. 'Hij ziet er echt uit als een droomprins, vindt u niet?'

Annie kon nauwelijks geloven dat ze hier zaten met de dochter van Josh. 'Dat kun je wel zeggen, lieverd. Jouw papa was beslist een droomprins. Dat hebben we net over hem ontdekt.'

Savannahs ogen lichtten weer op en ze keek Annie recht aan. 'Kent u hem? Mijn papa?'

Annie vroeg zich af hoe vaak iemands hart kon breken. Hoe bestond het dat zij voor het meisje het eerste echte contact met haar vader waren en dat ze haar op hetzelfde moment moesten vertellen dat hij niet meer leefde? *Wat moet ik zeggen, God? Help ons door deze tijd met Savannah.*

Het gebed gaf Annie de kracht die ze nodig had, ook al moest ze op dit moment van minuut tot minuut zien te overleven.

24

De tijd was gekomen om Savannah te vertellen wie ze werkelijk waren. Annie wilde het liefst de hand van haar kleindochter vastpakken, maar daarvoor was het te vroeg en dus bleven ze zitten. Aan de andere kant van het meisje deed Nate hetzelfde. Lindsay zat nog steeds iets afzijdig te huilen, en keek toe.

Savannah wachtte op een antwoord.

'Ja, lieverd, we kennen hem.' Ze voelde hoe God haar de woorden ingaf, en het juiste moment om ze uit te spreken. 'Jouw papa is onze zoon – van mij en Nate.'

'En hij is mijn broer.' Lindsay legde haar hand op haar hart. 'We houden allemaal heel, heel veel van hem.'

Savannah sprong overeind. Haar glimlach nam haar hele gezicht in beslag terwijl ze op Lindsay afrende en haar kleine handjes op haar knieën legde. 'Ben jij zijn zus?'

'Ja. Hij is altijd mijn beste vriend geweest.'

'Echt waar?' Ze trok haar wenkbrauwen hoog op haar voorhoofd op. 'Ook van mij!' Ze rende terug naar Nate. 'En u bent zijn papa?'

'Ja, lieverd.' Nate raakte haar schouder aan. 'Weet je wat ik daardoor ben?'

Ze keek alsof ze het misschien wist, maar te onzeker was om het uit te spreken. Daarom schudde ze haar hoofd.

'Ik ben je opa, Savannah.'

'Net als opa Ted!' Savannah gaapte en ze sloeg haar beide handen voor haar mond. Toen ze ze weer liet zakken, sprong ze in Nates armen en sloeg haar armen om zijn nek. 'Opa Ted is in de hemel, maar jij bent hier. Ik wist niet eens dat ik nog een opa had, dus nu mag ik je opa Nate noemen, hè?'

Nates kin trilde. Zijn ene hand lag op Savannahs rug en met de andere kneep hij in de brug van zijn neus. Hij knikte en Annie wist dat hij niets kon zeggen. Na nog een stevige omhelzing keek Savannah haar aan. 'En dan... ben jij mijn oma?'

Annie zou de tijd op dat moment willen stilzetten. Ze stak haar armen uit naar de dochter van Josh. 'Ja, lieverd. Ik ben je oma.'

Het meisje sprong niet in haar armen zoals ze bij Nate had gedaan. Ze leek vooral gefascineerd door Annie, door het idee dat ze een oma had. 'Ik heb nog nooit een oma gehad.'

'Nu heb je die wel.' Annie kon haar tranen niet meer bedwingen, ze liepen ondanks haar glimlach over haar wangen. 'Ik zal altijd jouw oma zijn, omdat jouw papa mijn zoon is.'

Savannah knikte langzaam. 'Je bent...' Ze liet haar kleine vingers voorzichtig over Annies donkere haar glijden, '... je bent heel mooi, oma Annie.'

Er kwam een gesmoord snikje uit Annies keel terwijl ze het meisje teder in haar armen sloot. 'Jij bent ook mooi, Savannah. Ik zie je papa in jouw ogen.' Ze omhelsden elkaar lang en Annie wenste dat dit het einde zou zijn, zonder de droeve toevoeging van Josh' dood. Het einde was verkeerd. Ze snikte en liet haar hand over Savannahs smalle rug glijden. 'Zou je het leuk vinden om mee te gaan naar het park?'

'Central Park?' Savannah keek plotseling bang. 'Bedoel je om te bedelen om geld?'

Annie huiverde. 'Nee, schat. Het park aan het eind van de straat. Zodat we op de schommels kunnen spelen en over je papa kunnen praten.'

De glimlach van het meisje werd weer breed en onschuldig als een zonsopgang. 'Dat zou ik heel leuk vinden.'

Ze vertelden Marti dat ze vertrokken en met zijn vieren

stapten ze in de blauwe huurauto. Een paar minuten later parkeerden ze bij Maple Leaf Park, waarna ze onmiddellijk naar de schommels liepen. Annie fluisterde zacht met Nate en Lindsay. Ergens in het komende uur wilde ze een paar minuten alleen hebben met Savannah, zodat ze haar de waarheid over Josh kon vertellen op een manier die niet te verpletterend zou zijn. Zo hadden ze het voor de tocht al afgesproken, en Nate en Lindsay fluisterden beiden instemmend.

Annie wilde het nieuws het liefst zo lang mogelijk uitstellen. Savannah hield haar hand vast toen ze naar de speeltuin liepen. Tien meter voor de schommels maakte ze zich los en rende naar de eerste toe. 'Mag ik schommelen?'

'Natuurlijk.' Ondanks alle droefenis die bij het bezoek hoorde, voelde Annie hoe de blijdschap haar vervulde toen ze de dochter van Josh hoorde vragen of ze op de schommels mocht. Alsof ze bij elkaar waren zoals alle andere grootouders een middag met hun kleindochter doorbrachten. 'Ga je gang.' Annie lachte. 'Klim er maar op, dan duw ik je.'

Savannah greep de metalen kettingen vast en ging onhandig zitten, alsof ze er niet zeker van was of de schommel haar wel zou houden. 'Liever niet te hoog. Ik heb nog nooit op een schommel gezeten.'

De trieste opmerking trof Annie als een klap in haar maag. Haar kleindochter had nog nooit op een schommel gezeten? 'Ik dacht dat je zei dat jij en je moeder vaak in Central Park waren?'

'Daar bedelden we om geld.' Savannah leek zich ervoor te schamen. 'Mama zei altijd dat de mensen ons geen geld zouden geven als het leek dat we voor ons plezier in het park waren. Dus mocht ik nooit schommelen.'

Annie was blij dat ze Maria Cameron tijdens deze reis niet ontmoette. Ze was niet zeker of ze wel voor haar daden zou kunnen instaan als ze een kans kreeg om de vrouw onder vier ogen te spreken. Ze liet haar woede en frustratie los, zodat Savannah geen moment zou kunnen denken dat die tegen haar waren gericht. 'Hier.' Ze legde haar handen om Savannahs kleine handjes heen. 'Stevig vasthouden aan de kettingen. Ik ga je heel langzaam duwen. Zeg het me maar als je denkt dat je te hoog gaat.'

Ze ging achter haar kleindochter staan en gaf haar zachte duwtjes. 'Niet loslaten, hoor.'

'Nee.' Savannah was duidelijk bang, maar naarmate de schommel langer heen en weer ging, begon ze te giechelen. 'Ik vind het leuk, oma Annie. Het is net of ik vlieg.'

'Zeg het me maar als je hoger wilt.'

'Goed.' Savannahs gegiechel ging over in een harde lach. 'Hoger, graag.'

Annie deed wat haar gevraagd werd. Zo had het hele leven eruit kunnen zien voor Savannah, alleen had Josh degene moeten zijn die haar duwde, terwijl Annie bij Nate en Lindsay op de bank zat. Het was een hartveroverend kind, en als Josh haar de afgelopen zeven jaar had gekend, hadden ze met hun vijven ongetwijfeld talloze heerlijke momenten meegemaakt, zoals nu.

Ze gingen van de schommels naar het klimrek en de dubbele glijbaan. Annie klom mee naar boven en gleed naast haar kleindochter naar beneden tot die dapper genoeg was om de glijbaan zelf te nemen. Na haar vijfde keer zette Savannah haar voeten in het zand om op adem te komen. Ze hijgde van vermoeidheid en opwinding en haar wangen waren rood van enthousiasme.

Ze keek schuin omhoog naar Annie met haar mooie gezichtje. 'Vond mijn papa het fijn om naar het park te gaan toen hij nog klein was?'

'Ja.' Annie zat op het uiteinde van de tweede glijbaan. Ze dacht aan de kleine vrijbuiter die Josh op Savannahs leeftijd was geweest. 'Hij rende van de schommels naar de glijbaan en weer terug tot hij nauwelijks meer een stap kon verzetten.'

Savannah giechelde. 'Ik wil hem zo graag zien.' Ze legde haar hand op Annies knie. 'Denk je dat hij me op de schommels zou willen duwen als hij komt?'

Annie dacht er een seconde aan om de bizarre vertoning door te laten gaan. Wat zou het uitmaken of Savannah al of niet wist dat Josh dood was? Kon het kwaad dat ze vasthield aan het beeld op de foto en haar geloof dat haar droomprins-papa haar zou komen opzoeken? Maar het antwoord was zo klaar als een klontje. Annie pakte Savannahs hand vast. *Alstublieft, God. Ik kan dit niet zonder U.*

Het meisje grijnsde naar haar. 'Jij kent mijn papa. Wil je hem zeggen dat hij moet opschieten? Ik wil hem niet veel later zien, maar nu. Vandaag nog als dat goed is.'

'Savannah, lieverd.' Annie voelde dat ze de juiste woorden ingegeven kreeg. 'Jouw papa zal niet komen.'

Het nieuws leek langzaam tot haar door te dringen, zoals de eerste druppels regen een hevige onweersbui aankondigden. Haar tengere schouders zakten naar voren en in haar ogen was een mengeling van schrik en verraad te zien. 'Waarom niet?' Haar mond hing open en er kwamen tranen in haar ogen. 'Ik heb zo lang op hem gewacht.'

'Ik weet het.' Annie vroeg zich af hoe lang ze het nog zou volhouden. 'Lieverd, een maand geleden is jouw papa gaan slapen en nooit meer wakker geworden. Hij is naar de hemel gegaan.'

'Naar de hemel?' Savannah stond op en staarde Annie aan. 'Is mijn papa in de hemel? Net als opa Ted?'

'Ja, meisje.' Annie wilde haar hand pakken, maar Savannah deed een stap achteruit en schudde haar hoofd. 'Nee.' Haar gezicht vertrok en ze begon te huilen. 'Nee, hij kan niet in de hemel zijn. Dat is te ver weg.' Ze schudde haar hoofd steeds harder en sneller. 'Hij is mijn droomprins en hij zou me komen halen en...' Ze draaide zich met een ruk om, rende naar de schommels, sprong op de verste, greep de kettingen en liet haar hoofd voorover hangen.

Annie zag de blikken vol pijn en meeleven bij Nate en Lindsay. De twee stonden op en liepen een pad in de andere richting op. Ze zouden de details later wel horen. De volgende minuten waren alleen voor Annie en Savannah. Annie stond op, en terwijl ze door het zand naar haar kleindochter sjokte, woog het verlies van haar zoon als een loden last op haar schouders.

Hij had hier nu moeten zijn om Savannah in zijn armen te houden en al haar pijn en verdriet weg te nemen. Ze bleef op een meter van het meisje staan en besefte dat ze ook dit beeld van Savannah, huilend op een schommel, haar leven lang zou meedragen. Hoewel ze nog maar zeven jaar was, begreep het kind wat het betekende dat Josh in de hemel was.

Annie ging op de schommel naast haar zitten en wachtte een paar minuten totdat haar boze snikken wegebden. Ten slotte snoof ze en keek Annie met rode ogen aan. 'Opa Ted vertelde me dat de dingen aan deze kant van de hemel soms niet gaan zoals wij willen.'

'Dat is waar.' Annie was er niet zeker van wie opa Ted was, maar ze had het gevoel dat het de vader van Maria moest zijn. 'Deze kant van de hemel kan soms heel verdrietig zijn.'

'Maar wat ik wil weten...' Ze snoof opnieuw. 'Hoe kom ik aan die *andere* kant van de hemel, zodat ik bij mijn papa kan zijn?'

De tranen verstikten Annies stem. *De andere kant van de hemel.* Als ze Savannah daar nu heen kon brengen, zou ze het doen. 'Och, Savannah, meiske. Als we dat toch eens konden.'

'Opa Ted zei dat het kon.' Er liepen weer tranen over haar wangen, maar haar woede was voorbij. In plaats daarvan was er een trieste wanhoop, de hoop op de laatste strohalm om op een of andere manier het vreselijke nieuws te kunnen omzeilen. Ze veegde haar neus af. 'Hij zei me dat ik op een dag ook naar de hemel zou gaan, als ik van Jezus hield. Dan zou ik aan de andere kant zijn, bij mijn papa.'

'Jouw opa Ted had gelijk.' Annie veegde met haar polsen over haar wangen. 'Op een dag zul je aan die kant van de hemel zijn bij jouw papa en je grootvader Ted en – en met iedereen die van Jezus houdt. Maar het gebeurt niet totdat je veel, veel ouder bent.'

'Ja, maar – mijn papa was niet oud.' Haar stem brak en ze leek kleiner dan een uur eerder. 'Hoe kan het dan dat hij aan de andere kant van de hemel is en ik aan deze kant ben?'

Annie slikte haar verdriet weg voordat het haar zou overmannen. 'Dat weet ik niet. Ik heb me precies hetzelfde afgevraagd.'

Toen Savannah zag dat Annie er niet meer over kon zeggen, kneep ze haar ogen dicht en liet haar hoofd weer zakken. 'Ik zou bij hem gaan wonen, en hij zou me in zijn armen nemen, en…' Haar tranen stroomden sneller en het was moeilijk om haar te verstaan. 'Hij zou me meenemen naar een huis en me naar school brengen, me op de schommels duwen en achter me aan komen op de glijbaan. En we zouden voor altijd gelukkig zijn.' Ze keek Annie aan met de verdrietigste ogen die ze ooit had gezien. 'Hoe moet dat nu?'

'Het spijt me vreselijk, Savannah.' Annie stak haar hand opnieuw uit en deze keer bleef Savannah staan om na een paar seconden van aarzeling naar Annie toe te stappen en haar armen stevig om haar nek te slaan.

'Ik wilde hem zo graag zien, oma Annie.' Ze duwde haar gezicht in Annies nek. 'Nu moet ik op de hemel wachten.'

'Ja.' Annie liet haar tranen de vrije loop. 'Wij allebei.'

Ze hielden elkaar lang vast, totdat Savannah zich eindelijk losmaakte. Ze keek Annie aan. 'Daarom ben je gekomen, hè?

Om me te vertellen dat mijn papa in de hemel is?'

'Ja, lieverd.' Ze wilde de rest niet zeggen. 'En omdat wij jou wilden zien en je over je papa wilden vertellen. Hij hield heel veel van jou.' Annie had het dagboek van Josh gekopieerd. Het lag in een envelop in de auto. 'Voordat we vertrekken, heb ik iets voor jou. Een heleboel brieven die jouw papa aan jou schreef vanaf de tijd dat je een baby was tot de dag voordat hij overleed.'

'Waarom heeft hij mij niet opgezocht voordat hij naar de hemel ging? Voordat het te laat was?'

De middagzon zonk achter de bomen om de speelplaats en de temperatuur begon te zakken. Annie wist niet hoeveel ze moest loslaten. 'Hij wilde het wel, meisje. Hij wilde het elke dag.'

De puzzelstukjes leken langzaam maar zeker op hun plaats te vallen in Savannahs hoofd. Ze dacht lang na en beet toen op haar lip. 'Het kwam door mijn mama, hè? Zij wilde niet dat hij kwam, want zij gooide zijn foto bij het vuilnis.'

'Dat is zo, Savannah.' Ze wilde het meisje niet tegen haar moeder opzetten, vooral niet omdat de vrouw in de jaren die voor haar lagen waarschijnlijk alles was wat ze zou hebben. Maar de waarheid moest uitgesproken worden. 'Jouw moeder wilde niet dat Josh deel zou uitmaken van jouw leven.'

'Josh?'

'Dat was de naam van je papa. Joshua David Warren.'

Savannah herhaalde zijn naam langzaam. 'Ik vind droom-prins-papa mooier.'

Annie glimlachte. Haar tranen droogden in de namiddag-bries. 'Dat vind ik ook mooi.'

'Mijn mama had hem niet van me weg moeten houden.'

'Nee.' Annie liet haar hand over Savannahs achterhoofd glij-den. 'Maar ze kan hem niet weghouden in de hemel. Dus daar kun je altijd naar blijven uitkijken.'

Ze praatten nog een paar minuten over de hemel en over Josh, die heel veel van Jezus had gehouden. Daarna zochten ze Nate en Lindsay op. Savannah omhelsde hen beiden. 'Oma Annie heeft me over mijn papa verteld. Ik vind het heel erg dat hij zo vroeg naar de hemel is gegaan.'

'Wij ook.' Nate hield haar hand vast terwijl ze naar de auto liepen. 'We missen hem elke dag.'

Toen ze terug waren bij het pleeggezin, vond Savannah de foto van Josh op de bank, waar ze hem had laten liggen. 'Is het goed als ik deze foto hou? Zodat ik aan mijn papa kan denken en aan hoe het is aan de andere kant van de hemel?'

'Ja, lieverd.' Lindsay had niet veel gezegd, maar nu knielde ze naast Savannah en streelde het roodblonde haar van het meisje. 'Mijn broer wilde zo graag jouw papa zijn. Ik wil dat je dat weet.'

'Hij is mijn papa. Het maakt niet uit of het heel lang duurt om hem te zien.' Savannah accepteerde de werkelijkheid nu al beter. 'En ik heb mijn foto, zodat hij altijd dichtbij is, ook al is hij in de hemel.'

'Precies.' Lindsay kuste haar op haar wang. 'Wij moeten nu gaan. Maar ik wil dat je je ons ook herinnert, goed?'

Savannah liep op Nate af en omhelsde hem ook. Maar toen ze hem weer losliet, leek ze een beetje verward door de af-scheidswoorden. Ze keek Annie aan. 'Ga jij ook weg?'

'Ik moet wel, schat. Wij wonen in Colorado, aan de andere kant van het land.'

Haar ogen lichtten op, maar niet zoals ze eerder die middag hadden gedaan. 'Kan ik niet met jullie meegaan? Mijn mama wil me niet meer.' Ze keek Nate aan. 'Dat zei ze in het restaurant. Ze wil geen mama meer zijn.'

De onthulling sneed Annie door haar ziel en ze wilde het liefst de spullen van het meisje inpakken en haar meenemen naar huis. Laat de rechtbank maar een manier vinden om de regeling te legaliseren. Als Maria haar dochter niet wilde, dan zouden Annie en Nate haar maar al te graag in huis nemen. Maar Maria wilde haar dochter absoluut. Zodra ze weer nuchter was, zou ze ongetwijfeld tot bezinning komen. Er zou geen cent schadevergoeding haar kant opgaan als ze Savannah zou afstaan. Thomas rekende erop dat Maria en haar advocaat alles uit de kast zouden halen om haar de voogdij terug te bezorgen, en daarmee toegang tot het geld te geven.

Annie omhelsde haar kleindochter nog een keer lang en intens. Wat ze nu zou gaan zeggen, was wat ze wel moest zeggen zodat Savannah niet bang zou zijn voor het leven dat voor haar lag. 'Luister goed naar me, schat.' Ze keek haar in de ogen, de ogen van Josh. 'Jouw moeder meende niet wat ze zei. Ze is nu ziek, maar als ze beter wordt, maakt ze het weer goed met jou.'

'Weet je?' Savannahs stem was te zacht om in de hele kamer verstaan te worden.

'Wat?' Annie tikte met haar wijsvinger op de neus van haar kleindochter.

'Mijn mama gelooft niet in Jezus. Ze vertelde me dat zij niet gelooft zoals opa Ted.'

Het was weer een slag, hoewel Annie niet verbaasd was. 'Lieverd, misschien kun jij haar op een dag helpen wel te geloven.' Ze moesten gaan. Eén middag was alles wat de kinderbescherming wilde toestaan, gezien het feit dat Savannah in de noodopvang zat. Het vliegtuig zou over drie uur vertrekken. Annie vouwde haar handen achter het hoofd van het meisje. 'Ik ga Jezus elke dag vragen of ik je nog eens mag terugzien. Goed?'

Savannah knikte. Ze keek weer verlegen, met een uitdrukking waarin pijn, teleurstelling en verdriet een al te vertrouwde rol leken te spelen. 'Ik zal het Hem ook vragen.' Ze deed een stap achteruit en zwaaide even naar alle drie, het laatst naar Annie. Daarna drukte ze de foto van Josh tegen haar borst. 'Dank je wel dat jij mij over mijn papa hebt verteld.'

Annie had de envelop uit de auto gehaald en gaf hem aan Savannah. 'Kun je lezen, lieverd?'

'Nog niet.' Weer klonk er schaamte door in haar stem. 'Mama zei dat ik het later wel kon leren. Nu moesten we bedelen om geld.'

Woede dreigde een smet op het moment te werpen. Annie beet haar kiezen strak op elkaar en nam zich voor Thomas over de leefomstandigheden van Savannah in te lichten. Als de rechtbank het kind aan haar moeder teruggaf, dan deugde het hele systeem niet. Ze zette de gedachte voor het moment van zich af. 'In die envelop zitten de brieven waar ik je over vertelde.' Haar gezicht ontspande en ze pakte Savannahs hand nog eens vast. 'De brieven van jouw papa. Bewaar ze bij zijn foto, zodat je op een dag zelf kunt lezen hoeveel hij van je hield.'

'Hoeveel hij nog steeds van mij houdt.' Savannah drukte de foto stevig tegen haar borst. 'Mensen kunnen helemaal vanuit de hemel van iemand houden.'

'Natuurlijk.' Annie kuste haar op haar hoofd. 'In de envelop zit ons telefoonnummer, voor het geval je iets nodig hebt.'

Savannah knikte, maar de verwarring in haar ogen maakte duidelijk dat ze het niet echt begreep. Ze kon onmogelijk begrijpen hoe ver Colorado was, of waarom de familie van haar papa al zo snel weer vertrok nadat ze haar gevonden hadden. Annie kon het afscheid geen seconde langer uithouden. Ze draaide zich om, verliet het huis en liep naar de auto. Nate en Lindsay liepen achter haar aan en het laatste beeld dat ze zagen toen ze naar het vliegveld vertrokken, was het lieve gezichtje van Savannah voor het raam van het huis van haar pleeggezin. Marti stond naast haar en Savannah was niet triest, ze pruilde niet en deed niet onverschillig.

Ze had een hand hoog tegen het glas geheven en ze snikte.

25

Terug in Springs gingen de dagen langzaam voorbij, doortrokken van verdriet vanwege Josh' afwezigheid. Om de paar dagen belde Annie Thomas voor het laatste nieuws, en een week na hun korte bezoek aan Savannah deelde de advocaat mee dat een plaatselijke rechter Maria de voogdij over het kind had teruggegeven. Het kwam niet als een verrassing. Maar toen ze die week in de Bijbel las over Gods getrouwheid, herinnerde ze zich het lied op de begrafenis van haar zoon en het kleine meisje aan de andere kant van het land dat bad voor een goed einde. Het zette haar aan het denken.

God had ongetwijfeld een plan, maar in dit geval was het beter om niet te proberen het te doorgronden.

Ze besprak de situatie met Thomas, omdat ze met iemand over de absurditeit ervan moest praten. 'Die vrouw heeft tegen Savannah gezegd dat ze geen moeder meer wilde zijn.'

'Ik weet het.'

'Ze heeft haar ten overstaan van een hele menigte in haar gezicht geslagen.'

'De rechter was zich daarvan bewust.'

'Maar hoe is het mogelijk, Thomas, dat ze niets met alle aangiftes tegen haar doen of met het feit dat ze om geld bedelt. Hoe kunnen ze Savannah terugsturen naar die leefomgeving?'

Thomas kon alleen een zucht lozen die zwaar was van hulpeloosheid. 'Ik wilde dat ik dat kon verklaren Annie. Het spijt me.'

De uitkomst voor Savannah was precies wat ze vreesden, en toen de dag van de definitieve uitspraak naderde, was Annie ervan overtuigd dat Maria zou doen wat zij verwachtten – de stad ontvluchten en alle banden met de rechtbank of de familie Warren verbreken, voor het geval ze het geld zou moeten delen als ze contact hield.

En nu miste Annie elke dag die voorbijging niet alleen Josh, maar ook zijn kleine Savannah. Ze zou altijd dankbaar blijven voor de paar uur die ze met het meisje had gehad, maar het maakte het verdriet dat zij met Nate en Lindsay deelde nog intenser. Annie hield woord en bad elke dag dat Jezus hun de kans zou geven om elkaar weer te zien en elkaar beter te leren kennen. Maar Jezus had Savannah haar vader niet laten zien, en nu leek het erop dat de rest van hen haar ook nooit meer te zien zou krijgen.

De uitspraak kwam laat in november. Na drie jaar van zittingen, verklaringen, verhoren en onderhandelingen belde Thomas op met het nieuws waar ze op hadden zitten wachten. De beslissing was gevallen. De rechter had het ongeluk meegewogen, de schade die was aangericht door de cliënt van de verzekeringsmaatschappij, en het feit dat de pijnstillers die Josh moest gebruiken uiteindelijk tot zijn dood hadden geleid. In plaats van de twee miljoen waar Thomas om vroeg, besliste de rechter dat de verzekeringsmaatschappij 2,3 miljoen dollar moest uitbetalen.

De zaak was een enorme overwinning voor Josh en een van Lindsays collega's bij de *Gazette* schreef er een verhaal over.

Een paar dagen nadat het artikel was verschenen, nam Annie koffie mee naar het appartement van Carl Joseph en praatte een uur met hem en Daisy. De bezoeken aan de twee buren van Josh waren een nieuwe gewoonte voor haar geworden.

'We hebben het verhaal over Josh gezien.' Carl Joseph wees naar het prikbord aan de keukenmuur. 'Daisy heeft het voor me uitgeknipt.'

'Ja, maar het was niet lang genoeg.' Daisy trok haar neus op.

'Er stond niet in dat Josh een held was, en Cody zegt dat dat slecht is van de schrijver.'

Carl Joseph schudde zijn hoofd. 'Jij had dat verhaal moeten schrijven, Annie.'

Ze wilde dat ze het had gekund. Maar wat ze nu over Josh wist, zou nooit in een enkel krantenartikel hebben gepast. Ze had een boek over het leven van haar zoon kunnen schrijven en nu en dan was ze er bijna van overtuigd dat ze dat ook zou moeten doen, ook al zouden alleen hun gezin en de vrienden van Josh het ooit lezen. Ze zou het boek altijd kunnen gebruiken als een reden om Savannah jaren later weer op te zoeken.

Na haar bezoek aan Carl Joseph en Daisy ging Annie naar de plaatselijke supermarkt en haalde dezelfde boodschappen die ze sinds eind oktober elke week had gehaald: twee liter melk, een brood, twee kleine bakjes aardbeienyoghurt, ingevroren zalmfilets, een zakje rijst en verschillende soorten fruit en groente. De boodschappen pasten keurig in twee tassen die Annie met gemak de trap opdroeg naar het appartement van Ethel.

'Hallo, meiske.' De vrouw glimlachte toen ze de deur opendeed. Ze keek naar de boodschappen, klakte zoals altijd met haar tong en zei dat Annie dit niet hoefde te doen en dat ze graag voor het eten wilde betalen. Terwijl Annie de boodschappen op de kleine keukentafel zette, begon Ethel te praten. 'Heb ik je dat ooit eerder gezegd? Elke keer als ik voor jou opendoe en je met de boodschappen voor de deur zie staan, zie ik Josh weer even terug. Jullie hebben dezelfde ogen.'

De oude vrouw zei altijd hetzelfde als Annie kwam, en zij vertrok altijd weer met de belofte de volgende week terug te komen. Niet op zaterdag, maar op maandag – de dag die ze gereserveerd had om in contact te blijven met de mensen die ze via Josh had leren kennen. Vandaag maakte ze meer stops dan gewoonlijk. Ze reed door de stad naar een klein café aan de rand van Black Forest. De ontmoeting zou plaatsvinden aan een van de tafels bij het raam. Het was de eerste week van december en er was sneeuw voorspeld voor die nacht.

Annie parkeerde en bedacht wat ze allemaal wilde zeggen – alles wat ze nooit had kunnen zeggen als deze persoon haar niet gevraagd had voor een vroeg etentje onder vier ogen en niet bereid was geweest om daarvoor helemaal uit Denver hierheen te rijden. Annie zag de jonge vrouw onmiddellijk zitten toen ze het restaurant binnenliep.

Becky Wheaton stak haar hand op, zodat Annie haar zou opmerken. Toen ze bij het tafeltje kwam, stond Becky op en omhelsde haar snel. 'Bedankt voor uw komst. Ik had er moeite mee om het te vragen.'

Annie ging tegenover haar zitten en pakte kort haar handen vast. 'Daarom wilde ik vandaag hierheen komen. Ik denk dat we een paar dingen moeten bespreken.'

'Ik dacht dat u het misschien moeilijk zou vinden om na al die jaren hier met mij te zitten.'

Er verscheen een trieste glimlach om Annies lippen. 'Dat is een van de dingen die Josh me heeft geleerd. Het enige moeilijke tussen mensen die om elkaar geven, is de kans niet krijgen om bij elkaar te gaan zitten en dingen uit te praten.'

'Ja.' Becky droeg haar blonde haar tegenwoordig korter. Ze dronk al van een kop koffie. 'Ik begrijp wat u bedoelt.'

Ze bestelden hun maaltijd en Becky kwam ter zake. 'Sinds de dood van Josh ga ik gebukt onder een soort schuldgevoel. Als ik bij hem was gebleven, was dit alles misschien niet gebeurd.'

Het was hetzelfde idee dat Annie aanvankelijk had gehad, maar nu al lang niet meer. 'Jij hebt gedaan wat je moest doen, Becky. Niemand kan je iets verwijten. En Josh deed dat zeker niet.' Annie was vandaag hier gekomen met maar één doel voor ogen: Becky de vrijheid geven om met haar leven door te gaan. Maar eerst moesten ze praten over wat ze voelde.

'Ik vroeg hem te stoppen met roken en op de universiteit te

blijven.' Ze zette haar koffiekopje neer en leunde op haar elbogen. 'Maar ik val elke avond in slaap met de gedachte dat ik dat nooit van hem had mogen verwachten.' Haar ogen glinsterden. 'Ik hield zoveel van hem. Ik heb nog nooit hetzelfde voor iemand anders gevoeld.'

Annie had zich afgevraagd of ze Becky moest vertellen hoeveel Josh nog altijd om haar gaf. Nu ze zo pijnlijk eerlijk was, vond ze dat zij ook het hele verhaal moest vertellen. Ze leunde achterover op haar stoel. 'Josh nam het jou niet kwalijk, Becky. Hij luisterde naar wat je van hem wilde. Een paar jaar nadat hij naar Denver was verhuisd, stopte hij met roken. Ik weet niet zeker of je dat wist.'

Becky keek verbaasd. 'Ik had geen idee.'

'Hij hoorde dat je verloving was stukgelopen en hij hoopte zijn schadevergoeding te krijgen en een zaak te kunnen beginnen. Hij had een rugoperatie nodig en probeerde de laatste twintig kilo die hij was aangekomen kwijt te raken. Als dat allemaal achter de rug zou zijn, wilde hij je opbellen.' Ze keek naar de jonge vrouw tegenover haar. Als het anders was gelopen, was zij misschien haar schoondochter geworden.

'Daar… daar wist ik helemaal niets van.'

'Josh hield van je. Hij moest nog veel zaken regelen en hij wilde zijn dochter opzoeken. Maar hij zag jou altijd als deel van zijn toekomstplannen. Hij bad althans dat je dat zou mogen zijn.'

Becky staarde naar haar handen op tafel. 'Dat maakt het alleen maar erger.'

Annie begreep wat ze bedoelde. Tijdens haar eigen zoektocht naar wie Josh werkelijk was geweest, had ze hetzelfde gevoeld: dat het verlies van Josh steeds zwaarder ging wegen naarmate ze meer goeds over hem ontdekte. Maar dat was niet zoals ze zich Josh moesten herinneren, en nu was het aan Annie om Becky te verlossen van de last die ze meedroeg.

'Je moet één ding goed begrijpen.' Ze legde haar hand weer op de handen van de jonge vrouw tegenover haar. 'Je zult Josh in je hart bewaren, net zoals ik. Maar je moet je schuld en berouw loslaten.' Annie hoopte dat ze oprecht klonk. 'Josh nam zijn eigen beslissingen, en het duurde wat langer bij hem om te begrijpen wat voor soort leven jij voor ogen had.'

'Maar eigenlijk had ik helemaal geen soort leven voor ogen.' Ze keek op en de tranen liepen over haar wangen. 'Ik wilde Josh. Dat was alles.'

'Ik wil hem ook. Al is het maar voor tien minuten, zodat ik hem kan vertellen hoe trots ik ben op hoe en wie hij was, op alles wat ik niet wist van hem.' Ze schudde langzaam haar hoofd. 'Maar dat is voor geen van ons beiden weggelegd.' Ze dacht aan Savannah. 'Althans, niet aan deze kant van de hemel.'

'Ik heb het gevoel dat ik een liefde ben misgelopen zoals ik die nooit meer zal kennen.'

'Maar dat zul je wel.' Annie wilde dat de jonge vrouw dat zou geloven. Anders zou ze verlamd worden door het verleden. 'Jij zult weer liefhebben, maar eerst moet je Josh en alles wat je voor hem voelt, loslaten.'

'Hoe?' Haar vraag leek op te klinken uit een hart dat vastgeklonken zat aan de liefde die zij op vijftienjarige leeftijd had gevonden en nooit te boven was gekomen. 'Hoe moet ik verder met mijn leven?'

'Hou jezelf voor dat je alleen die tijden kunt behouden die Josh en jij *wel* hadden. Het heeft geen zin je vast te klampen aan tijden die er nooit geweest zijn. Wie weet waren jij en Josh te verschillend om nog een tweede start te maken.'

Becky dacht er een paar seconden over na. 'Misschien wel. Maar ik weet nog steeds niet of ik wel een dag kan leven zonder het me af te vragen.'

'Jezelf dingen afvragen hoort bij het leven. Zolang het maar niet verhindert dat je leeft.'

Hun bestelling werd geserveerd en ze praatten over Becky's werk als therapeute, en over een jongeman in de praktijk die haar de laatste maand twee keer mee uit eten had gevraagd. Ze hadden het niet meer over Josh tot de maaltijd afgelopen was en het gesprek ten einde liep. 'Ik zie hem nog steeds, die knappe jongen met zijn donkere haar op de banken bij de eerste rugbywedstrijd in ons tweede jaar op de middelbare school.' Becky's ogen kregen iets dromerigs terwijl de herinnering duidelijk weer tot leven kwam. 'Iedereen had het over hem, maar na de wedstrijd zocht hij mij op. Hij zei dat het lang geleden was.' Ze lachte.

'Laat me raden – jullie hadden elkaar nog nooit ontmoet tot dan.' Annie zou Josh' gevoel voor humor nooit vergeten.

'Niet één keer.' Ze hief haar handen en liet ze terugvallen op haar schoot. 'Hij verzon alles ter plekke, en deed alsof we elkaar bij een wedstrijd het jaar daarvoor hadden ontmoet, toen hij op een school aan de andere kant van de stad zat. Tegen de tijd dat ik begreep dat hij me alleen plaagde, was het te laat. Ik was al voor hem gevallen.'

'En hij voor jou.' Annie wist het nog goed. 'Hij kwam die herfst na een van de rugbywedstrijden thuis en vertelde me dat hij het meisje had ontmoet met wie hij zou trouwen. Ze had haar zo blond als het zonlicht en ze heette Becky.'

Er trok een weemoedige schaduw over Becky's gezicht. 'We zullen nooit weten hoe het geweest zou zijn.'

'En dat is de reden waarom je vandaag niet over gisteren moet blijven speculeren, lieverd. Josh is er niet meer.' Het deed altijd pijn om die woorden uit te spreken. 'Hij is er niet meer en jij moet hem loslaten. Dat is wat hij van jou zou willen.'

Ze was nog steeds niet overtuigd.

'Jij gelooft in God, nietwaar?'

'Natuurlijk. Ik praat voortdurend met Jezus.' Becky's wangen kleurden een beetje in afwachting van wat komen ging. 'Ik vraag Hem om Josh te zeggen hoezeer het me spijt, en dat ik nooit ben opgehouden van hem te houden.'

'Goed, dan wil ik je iets geven.' Ze haalde een klein kaartje uit haar handtas en gaf het aan haar. 'Lees dit.'

Becky maakte de envelop open en las wat er op de kaart stond. Behalve alles wat Annie al had gezegd, bevatte de kaart het Bijbelvers dat zoveel voor Josh had betekend in zijn laatste dagen. Psalm 119:50.

'*Dit is de troost in mijn ellende: dat Uw belofte mij doet leven,*' las Becky hardop. 'Echt waar? Betekende dat vers zoveel voor Josh?'

'Tot aan zijn dood.' Ze sloeg haar armen over elkaar en vocht tegen het verdriet dat haar dreigde te overspoelen. 'Ik denk dat Josh graag zou zien dat je dat vers ter harte nam. Blijf geworteld in Gods Woord, Becky. Laat Gods waarheid je nieuw leven schenken, zodat je met die jongeman van je werk kunt uitgaan en Josh zijn rechtmatige plaats in je leven kunt geven. Als een deel van je verleden, een heel dierbaar deel.'

Voor het eerst sinds Annie Becky aan het tafeltje had zien zitten, leken de ogen van de jonge vrouw minder gekweld, alsof er een zware last van haar hart werd getild. Het proces om Josh los te laten zou niet van vandaag op morgen voltooid zijn, maar er was een begin gemaakt en Annie was ervan overtuigd dat ze er goed aan had gedaan met Becky te praten. Ze namen afscheid en spraken af contact te houden. Annie had het gevoel dat ze in de niet al te verre toekomst samen met Nate zou worden uitgenodigd voor de bruiloft van Becky Wheaton.

Het was al donker toen ze naar huis reed. Ze waren van plan om naar de rugbywedstrijd op maandagavond te kijken en de laatste fase van Nates herverkiezingsplannen door te nemen. De verkiezing was op de achtergrond geraakt sinds de dood van Josh, en geen van beiden voelden ze ervoor hun leven opnieuw in het teken te zetten van de wilde jacht op stemmen, zoals in de tijd voordat ze hun zoon verloren. Ze bezochten hun Bijbelstudie weer en waren van plan vanaf januari maaltijden naar mensen te brengen die aan huis gekluisterd waren.

De gelden van de schadevergoeding waren naar Savannah overgemaakt, onder beheer van haar moeder. Annie verwachtte elk moment van Thomas te horen dat Maria haar telefoonnummer had gewijzigd of was verhuisd zonder een nieuw adres te hebben doorgegeven. Thomas legde uit hoe hij op het laatste moment de schadevergoeding zo had ingericht dat Maria niet onmiddellijk toegang had tot al het geld. Maar de details deden niet langer ter zake. Het geld was weg, en al snel zou Savannah ook verdwenen zijn.

Annie troostte zich met iets wat Cody Gunner haar die middag in het appartement van Josh had verteld. Met het oog op zijn geloof hadden Cody en zijn vrouw het idee dat Josh net begon te leven. Annie begreep nu hoe waar dat was.

Hij was werkelijk net begonnen te leven. Alleen niet op de manier die Nate, Lindsay, zij en de anderen hadden verwacht.

En het mooie was: ze was niet alleen te weten gekomen wat haar zoon voor andere mensen had betekend, het waarachtige succes dat hij tijdens zijn leven was geweest, maar ze had ook iets over zichzelf ontdekt. Door de liefde en vriendschap voort te zetten die Josh had betoond, was Annie een beter mens geworden. Meer de persoon zoals God haar bedoelde.

Had ze Maria Cameron maar tot een gedeelde voogdij over Savannah kunnen dwingen. Dan kon ze er absoluut zeker van zijn dat ze niet alleen de rest van haar leven trots zou zijn op haar zoon Josh, maar dat Josh de rest van de eeuwigheid trots zou zijn op zijn moeder. Ze reed de oprit bij haar huis op, zette de auto in de garage en begroette Nate, die binnen op haar wachtte.

'Hoe was het etentje?' Hij trok haar tegen zich aan en wiegde haar langzaam heen en weer.

'Goed. Ik heb haar gezegd dat ze verder moet gaan met haar leven. Dat ze Josh moet loslaten, omdat hij dat voor haar zou willen.'

Nate knikte. 'De wedstrijd is al begonnen.'

'Dat begreep ik al.' Ze zette haar handtas neer. 'Is er al gescoord?'

'Nog niet.' Nate wilde gaan zitten, maar draaide zich plotseling om. 'Dat vergat ik bijna. Er was een boodschap voor jou op het antwoordapparaat toen ik thuiskwam. Thomas Flynn. Hij vraagt of je hem morgenochtend direct wilt opbellen.'

Annie knikte afwezig terwijl ze naast haar man ging zitten. Thomas bleef haar nieuws over de zaak melden, zelfs nu, nadat alles al definitief geregeld was en het geld was uitgekeerd. Ze strekte haar benen en richtte haar aandacht op de rugbywedstrijd. Annie geloofde dat God haar met betrekking tot de rechtszaak en de afschuwelijke tijd na het ongeluk van Josh hetzelfde advies gaf dat zij aan Becky had gegeven. *Laat het los en ga verder met je leven.*

Het maakt niet uit wat voor informatie Thomas nu weer voor haar had.

26

Maria wilde zichzelf niet toegeven dat ze bezorgd was. Harry Dreskin zou de puinhoop waar ze in zat wel weer opruimen. Vanaf het moment dat ze Harry was tegengekomen, deed hij dat toch altijd? Ze greep de tralies van de cel en schreeuwde naar een bewaker die voorbijliep. 'Waar is mijn advocaat? Hij had er al een uur geleden moeten zijn.'

De man keek haar laatdunkend aan. 'Als hij op de proppen komt, zeggen we het wel.'

'Dat is niet goed genoeg.' Ze schold tegen de man en rende naar de andere kant van de cel. Ze zat hier nu al bijna drie dagen en ze had Harry Dreskin niet meer gesproken sinds haar arrestatie. Hoe zou ze hier weg moeten komen als hij zich niet meer inspande?

In een cel aan de andere kant van de gang waren twee mannen aan het vechten, en het geschreeuw werkte Maria op haar zenuwen. 'Hou je kop!' schreeuwde ze. 'Bewaker, vertel die lui dat ze hun mond moeten houden!'

In plaats daarvan begonnen de twee verwensingen en scheldwoorden in haar richting te schreeuwen. Maria trok zich er niets van aan. Ze verdrong de stemmen en ging op het houten bed in de hoek van de cel zitten. Sinds haar arrestatie had ze alles gedaan wat in haar macht lag om haar advocaat terug te halen naar de gevangenis, voor een gesprek over wat er zou kunnen gaan gebeuren.

Wat Maria zorgen baarde, was Harry's houding. Gewoonlijk was haar advocaat zo verwaand en zelfingenomen als het maar kon. Harry ging er prat op dat hij door de mazen van het net glipte. Creatieve advocatuur, noemde hij het. Opgepakt wegens het uitschrijven van valse cheques? Harry kon het presenteren als een vergissing. Openbare dronkenschap? Een geval van uit de hand gelopen depressie. De klap in Savannahs gezicht? Overdrijving van de kant van de medewerkers van het restaurant. Harry had een hekel aan rechters, aan alle rechters. Als hij dacht dat hij ook maar de geringste kans had om een zaak te winnen, deed hij grote beloftes en voorspellingen en schepte hij op over zijn capaciteiten totdat de overwinning binnen was.

Maar deze keer had Harry haar niets beloofd.

Een uur na haar arrestatie had hij haar in de cel opgezocht. Ze hadden dertig minuten in een raamloze spreekkamer. Harry had de helft van de tijd besteed aan het bestuderen van de aanklacht. Tijdens het lezen stelde hij alleen een paar korte vragen. 'Meen je dat, Maria? Heb je tweeduizend dollar van een lommerd in Harlem gestolen?'

'Ik had beginkapitaal nodig.' Maria was verontwaardigd. 'Ik zei hem dat ik binnen een week zou terugbetalen. Wat is het probleem?'

'Je probeerde een zak cocaïne van een agent te kopen?'

'Hij had nu niet direct een uniform aan, begrijp je?'

Harry las verder en hij kreeg ogen als schoteltjes. 'En je kind stond bij dat alles toe te kijken?'

Savannah was een gevoelig punt. 'Hou haar erbuiten.' Maria wilde hem het liefst tegen zijn schenen schoppen. 'Kom op, Harry. Beur me op. Dat heb ik nodig, jij bent toch de beste? Daar heb ik je toch voor ingehuurd?'

Harry gaf geen antwoord. Hij las de details van de aanklacht nogmaals door, wees hier en daar naar een regel en schudde zijn hoofd. 'Dit is slecht nieuws. Heel slecht.'

'Hou op, Harry. Je maakt me bang.' Ze gaf hem een duw tegen zijn schouder. 'Dit is net als de vorige keren. Niets aan de hand, nietwaar?'

Harry's toon veranderde. 'Allereerst, niet duwen.' Hij trok de mouw van zijn jas recht. 'Ten tweede, een lommerd overvallen en dealen met een agent is behoorlijk ernstig. Vooral met jouw strafblad. Je zou je kind dit keer voorgoed kwijt kunnen raken, Maria. Ik meen het.' Hij trok bezorgd een wenkbrauw op. 'Wat voor voorschot heb je?'

De vraag had Maria verbluft. 'Ik heb je net dertigduizend betaald. Hoe bedoel je, voorschot?'

'Dat was mijn deel van de schadevergoeding.' Hij tikte op zijn borst. 'Dat heb ik verdiend.' Hij hield de aanklacht omhoog. 'Dit is een nieuwe zaak. En ik werk niet gratis, begrepen?'

'Goed.' Maria dacht aan het geld. 'Ik kan je wel betalen. Dus aan het werk, nu.'

'Ik heb een voorschot nodig. Als ik terugkom, wil ik tweeduizend voordat ik aan deze puinhoop begin.'

De dertig minuten waren voorbij en Harry zei dat hij met een dag of twee zou terugkomen. Maar ze had geen woord meer van hem gehoord, en het liep nu al tegen het eind van de derde dag. Ze liet haar hoofd op haar handen steunen en probeerde het geschreeuw aan de andere kant van de gang weer buiten te sluiten. Waar was ze in terechtgekomen? Dit had het begin moeten worden van een geweldige tijd, de beste tijd van haar leven.

Ze ging alle gebeurtenissen nog eens na en probeerde uit te vinden waar alles verkeerd was gegaan. Het antwoord was duidelijk.

Josh Warren.

Hij had van meet af aan alleen maar ellende veroorzaakt, met zijn grote plannen waarvan helemaal niets terechtkwam. Hij had haar zwanger gemaakt, en toen haar vent haar aan de kant zette, was ze niet meer dan een alleenstaande vrouw met een kind op haar schoot. Savannah was een leuk meisje, maar ze had Maria's leven lang genoeg belemmerd. Hoe zou ze de bloemetjes buiten kunnen zetten als ze voor hen beiden moest zorgen?

Ze had Josh Warren geloofd en gedacht dat hij goed zou zijn voor achttien jaar aan maandelijkse betalingen, maar hij had haar laten zitten. Ze had niet op hem kunnen rekenen voor de alimentatie toen Savannah een baby was. Waarom dacht ze dan dat ze nu wel op hem kon rekenen met het oog op die schadevergoeding? Ze wreef met haar duimen over haar slapen. Haar hoofd bonkte en haar lichaam schreeuwde om drank. Zeker, het geld leek het antwoord op al haar zorgen. Alsof ze de loterij had gewonnen zonder zelfs maar een lot te kopen. Maar toen het eenmaal kwam, zaten er heel veel haken en ogen aan.

Daar had Thomas Flynn voor gezorgd.

Het geld ging onmiddellijk naar een rekening op Savannahs naam, niet op haar naam. Maria zei tegen Harry dat hij het probleem moest oplossen, maar hij vertelde dat hij aan handen en voeten gebonden was. Het geld was voor Savannah, niet voor Maria. Toen ontdekte ze dat er een of andere vent was die de beheerder werd genoemd en die tot taak had om Maria elke maand een paar duizend dollar toe te schuiven. Een fooi, eigenlijk.

'De toelage is ervoor bedoeld dat Savannah verzorgd kan worden. De rest van het geld kan alleen door Savannah worden opgenomen, en alleen op of na haar achttiende verjaardag,' vertelde Harry haar.

'En als ik die beheerder kan zijn?'

'Flynn zei dat je niet in aanmerking kwam omdat je een strafblad hebt. Ik heb het nagegaan, en hij heeft gelijk. Ik kan er niets aan doen.'

De brutaliteit van die Thomas Flynn om haar dat onder de neus te wrijven. Iedereen heeft een verleden. Met die twee miljoen dollar was ze absoluut van plan een respectabele moeder te worden. Maar met tweeduizend per maand? Wat verwachtten ze eigenlijk? Moest ze soms een baan als serveerster aannemen om het geld aan te vullen?

Harry stelde voor dat ze een kostenoverzicht zou opstellen om de rechter te bewijzen dat ze meer geld nodig had om Savannah goed te verzorgen. Vijf- of misschien zevenduizend per maand. Maar Maria kwam er nooit aan toe om de details op papier te zetten. Nog voor die tijd kwam ze de jongens van Freddy tegen. Een van hen, Big Pete, deed haar een idee aan de hand om haar eigen geld te verdienen, zonder hulp van Savannah of toestemming van de beheerder. Een carrière die ze helemaal zelf zou opbouwen. 'Het is een zakelijk avontuur,' had hij gezegd. 'Maar je hebt een beginkapitaal nodig.'

De onderneming bleek te bestaan uit het verkopen van drugs aan rijke zakenmensen, mannen die elke ochtend de metro naar het financiële district van Manhattan namen. 'We hebben niemand die de drugs aan die doelgroep levert.' Big Pete knipoogde naar haar. 'Met jouw uiterlijk moet het niet moeilijk zijn om binnen de kortste keren een klantenkring op te bouwen.'

Het was ook een idee van Big Pete om de lommerd te overvallen. 'Ik ken de vent die erin staat.' Pete haalde zijn schouders op. 'Stap er op een vrijdagavond binnen. Doe alsof je een pistool in je jaszak hebt en als hij het geld geeft, zeg je dat hij het terugkrijgt, dat je hem binnen een paar dagen zult terugbetalen.'

Big Pete zette de koop op. Maria zou het geld meenemen en een geheime ontmoeting hebben met een van de grootste drugsdealers van de stad. Ze zou een zak cocaïne kopen en die in kleinere zakken verdelen. 'Je kunt je investering binnen een week verdriedubbelen,' zei Big Pete. 'O ja, en ik krijg twintig procent van al je winst, omdat je gebruikmaakt van mijn contacten.'

Maria wist niet zeker wat er mis was gegaan. Ze had het geld zonder problemen meegekregen, droeg een bivakmuts, hield haar identiteit geheim, de hele mikmak. Op de dag van de grote aankoop ging ze naar de juiste straathoek, ze keek uit naar de man die aan de beschrijving voldeed en ze gebruikte de juiste wachtwoorden. Maar in plaats van een grote drugsdealer bleek de man van wie ze cocaïne probeerde te kopen een geïnfiltreerde agent.

Ze zuchtte gefrustreerd. Net iets voor haar. En nu was zelfs Harry bezorgd. Maria stond op en liep van de ene kant van de cel naar de andere. Harry zat ernaast. Ze zou hier doorheen komen en alsnog aan het goede leven beginnen. Big Pete had haar op een idee gebracht. Als rijke zakenlui van het financiële district elke ochtend de metro namen, dan kon zij hetzelfde doen. Ze kon iets van haar maandelijkse toelage opnemen en zich netjes presenteren. Beter kapsel, betere kleding. Op een ochtend zou ze dan de juiste vent aan de haak slaan en zouden al haar problemen voorbij zijn.

Op twee na.

Het eerste probleem was dat ze nu in de cel zat, en het tweede dat ze niet wist wat ze met Savannah aan moest.

Er waren twee weken voorbijgegaan sinds Thomas had gehoord dat Maria Cameron was gearresteerd. Toen hij het telefoongesprek met de maatschappelijk werkster beëindigde, kon hij nauwelijks geloven hoe snel het systeem werkte. En dat een week voor Kerst. Het leek alsof God hemel en aarde bewoog om Savannah nog voor de vakantie de weg naar huis te laten vinden.

Thomas keek door het raam naar de regenachtige lucht boven Denver en dacht na over alles wat er de laatste veertien dagen was gebeurd. Na Maria's arrestatie had de onderzoekende rechercheur aanwijzingen gevonden voor nog meer zaken dan de misdrijven uit de aanklacht. Er werd Maria nu voldoende tenlastegelegd om haar minstens twintig jaar achter slot en grendel te houden. Ze had bekend dat ze een pistool had gebruikt bij de overval en bovendien hadden de rechercheurs haar in verband kunnen brengen met een fraudezaak met valse cheques. Dat alles in combinatie met haar poging om drugs te kopen van een undercoveragent leidde ertoe dat niemand meer dacht dat Maria op vrije voeten zou komen voordat Savannah achttien werd.

Thomas had zelfs Harry Dreskin opgebeld, Maria's minder dan achtbare advocaat, en de man had er geen doekjes om gewonden wat zijn cliënte betrof. 'Ze heeft geen geld. Ik vertegenwoordig haar als gunst.' Hij had weinig vertrouwen in de zaak. 'Ik ga pleiten op vijf jaar, maar ik ben al blij als het er maar tien worden.'

Harry zei dat hij de informatie om twee redenen aan de kinderbescherming had doorgegeven. 'Allereerst, dat kind verdient een gezin als het er een kan krijgen. En ten tweede wil Maria geen moeder meer zijn. Niet in de gevangenis of daarbuiten. Ze is het moe om te doen alsof.'

Onder andere omstandigheden zou Thomas het afschuwelijk vinden voor het kleine meisje, dat weer voor korte tijd bij pleegouders zou moeten wonen, zonder een vader en moeder die van haar hielden en voor haar zorgden. Maar Savannah was niet zomaar een kind. Zij was de erfgename van een fortuin en ze kreeg een toelage voor haar verzorging die de reguliere maandelijkse vergoeding voor pleegouders volstrekt in de schaduw stelde. Het was een detail waarvan Thomas wilde dat de kinderbescherming het verzweeg voor potentiële adoptieouders of langdurige pleegouders.

Maar Thomas wilde vooral dat de kinderbescherming niets over het geld zei omdat hij een ander plan had voor Savannah, een plan waarvan hij hoopte dat God het ten uitvoer zou brengen. Voordat hij iets tegen Annie of Nate Warren kon zeggen, wilde hij er zeker van zijn dat Maria's zaak niet weer door de mazen glipte en zij opnieuw na een week of een maand de voogdij zou krijgen.

Dat probleem was nu voorgoed opgelost.

Het telefoontje dat hij zojuist beëindigde, kwam van de maatschappelijk werkster en bracht het beste nieuws dat Thomas Flynn in lange tijd had gehoord. 'Savannah Cameron is nu officieel onder curatele van het hof,' zei de vrouw. 'Ik dacht dat u dat graag zou willen weten.'

Thomas zette zich af tegen zijn bureau en de adrenaline pompte door zijn aderen. 'Dus haar moeder is uit de ouderlijke macht ontzet?'

'Voor altijd.'

Thomas sloot zijn ogen. *Dank U, God. Dit is Uw werk. Ik voel hoe U de juiste deuren opent.* Hij haalde diep adem. 'Dus u zegt eigenlijk dat Savannah Cameron officieel in aanmerking komt voor adoptie?'

'Ja.' Er was een lach in haar stem te horen. 'Laat me eens raden. U hebt iemand op het oog?'

Thomas grijnsde bij de herinnering aan het recente gesprek. Hij pakte de telefoon weer op en koos Annie Warren – eerst haar huistelefoon, en vervolgens haar mobiele. Op beide toestellen liet hij dezelfde boodschap achter. 'Ik heb nieuws over de situatie met betrekking tot Savannah. Bel me zo snel mogelijk.'

Het was lunchtijd en Thomas liet een kipsalade op zijn kantoor bezorgen. Anders zou hij misschien het telefoontje van Annie missen, en dit was een kwestie die geen uitstel duldde. Zijn ogen dwaalden naar de plaquette op zijn bureau en hij werd getroffen door de waarheid van de beloften. Want inderdaad waren alle dingen geschied ten goede van de mensen die in God geloofden – Annie, Nate, Lindsay en Savannah. En zelfs Josh, die veilig in de hemel was.

Thomas had net een halve sandwich op toen zijn secretaresse hem meldde dat ze Annie Warren onder de knop had.

'Dank je.' Hij kreeg plotseling een brok in zijn keel toen hij de hoorn oppakte en hij dankte God nogmaals voor alles wat er zou komen, al het goede dat er zou voortkomen uit de recente ontwikkelingen. Maar vooral dankte hij God voor het verhoren van de gebeden van de lieve Savannah, een meisje zonder vader dat Thomas binnenkort zou ontmoeten.

God hield genoeg van haar om haar een tweede kans te geven.

Annie en Nate waren dit keer met zijn tweeën. Ze waren de vorige dag laat in New York aangekomen. Nadat ze het grootste deel van de nacht wakker hadden gelegen, zaten ze nu in de wachtkamer van het kantoor van de kinderbescherming in Manhattan en probeerden te geloven dat dit niet alleen maar een prachtige droom was. En dat drie dagen voor Kerst.

'Ik kan nauwelijks geloven dat ze van ons wordt.' Nate kon niet stilzitten. 'Ik heb hiervoor gebeden, maar toch… Josh zou zo blij zijn, Annie.'

'Ik moet steeds aan hem denken, aan al die jaren dat hij wenste dat Savannah deel zou uitmaken van zijn en ons leven, van het leven van haar neef en nicht.' De glimlach wilde niet meer van haar gezicht wijken. 'Alles wat hij wilde, gaat uitkomen.'

Ze sprak de treurige waarheid niet uit dat Josh ook de enige was die dat alles zou missen. Savannah was nu degene die ertoe deed. Annie leunde tegen haar man en dacht aan het telefoontje van Thomas. Zijn vraag was heel eenvoudig geweest. 'Zouden jij en Nate Savannah wellicht willen adopteren?'

Ze zou nooit vergeten wat ze toen deed. Nate zat tegenover haar aan hun eettafel en Annie zette met een harde vreugdekreet de luidspreker van de telefoon aan. 'Alsjeblieft, Thomas, zeg dat nog eens.'

De fantastische advocaat van Josh had gelachen. 'Ik zei, zouden jij en Nate Savannah wellicht willen adopteren?'

Het was uiteraard een retorische vraag. Annie had al over een gevecht om de voogdij over Savannah gesproken vanaf het moment dat de wens van Josh duidelijk was, na het gesprek met Cody Gunner. Maar het antwoord was steeds hetzelfde: zolang de lokale kinderbescherming Maria geen ongeschikte moeder achtte, kon niemand haar dwingen om Annie zelfs maar een dag per jaar de voogdij over haar kleindochter te geven.

Bij het vaststellen van het vaderschap had de rechtbank er ironisch genoeg geen rekening mee gehouden of Josh toegang tot zijn dochter geweigerd was. Savannah was zijn erfgename en slechts in uiterst zeldzame gevallen zou de rechtbank van een dergelijke opvatting afwijken. Maar als Annie begon over een bezoekregeling of voogdij, werkten diezelfde feiten juist tegen hen. Thomas had uitgelegd dat niemand het meisje kon dwingen om een relatie met Annie en Nate aan te gaan, aange-zien ze die nooit eerder had gehad.

Tot het telefoontje van Thomas had het ernaar uitgezien dat hun familie Savannah nooit meer zou zien, althans niet voordat ze volwassen zou zijn. En dan was er nog het probleem om haar te vinden. Annie vouwde haar handen op haar schoot en probeerde niet hardop te giechelen. Die dagen lagen nu achter hen. Thomas had snel gehandeld, de juiste papieren ingediend en om een versnelde adoptieprocedure gevraagd.

Zelfs Thomas was verbaasd geweest dat de rechter die de adoptie behandelde er vanwege de omstandigheden mee in-stemde om de papieren maandagmiddag al te tekenen. Er zou in de komende maanden nog een onderzoek naar de thuis-situatie volgen en ander papierwerk, maar de documenten die zij en Nate later die dag zouden tekenen, gaven hun tijdelijke voogdij tot de procedure was afgerond.

Annie dacht aan de begrafenisdienst van Josh en de woorden van het lied dat aan het begin en eind werd gezongen. *Groot is uw getrouwheid…*

Hoe waar was dat woord. Elke nieuwe dag stortte Hij zijn genade uit. Deze dag was daar het tastbare bewijs van. Wat er in de toekomst ook zou gebeuren, Annie zou daar nooit meer aan twijfelen. Gods goede plannen voor Josh, Zijn getrouwheid aan haar jongste kind had hem direct naar de hemel gebracht, voor een beter leven dan dat op aarde. En nu zouden zij en Nate elke dag voor zijn dochter zorgen.

Annie tikte met een teen op het vale tapijt op de vloer van de wachtkamer. Ze wilde dat de maatschappelijk werkster zou opschieten. Het was moeilijk om zich Savannah voor te stellen in een kamer achter de gesloten deur. Na alles wat ze in de laatste paar maanden had doorgemaakt, had ze de liefde van haar grootouders meer dan ooit nodig. Ze dacht aan de andere zaken die Thomas hun had verteld. Hij verwachtte dat Annie en Nate nog voor het eind van het jaar zouden worden benoemd tot medebeheerders van het vermogen van Savannah. Met het oog op alles wat ze nu wisten, zeiden ze tegen Thomas dat ze de maandelijkse toelage voor Savannah alleen zouden gebruiken wanneer ze kleren nodig had, of later misschien een auto. Verder zou het geld op haar blijven wachten, zoals Josh het gewild had.

Annie keek naar de gloednieuwe Minnie-Mouse-oren die uit haar handtas staken. Ze had ze de eerste keer dat ze Savannah opzochten niet meegenomen omdat ze Daisy niet met het droeve einde wilde confronteren. Daisy die elke dag had gebeden dat Savannah uit de foto zou komen om in Annies armen vastgehouden te worden.

Maar nu...

Annie hoorde het geluid van een deurknop en zij en Nate keken tegelijk op. De maatschappelijk werkster deed de deur open en glimlachte naar hen. 'Mevrouw en meneer Warren?'

'Ja?' Nate was al opgesprongen.

Annie stond naast hem. 'Is Savannah er?'

'Dat is ze.' De vrouw gebaarde naar iemand in de andere kamer en na een paar seconden verscheen Savannah in de deuropening, met een klein, versleten koffertje van de *Kleine Zeemeermin*. De ritssluiting was aan één kant kapot.

Ze zette het koffertje neer en sloeg haar handen voor haar mond, haar kin tegen haar borst gedrukt. In haar ogen lag dezelfde verlegen onzekerheid die ze bij hun eerste bezoek had getoond, twee maanden eerder. Deze keer droeg Savannah een spijkerbroek die centimeters te kort was, met daarboven een gekreukelde, witte trui over haar tengere gestalte. Iemand had een blauwe strik in haar haren gedaan, waardoor ze er eerder als een zesjarige dan als een meisje van bijna acht uitzag. De maatschappelijk werkster legde een hand op de schouder van het kind. 'Savannah, ken je je grootouders nog?'

'Hallo, lieverd.' Annie zwaaide even naar haar. 'Oma Annie en opa Nate. Weet je nog?' Pas op dat moment begreep Annie dat de blik in Savannahs ogen geen verlegenheid of onzekerheid was. Het was gekwetstheid, veroorzaakt door gevoelens van verraad en verlatenheid. Savannah leek met haar ogen te vragen: 'Hoe kan ik jullie nog vertrouwen? Jullie gingen weg en kijk eens wat er gebeurde?'

Nate had die blik kennelijk ook herkend, want hij ging op een knie zitten en hield zijn armen wijd gespreid. 'Het spijt ons vreselijk, Savannah. Alles wat er met jou gebeurd is.'

Ze keek naar zijn gezicht en hief langzaam haar blik op, met de ogen die zo vertrouwd waren voor Annie. Langzaam als een ochtendgloren kwam er een sprankje leven terug in haar ogen, en toen ze zich niet meer kon inhouden rende Savannah op hen af, zo hard ze kon, en wierp zich in hun armen. Ze pakten haar vast en hielden haar dicht tegen zich aan, lieten haar de geborgenheid ervaren die ze nog geen dag in haar hele leven had gekend.

Hun kleindochter begon te snikken, dezelfde hartverscheurende snikken die ze had geuit toen ze begin november afscheid namen. Annie drukte haar gezicht tegen haar wang.

'Och, lieverd. We laten je nooit meer alleen.' Ze voelde de tranen in haar ogen maar kon niet huilen, vanwege de enorme vreugde die haar vervulde. Maar hoeveel goeds hen ook nog te wachten stond, Savannah moest huilen, ze moest rouwen om alles wat ze verloren had voordat ze alles zou kunnen omarmen wat ze zou gaan ontvangen.

Annie en Nate bleven op hun knieën op de vloer zitten, met hun armen om Savannah heen, en lieten het meisje huilen. Annie moest voortdurend aan Josh denken en aan de onrealistische verwachtingen die ze van haar enige zoon had gehad. Ze beloofde God en zichzelf dat ze geen van de fouten die ze bij Josh had gemaakt, ooit weer bij Savannah zou maken. Wat het meisje ook zou willen doen als ze opgroeide, Annie en Nate zouden van haar houden en haar aanmoedigen. Ze zouden zo vaak als ze de kans kregen zeggen dat ze trots op haar waren – zoals Annie verzuimd had te doen bij Josh.

De maatschappelijk werkster verliet de kamer. De formaliteiten waren afgehandeld en ze konden Savannah meenemen zodra ze alle drie gereed waren om te vertrekken. Na een paar minuten wreef Savannah met haar vuist over haar gezicht. 'Mag ik een zakdoekje, alsjeblieft?'

Nate liep snel naar de balie van de receptie en haalde een paar tissues uit een met bloemen gedecoreerd doosje. 'Hier, lieverd.'

'Dank je wel.' Ze droogde haar gezicht af, snoot haar neus, stond op en gooide het gekreukelde papiertje in de afvalbak. Toen ze bij hen terugkwam, legde ze haar ene hand op Annies schouder, en de andere op die van Nate. 'Ik ben blij dat jullie zijn teruggekomen. Weet je waarom?'

Annie haalde haar duim teder over Savannahs wang om een laatste, verdwaalde traan weg te poetsen. 'Waarom, lieverd?'

'Weet je nog dat mijn papa aan die *andere* kant van de hemel is?'

'Ja.' Nate was volkomen in de ban van hun kleindochter en legde zijn hand zacht op haar hoofd.

Savannah keek eerst Nate aan en daarna Annie. 'Nou, omdat ik daar niet naartoe kan, heb ik jullie beiden nodig om verhalen over mijn papa te vertellen. Dan weet ik straks toch alles over hem.' Ze snoof. 'Goed?'

De tranen die Annie niet had willen vergieten kwamen onaangekondigd. Wat zou ze een aantal maanden geleden hebben geantwoord? Als de dochter van Josh om verhalen over hem zou hebben gevraagd, zou Annie erop geantwoord hebben als op vragen van mensen als Babette. Ze zou grote moeite hebben gehad om iets goeds te vinden en zou de waarheid geweld hebben aangedaan om niet bij al het slechte te hoeven stilstaan.

Maar nu, nu kon ze de rest van haar leven besteden om Savannah te vertellen hoe haar papa twee meisjes het leven had gered en hoe hij gekwetste mensen in zijn leven over Jezus vertelde. Ze kon haar zeggen hoe hij ook vriendschap kon sluiten met mensen die een handicap hadden of te oud waren om naar de supermarkt te gaan. Hoe hij zich inspande om een vriend gelegenheid te geven een laatste gesprek met zijn vader te hebben, met wie hij nooit kon opschieten. Hoe hij een vriendin hielp Jezus te vinden – dat allemaal en nog veel meer.

Annie veegde de tranen van haar wangen en glimlachte naar Savannah. Ze kuchte om haar stem helder te krijgen. 'Weet je, lieverd, ik heb heel veel over jouw papa geleerd sinds hij overleed.' Ze vocht tegen haar emoties om haar gedachtegang te kunnen afmaken. 'Hij was een held, wist je dat wel?'

'Echt waar?' Haar ogen dansten. 'Dus hij was een droomprins *en* een held?' Ze grijnsde. 'Dat is vast een heel mooi verhaal, oma Annie. Een die goed afloopt.'

'Ja.' Annie haalde snel adem door haar neus om haar zelfbeheersing te bewaren. In die fractie van een seconde wist ze zeker, met alles wat in haar was, dat ze ooit het verhaal van Josh zou opschrijven, ook al zou niemand buiten haar gezin het ooit lezen. Ze snoof opnieuw. 'Ja, het loopt heel goed af.' Savannah hield haar hoofd schuin en tikte met haar kleinemeisjeshand op Annies haar. 'Ik ben blij dat je me over hem kunt vertellen. Want die verhalen over mijn papa zijn alles wat ik heb. De verhalen, mijn foto en de brieven.' Ze glimlachte. 'Ik heb de brieven nog steeds. Ze zitten in mijn zeemeerminkoffer.'

Annie haalde de Minnie-Mouse-oren uit haar tas tevoorschijn. 'Alsjeblieft.' Ze gaf ze aan Savannah. 'Deze komen van vrienden van jouw papa. Je zult ze snel ontmoeten.' Annie voelde weer een brok in haar keel komen. 'Ze zijn een speciaal geschenk.'

'Ze zijn mooi.' Savannah draaide ze om en om.

'Wil je ze op?'

'Graag.' Ze gaf ze terug aan Annie. 'Ik heb nooit eerder Minnie-Mouse-oren gehad.'

Voorzichtig duwde Annie de hoofdband op zijn plaats. 'Alsjeblieft. Het staat prachtig, Savannah.'

'Dank je wel.' Ze voelde voorzichtig aan de oren. 'Ik denk dat ik papa's vrienden lief vind.'

Annie glimlachte. 'Dat weet ik wel zeker.' Ze tikte haar op haar arm. 'Ben je klaar om naar huis te gaan, Savannah?'

'Echt waar?'

Nate stond op, pakte haar roze koffertje en stak een hand naar haar uit. 'Echt waar.'

'Voor altijd? Tot de hemel, bedoel ik?' Ze stak haar hand in de zijne, maar keek nog steeds een beetje bezorgd.

'Ja, lieverd.' Annie pakte haar andere hand vast. 'Jij bent nu ons kleine meisje.'

Savannah glimlachte en knikte. 'Ik ben klaar.' Gedrieën liepen ze naar de uitgang, en nog voordat ze op de stoep stonden, praatte Savannah alweer over Josh. 'Misschien kun je me het heldenverhaal in de metro vertellen. We gaan toch met de metro, is het niet?'

Annie genoot van het vervulde gevoel in haar hart. Wat had God hun nog meer kunnen geven na alles wat ze verloren hadden? Ze mochten weten dat Josh bij zijn Verlosser was en kregen de kans om zijn dochter op te voeden met de liefde en waardering die ze verdiende. En bovenal hadden ze het grote voorrecht om Savannah alles te mogen vertellen wat ze ooit zou willen weten over haar vader, haar droomprins-papa.

Aan deze kant van de hemel.

Savannah hield al meer van haar oma Annie en opa Nate dan van wie ook, met uitzondering van Jezus en haar papa. Ze vertelden prachtige verhalen over hem en op Eerste Kerstdag kwamen tante Lindsay en haar man en twee kinderen op bezoek. Iedereen zat onder de kerstboom en oma Annie las hardop voor.

De brieven die haar papa aan haar had geschreven, stuk voor stuk.

Ze wist nu zoveel meer over haar papa, want opa Nate had stapels en stapels foto's, zodat ze niet alleen haar favoriete portret in het plastic lijstje had, maar een hele toren van fotoboeken. Haar papa was knap, gelukkig en hij hield van Jezus. Hij hield ook van haar, want dat zei hij in de brieven wel honderd miljoen keer.

Savannah kon nog steeds niet afwachten om hem te zien, ooit, aan de andere kant van de hemel. Ze had al een paar video's van hem gezien, en ze was er tamelijk zeker van dat ze hem direct zou kunnen aanwijzen, want ze zou zijn lach herkennen. Natuurlijk zou hij eruit zien als een droomprins, wat hij ook was.

Ondertussen voelde ze zich als Sneeuwwitje, alsof ze in een sprookje leefde. Want al die jaren dat ze gebeden had om haar papa te vinden, had ze nooit zeker geweten of dat zou lukken, en ze wist dus niet hoe haar eigen verhaal zou aflopen. Maar nu wist ze het, omdat ze zoveel liefde kreeg, meer dan ze kon geloven. Ze had nieuwe vrienden, Carl Joseph en Daisy, meneer en mevrouw Gunner en een paar Minnie-Mouse-oren die mooier waren dan ze ooit had kunnen dromen.

Maar vooral had ze oma Annie en opa Nate, tante Lindsay en oom Larry en haar neef en nicht Ben en Bella, die vrijwel zeker haar beste vrienden zouden worden. Dat alles, en op een dag de hemel, met een droomprins-papa die in het leven op aarde een held was geweest.

Was er een beter einde mogelijk dan dat?

Van de auteur

Ik weet niet hoe het u is vergaan, maar toen ik *Een hoopvolle toekomst* net had afgerond, stroomden de tranen over mijn wangen. Ik zou het heerlijk vinden om Savannah in mijn armen te houden en haar verdriet en eenzaamheid met liefde te verdrijven, en ik zou er heel wat voor over hebben om vooraan te zitten bij die hereniging in de verre toekomst tussen haar en haar vader, de droomprins die zoveel van haar hield.

Mijn personages voelen altijd echt voor mij. Daarom kan mijn man me soms op een moment zoals dit betrappen, om even de schrik van zijn leven krijgen. Waarom zit zijn gewoonlijk opgewekte vrouw in vredesnaam achter haar computer haar ogen rood te huilen? En hij plaagt me er ook mee dat ik op een dag een heel interessante oude dame zal zijn – als ik het verschil niet meer weet tussen mijn kinderen en mijn personages en hem zal teisteren met de vraag waarom Carl Joseph de laatste tijd geen eieren meer is komen lenen.

Ja, mijn personages voelen echt voor mij.

Maar in dit boek kwamen de figuren, de verhaallijn, het hartverscheurende verdriet en de bitterzoete overwinning wel heel dicht bij huis. *Een hoopvolle toekomst* is namelijk gebaseerd op het verhaal van mijn broer, Dave. Net als Josh koos hij ervoor om niet te gaan studeren en sleepwagenchauffeur te worden. En net als Josh redde hij twee tienermeisjes en ving hij zelf de dreun op van een dronken chauffeur, op een koude en natte oudejaarsdag, zeven jaar geleden. De verhaallijn over Maria Cameron is echter volledig fictief.

Daarna lopen de lijnen van Daves echte verhaal en de vertelling die uit mijn hart voortkwam, uit elkaar op de bladzijden van dit boek. In het echte verhaal was er geen sprake van een grote schadevergoeding, geen miljoenenbedrag. De rechtszaken en verklaringen in Daves zaak leverden niets op dan een heleboel extra pijn. En in plaats van mijn moeder, was ik het vooral die tobde over zijn leven – of hij zichzelf niet tekort had gedaan en voor het veilige midden had gekozen terwijl hij veel meer had gekund.

Dave heeft jaren met zijn geloof geworsteld, ondanks de gebeden en inspanningen van ons gezin, van mij en zoveel anderen uit de bredere familiekring. We hebben allemaal zulke mensen in ons leven, nietwaar? Mensen die vastbesloten lijken om de moeilijke weg in het leven te kiezen. Maar voor Dave kwam de verandering zoals die ook voor Josh kwam, door een muziekvideo van Wynonna Judd, die hij laat op een avond in de eenzaamheid van zijn appartement bekeek.

Ze zong *I can only imagine* en aan het eind van de video hief ze haar handen op naar onze machtige God – Die op dat moment een diepe realiteit werd voor Dave. Hij ging op zoek naar het nummer en vond de MP3 van een groep die velen van u zullen kennen, MercyMe. Daarna speelde hij het nummer de hele dag en tot in de volgende dag, tot hij me opbelde.

Ik was in die tijd een beetje moedeloos geworden wat Dave betrof. Hij had elk aanbod afgewezen om mee te gaan naar de kerk of naar onze wekelijkse Bijbelstudie, dus toen ik zijn naam op het schermpje van de telefoon zag op die woensdagmiddag, nam ik aan dat hij maar om één ding belde: om meer geld te lenen. Bijna liep ik weg en bijna had ik een van de belangrijkste momenten van mijn leven gemist. Maar door Gods genade voelde ik me gedwongen de hoorn op te pakken.

'Hallo?'

'Hallo, Karen.' Ik hoorde het nummer op de achtergrond. 'Je zult het niet geloven.' Hij praatte hard om over de muziek heen te komen. 'Ik heb dit lied gevonden, en het is alsof ik eindelijk begrijp hoe het zit met God.'

Ik moest gaan zitten om me te kunnen realiseren wat er gebeurde. Mijn broer praatte niet tegen mij met zijn gebruikelijke gromgeluiden en afstandelijke toon, maar hij stortte zijn hart bij me uit over een verandering die even dramatisch als onmiskenbaar was. Hij vertelde me over de video, over zijn zoektocht naar het nummer en tenslotte lachte hij met ongeremde vreugde. 'Mag ik dit weekend met jullie naar de kerk? Ik meen het echt. Ik kan het nauwelijks afwachten.'

Dave was al drie jaar verslaafd aan pijnstillers toen hij zijn diepere geloof vond. Als hij een van onze familiebijeenkomsten bijwoonde, vond ik hem soms in de keuken, met onvergoten tranen in zijn ogen, zijn kiezen op elkaar bijtend en zich vastklampend aan het aanrecht. Zijn voorhoofd stond dan blank van het zweet en hij keek me verontschuldigend aan. 'Het spijt me… de pijn is zo verschrikkelijk, Karen. Ik kan het nauwelijks verdragen.'

Maar toen hij eenmaal een hunkering naar God en Zijn Woord ontwikkelde, toen hij de vreugde ontdekte van het zingen ter ere van de Schepper van het universum, praatte Dave niet langer over zijn pijn. Die was er beslist nog wel, daar ben ik zeker van. Maar zijn pijn bepaalde hem niet langer zoals zijn geloof en hoop voor de toekomst hem bepaalden.

Zes weken achter elkaar ging Dave met ons naar de kerk, naar onze favoriete zaterdagavonddienst en nog eens met mijn ouders op zondagmorgen. Ik herinner me de dienst in die zesde week als de dag van gisteren. We waren aan de late kant – drie van de jongens liepen nog in hun voetbalkleding en een van hen hield een servetje tegen een plotselinge bloedneus. Door de chaos en de haast om de jongere vier jongens naar de zondagsschool te brengen, kwamen we pas de donkere kerkzaal binnen toen het eerste lied al opklonk. Iedereen stond, maar mijn broer was bijna twee meter lang, zodat ik hem makkelijk kon zien voor in de kerk, op de derde of vierde rij.

Hij deed wat we allemaal doen als we in de kerk op iemand wachten die nog moet komen. Om de paar seconden keek hij over zijn schouder en zocht mij met zijn ogen. Donald, ik en onze twee oudste kinderen gingen achteraan zitten, en ik liep even naar voren. Ik moest Dave in elk geval zeggen dat we er waren, en omdat iedereen toch stond, dacht ik dat niemand het zou merken.

Niemand behalve Dave.

Hij zag me aankomen, en toen ik dichterbij kwam, stapte hij in het gangpad en omarmde me. 'Ik hou van je,' fluisterde hij bij mijn oor. 'Dank je dat je mij nooit hebt afgeschreven.'

De omhelzing duurde nog een paar seconden, waarna we naar elkaar lachten en ik terugkeerde naar mijn gezin achter in de kerk.

Het was de laatste keer dat ik mijn broer ooit zag.

De volgende zaterdag, een prachtige zonnige morgen in oktober, was ik op een signeersessie. Dave was van plan om naar de rugbywedstrijd van mijn neefje te gaan. Hij kwam echter nooit opdagen. De signeersessie met ongeveer honderd lezers en lezeressen was misschien tien minuten aan de gang toen ik plotseling zag dat mijn man er was. Hij had een vreemde uitdrukking op zijn gezicht, en mijn eerste gedachte was dat er iets met een van de kinderen gebeurd moest zijn. Ze waren druk in de weer met voetbal en theater, en er kon van alles en nog wat zijn misgegaan.

Ik vroeg mijn volgende lezeres of ze even wilde wachten en liep snel naar Donald toe. 'Alles in orde?'

'Nee, lieverd, het is niet in orde.' Hij pakte mijn hand vast en nam me terzijde, zonder het oogcontact te verbreken. 'Je broer is dood. Hij is afgelopen nacht in zijn slaap overleden.'

Wat er daarna gebeurde, was een prachtig beeld van de familie van God. De boekwinkel werd een kerk, waarin langzaam maar zeker tot de lezers doordrong wat er zojuist was gebeurd.

Binnen de kortste keren vormden ze een kring om mij heen en baden voor mij. Ze gunden me een paar minuten in de kantine van de winkel om mijn ouders op te bellen. Uiteindelijk besloot ik te blijven en de signeersessie af te maken omdat ik hier uiteindelijk over schreef – de pijn en moeite van het leven, en de hoop van het Kruis. De belofte dat uiteindelijk alle dingen werkelijk ten goede keren voor wie in God gelooft.

Mijn boekenvrienden waren die dag aardig en meelevend; ze omhelsden me en vertelden hoe erg ze het vonden. Een vrouw kreeg tranen in haar ogen toen ik haar vertelde dat mijn broer een dochter had, maar dat hij nooit de kans had gekregen om haar te leren kennen. 'Ik heb de afgelopen week een kleinkind verloren,' vertelde ze. 'Misschien dat jouw broer haar vanavond in de hemel vasthoudt.'

Maar ondanks die gedachte en het rotsvaste vertrouwen dat Dave bij God was en niet langer pijn had, voelde ik spijt. In de weken na zijn dood hoorde ik veel over de goedheid van mijn broer, zijn zorg voor anderen en zijn medeleven voor de zwakkeren. Ik vroeg me af waarom we die laatste keer niet met het hele gezin voor in de kerk naast Dave waren gaan zitten. En waarom was ik afstandelijk en moedeloos geraakt door mijn mislukte pogingen hem uit te nodigen voor de Bijbelstudie, terwijl God nooit afstandelijk en moedeloos wordt om mij? De enige troost die overbleef, de enige die ik nu nog voel, lag in die laatste woorden van mijn broer.

'Dank je dat je mij nooit hebt opgegeven.'

En dat brengt mij tot de reden waarom ik dit boek schreef. Ik wilde het verhaal vertellen van een persoon als Dave, die misschien geen grote ster was, geen grote sporter en die geen groot financieel succes kende. Iemand die geen academische graad behaalde, en geen bestseller schreef. Iemand die niet populair en succesvol was op de manier zoals de wereld die dingen definieert. Want allemaal kennen we in onze levens mensen als Dave en als Josh. Mijn uitdaging aan u – die mij persoonlijk veel heeft gekost – is om het goede te zien in deze minder opvallende mensen.

Tot een volgende keer,
In Zijn licht en liefde,
Karen Kingsbury
www.karenkingsbury.com

Woord van dank

Toen ik op een avond de laatste hand legde aan dit boek, kroop Austin naast me in bed en keek naar het scherm van mijn laptop. 'Weet je, mama,' zei hij, 'ik wilde je al heel lang iets vragen over het schrijven van boeken. Ik heb een paar vragen.' Ik glimlachte naar hem en vroeg wat hij wilde weten. 'Nou,' zei hij, 'hoe is dat met al die prachtige omslagen van jouw boeken? Ze zijn zo mooi, met precies de goede kleuren en plaatjes. Maak jij die?'

Ik schudde mijn hoofd. 'Nee, jongen. Ik bemoei me eigenlijk helemaal niet met de omslagen. De uitgever heeft al die fantastische ontwerpers en die maken ze.' Hij leek even een beetje teleurgesteld, maar toen straalden zijn ogen. 'Weet ik, maar hoe zit het met de binnenkant van het boek, met al die letters die zo netjes op een rij staan, en die kleine tekentjes die de eerste bladzijde van elk hoofdstuk zo mooi maken?' Hij fronste zijn voorhoofd en keek een beetje verbaasd. 'Doe jij dat?'

Weer schudde ik mijn hoofd. 'Nee, lieverd. De ontwerpers van de uitgever zorgen er ook voor dat de boeken er van binnen mooi uitzien.' Ik lachte een beetje schaapachtig. 'Zij doen dat dus.'

Hij liet zijn schouders zakken, maar na een korte pauze trok hij zijn wenkbrauwen weer hoopvol op. 'Weet ik, maar hoe zit het met de boekwinkels! Breng jij al die boeken naar de boekwinkels, zodat ze op de planken klaarstaan voor de mensen?'

Ik voelde heel duidelijk hoe ik hem teleurstelde, maar weer schudde ik mijn hoofd en glimlachte zwakjes. 'Nee, Aus, dat doe ik ook niet. De uitgever heeft mensen in dienst voor de verkoop. Die zorgen dat de boeken in de boekwinkels komen. Daarna maken andere mensen de dozen met boeken open om ze op de planken te zetten. Ik heb daar helemaal niets mee te maken.'

'Tjonge.' Hij klom weer uit bed, maar voordat hij wegrende, haalde hij zijn schouders op. 'Jij doet eigenlijk ook niet veel, hè?'

Er zat wel iets waars in zijn opmerking. Er komt geen boek tot stand zonder dat een groot team van getalenteerde mensen zich ervoor inzet. Om die reden wil ik mijn vrienden van FaithWords en Center Street bedanken, die hun krachten bundelden om van *Een hoopvolle toekomst* te maken wat het geworden is. Een speciaal woord van dank voor mijn toegewijde redactrice, Anne Horch, die me vaak aanmoedigde om door te gaan met het verhaal, hoe moeilijk het soms ook was.

Veel dank ook aan mijn verbluffende agent, Rick Christian, voorzitter van Alive Communications. Rick, je hebt altijd het grootste vertrouwen in mij gehad. Als we over de hoogst mogelijke doelen praten, zie jij ze als bereikbaar, realiseerbaar. Je bent een uitstekende manager van mijn carrière, en ik dank God voor jou. Maar behalve alles wat je doet voor mijn schrijven, ben ik je dubbel dankbaar voor je gebeden. Het feit dat jij en Debbie voor mij en mijn gezin bidden, geeft mij elke ochtend het vertrouwen dat God de verhalen in mijn hart tot leven zal blijven wekken. Bedankt dat je zoveel meer bent dan een uitstekende agent.

Speciale dank aan mijn echtgenoot die me ook verdraagt als ik met deadlines worstel en het niet erg vindt om na een basketbalwedstrijd naar de Taco Bell te rijden als ik de hele dag mijn tekst heb zitten bewerken. Zonder jou zou dit hectische bestaan onmogelijk zijn, Donald. Jouw liefde houdt me aan het schrijven en jouw gebeden sterken mijn overtuiging dat God een bedoeling heeft met mijn roeping om te schrijven.

Bedankt ook voor alle uren die je besteedt aan de berichten in het gastenboek op mijn website. Ik kijk altijd uit naar dat moment op de dag waarop je ze doorneemt, met mij deelt en doorgeeft aan het publiek, om vervolgens te bidden voor hen die daarom vragen. Bedankt, schat, en dank aan al mijn kinderen, die me eensgezind groene ijsthee brengen en mijn soms bizarre agenda lijken te begrijpen. Ik vind het heerlijk dat jullie weten dat jullie nog altijd op de eerste plaats komen, voor elke deadline.

Dank ook aan mijn moeder, Anne Kingsbury, en mijn zusters Tricia, Sue en Lynne. Mam, je bent geweldig als mijn assistente – dag en nacht in de weer met de post van mijn lezende vriendinnen en vrienden. Ik ben je dankbaarder dan je ooit zult weten. Tricia, jij bent de beste uitvoerende assistent die ik ooit zou kunnen hebben. Ik koester je loyaliteit en eerlijkheid en de manier waarop je me bij elke beslissing en opwindende verandering van de website betrekt. Mijn site is volstrekt veranderd sinds jij erbij kwam, en het aantal hits is vertienvoudigd. Ik bid dat jij en je prachtige zoon Andrew Gods zegen altijd mogen ervaren en ik dank je voor je toewijding aan mijn schijfcarrière. We hebben een heerlijke tijd samen, vind je niet? God werkt alles ten goede.

Sue, volgens mij had je therapeute moeten worden! Dagelijks ontvang je in je huis, ver van het mijne, stapels brieven van lezers, die je ijverig en gewetensvol beantwoord, met een beroep op Gods wijsheid en Zijn Woord. Als lezers of lezeressen een antwoord krijgen van 'Karens zus Susan' hoop ik dat ze begrijpen hoe nauwgezet je voor hen gebeden hebt en voor het antwoord dat je hun geeft. Dank je voor je oprechte liefde voor wat je doet, Sue. Je hebt een grote gave voor mensen, en ik ben blij je aan boord te hebben.

Bijzondere dank ook voor Will Montgomery, mijn logistiek manager. Ik zag er om een paar redenen enorm tegen op om mijn boeken tijdens manifestaties aan de man te brengen. Allereerst wilde ik nooit profiteren van boekverkopen op manifestaties, en ten tweede zou ik nooit de tijd hebben om alle logistieke details te regelen. Monty, jij kwam erbij en hebt me op beide punten geholpen. Dank je voor je trouw, vriendschap en bescherming van mij, mijn gezin en het werk dat God me laat doen. Ga alsjeblieft door met je werk.

Olga Kalachik, mijn secretaresse, dank je voor je inspanningen om bij ons thuis de marketing- en onderzoekssessies voor te bereiden, die hier met regelmaat worden gehouden. Ik waardeer alles wat je doet om mij de tijd te bezorgen om te schrijven. Je bent geweldig, Olga, en ik bid God dat hij jou en je dierbare gezin mag blijven zegenen.

Mijn vriendinnen bij Extraordinary Women – Roy Morgan, Julie en Tim Clinton, Beth Cleveland en de meisjes onderweg, samen met zoveel anderen – wat heerlijk om deel te mogen uitmaken van wat God door jullie allen bewerkt! Dank dat ik tot jullie familie mag behoren.

Grote dank ook aan mijn levenslange vrienden en familie, degenen die ons altijd te hulp komen als we ze nodig hebben. Jullie liefde is een tastbare bron van troost geweest, die ons door alle woelingen van het leven heeft geholpen en ons doet beseffen hoe gezegend we zijn met jullie in ons leven.

Maar mijn grootste dank gaat uit naar God. Van U komt de gave. Ik bid dat ik die nog jaren mag gebruiken, tot Uw eer en glorie.